AutoCAD 2002

Facile

**Les collections informatiques sont dirigées
par ghéorghiï vladimirovitch grigorieff**

gheorghi@grigorieff.com

Mise en page Dimitri Culot/M2M

Sommaire

Du même auteur chez le même éditeur

- L'indispensable pour AutoCad 10 (1990)
- L'indispensable pour la C.A.O. (1991)
- Harvard Graphics facile (1991)
- L'indispensable pour maîtriser la couleur (1992)
- CA-SuperProject facile. Théorie et pratique de la gestion de projets (1993)
- Aide-Mémoire de AutoCad Version 12 (1993)
- AutoSketch facile pour Windows (1994)
- Harvard Graphics facile pour Windows (1994)
- L'indispensable pour la synthèse d'images (1995)
- Maîtrisez pas à pas Prélude Design (1995)
- Autocad 13 facile (1996)
- Guide complet pour créer un serveur Web (1997)
- La synthèse d'images (1998) (2e édition)
- L'intégrale de AutoCAD 14 (1998)
- Storyboard AutoCAD 14 (1999)
- L'intégrale de AutoCAD 2000 (2000)
- AutoCAD 2000 facile (2000)
- Créer un site Web dynamique (2001)
- Dreamweaver 4 facile (2001)

Préface

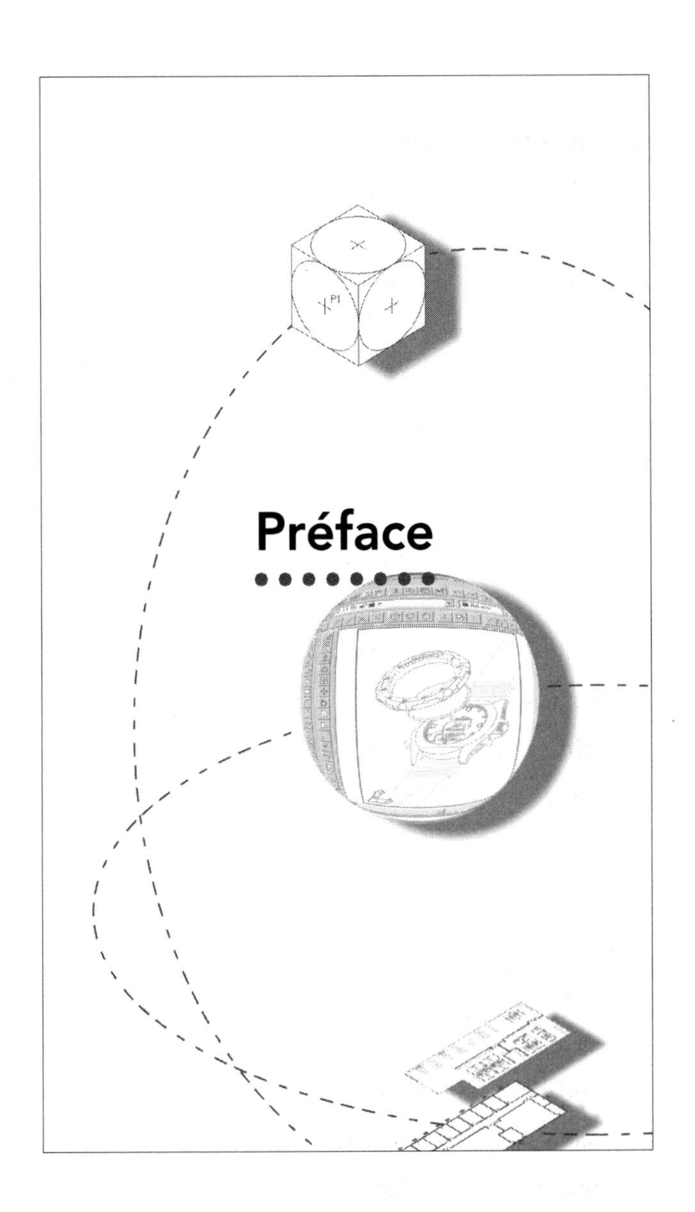

Bienvenue dans AutoCAD 2002 , le leader incontesté des systèmes de DAO (Dessin Assisté par Ordinateur) avec plus de 4 millions de licences dans le monde. Premier logiciel de dessin développé sur micro-ordinateur, AutoCAD a vu le jour en Californie en décembre 1982 au sein de la société Autodesk, elle-même fondée en avril de la même année. Depuis cette époque, l'ordinateur devient progressivement le principal outil de travail du dessinateur ou du concepteur, qui peut dessiner ou concevoir en deux ou trois dimensions directement à l'écran de son ordinateur grâce aux multiples fonctions d'AutoCAD. Grâce à sa très grande flexibilité et à sa polyvalence, les champs d'application d'AutoCAD sont très variés : architecture, mécanique, cartographie, électronique... Pour chacune de ces disciplines, il existe également une série de modules complémentaires permettant de rendre l'utilisation du logiciel encore plus efficace : Autodesk Architectural Desktop (architecture), Autodesk Land Desktop (paysagisme), Autodesk Mechanical Desktop (conception mécanique), AutoCAD Mechanical (dessin mécanique), Autodesk Map (cartographie), etc.

La version 2002 d'AutoCAD offre une série de nouvelles fonctionnalités très performantes telles que la cotation associative, la gestion de standards de calques et de styles, la gestion des attributs, la cotation dans l'espace de présentation, ou encore les outils Internet pour diffuser l'information ou travailler en collaboration.

Fidèle à l'esprit de la collection Marabout Facile, cet ouvrage poursuit un but unique : procurer au lecteur débutant tous les éléments indispensables à son travail, lui expliquer brièvement les commandes, lui montrer ce qu'elles permettent de réaliser et reprendre, point par point, la marche à suivre pour parvenir à ses fins (réaliser un dessin, le modifier, l'habiller, le mettre en page et l'imprimer).

Bonne lecture !

1. Les prérequis

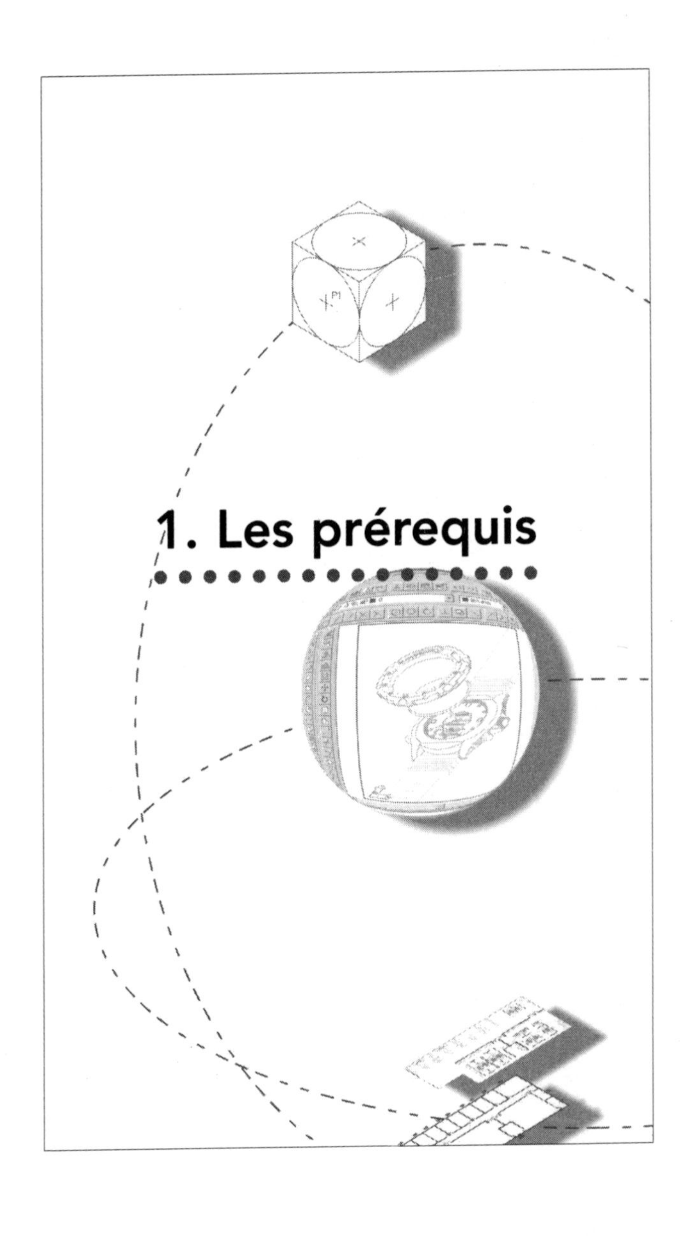

A voir dans ce chapitre

- L'installation d'AutoCAD
- Le lancement d'AutoCAD
- L'interface utilisateur d'AutoCAD
- Dialoguer avec AutoCAD

1. Installer, lancer et autoriser AutoCAD

L'installation d'Autocad est simple. Il importe de vérifier d'abord la configuration du système utilisé qui doit correspondre aux exigences de base suivantes :

- PC Intel® Pentium® II ou AMD K6-II 450 MHz
- Microsoft® Windows® XP, Windows 2000 Professional, Windows 98, Windows Millennium Edition, ou Windows NT® 4.0 (SP5 ou sup.)
- 128MB RAM
- 200MB d'espace disque libre

- Affichage VGA avec définition 1024 x 768 ou supérieure
- Souris
- Lecteur CD-ROM

Il convient de remarquer que par rapport aux versions précédentes d'AutoCAD, il n'est plus nécessaire d'installer un verrou matériel de protection.

L'installation s'effectue ensuite selon la procédure suivante :

1. Insérer le CD dans le lecteur de CD-ROM. Sous Windows, le programme Autorun démarre la procédure d'installation dès l'insertion du CD, à moins d'enfoncer la touche Shift (Maj) pour arrêter la procédure.
2. Dans les autres cas, sur l'écran Windows, cliquer sur Start (Démarrer) puis sur Run (Exécuter).
3. Dans la boîte de dialogue "Run" (Exécuter) taper le nom du programme à exécuter ou utiliser l'outil Browse (Parcourir). Dans le cas présent, il s'agit de X:setup.exe, avec X = unité du CD-ROM.
4. Sur l'écran d'accueil, choisir Next (Suivant).
5. Lire les conditions d'utilisation du logiciel (accord de licence) et cliquer sur I accept (J'accepte) puis sur Next (Suivant).
6. Entrer le numéro de série et la clé du logiciel, indiqués sur la boîte du CD-ROM. Cliquer sur Next (Suivant).

7 Dans la boîte de dialogue qui s'affiche ensuite, il convient de personnaliser la copie d'AutoCAD en entrant le nom de l'utilisateur, celui de la société, celui du revendeur et son numéro de téléphone. Cliquer ensuite sur Next (Suivant).

8 S'il s'agit d'une première installation sur l'ordinateur sans mise à jour, passer à l'étape 9 sinon deux options sont possibles :

- Install in a separate directory (Installer AutoCAD 2002 dans un dossier différent)
- Upgrade AutoCAD (Mettre à niveau la version existante d'AutoCAD vers AutoCAD 2002).

La double installation n'est possible qu'avec AutoCAD 14 et non avec AutoCAD 2000 ou 2000i.

9 Sélectionner le type d'installation souhaité: standard, compacte (uniquement les programmes et les polices), personnalisée (uniquement les fichiers sélectionnés), complète (installation standard, plus les outils Internet, les exemples, les dictionnaires, les textures, les didacticiels). Pour avoir toutes les options, il est conseillé de choisir Full (Installation complète). Cliquer sur Next (Suivant).

10 Choisir le nom de dossier par défaut pour AutoCAD. Cliquer sur Next (Suivant) pour accepter le nom par défaut ou sur Browse (Parcourir) pour spécifier un autre dossier.

11 Cliquer sur Next (Suivant) pour démarrer l'installation.

12 Si une version existante de Microsoft NetMeeting est détectée, la mise à jour vers la version 3.01. est possible. Cliquer sur Yes (Oui) pour effectuer la mise à jour.

13 Dans le cas d'une installation standard ou personnalisée qui comprend Volo View Express, il convient d'installer ce composant. Cliquer sur Yes (Oui) pour lancer l'installation ou sur No (Non) pour ne pas en tenir compte.

14 Après l'installation ou non de Volo View, la mise à jour du système prend cours. Une fois terminée, le message " L'installation d'AutoCAD 2002 a réussi " s'affiche à l'écran.

15 Une fois l'installation terminée, cliquer sur Finish (Terminer) puis redémarrer l'ordinateur.

Pour procéder à l'autorisation d'AutoCAD, la procédure est la suivante :

1 Lancer AutoCAD. L'assistant autorisation apparaît.

2 Sélectionner le champ Authorize AutoCAD 2002 (Autoriser AutoCAD 2002) et cliquer sur Next (Suivant).

3 AutoCAD affiche le nom du produit, le numéro de série et le code de requête. Ce code est généré en fonction de certains composants de l'ordinateur. Il n'est donc valable que pour l'ordinateur et ses composants actuels. Le changement d'une carte

réseau, par exemple, nécessitera une nouvelle demande d'autorisation.

4 Activer le champ Register and authorization (Enregistrement et autorisation) et cliquer sur Next (Suivant).

5 Compléter les différentes pages d'informations et cliquer chaque fois sur Next (Suivant).

6 Sélectionner la méthode d'enregistrement : Internet, Télécopie, Email ou Courrier. La méthode Internet permet un enregistrement immédiat, pour les autres méthodes il faut passer au point 7.

7 Après réception du numéro d'autorisation, il convient de revenir au point 4 de la procédure et de sélectionner l'option Enter of an authorization Code (Entrée d'un code d'autorisation).

8 Taper le code reçu et cliquer sur Next (Suivant) pour confirmer l'autorisation.

2. Configurer l'interface d'AutoCAD

Outre la fenêtre d'accueil AutoCAD 2002 Today (Actualités) qui permet d'ouvrir et de créer un nouveau dessin (voir chapitre 2), la configuration de l'interface de travail d'AutoCAD est pilotée par un certain nombre de paramètres par défaut. Pour modifier éventuellement ceux-ci dans le cas de l'utilisation d'AutoCAD, il suffit de faire appel à la boîte de dialogue Options (Options) du menu Tools (Outils). Trois onglets permettent de modifier la couleur de l'écran, le périphérique de pointage et la gestion du clic droit de la souris. Le choix de l'imprimante sera abordé au chapitre 10. Pour changer la couleur de l'écran, il convient de:

1. Cliquer sur l'onglet Display (Affichage) puis sur le bouton Colors (Couleurs). La boîte Color Options (Options de couleurs) s'affiche à l'écran (fig. 1.1).

2. En pointant au milieu de la fenêtre Model Tab (Onglet Objet) il est ensuite possible de choisir une autre couleur dans la liste déroulante Color (Couleur). Cliquer sur Apply and Close (Appliquer et Fermer).

3. Pour enregistrer les modifications et quitter la boîte de dialogue, cliquer sur OK.

L'onglet Display (Affichage) permet également de modifier la taille du curseur. Il suffit de déplacer la glissière dans la zone Crosshair size (Taille du réticule). Les valeurs possibles vont de 1 (min) à 100 (max).

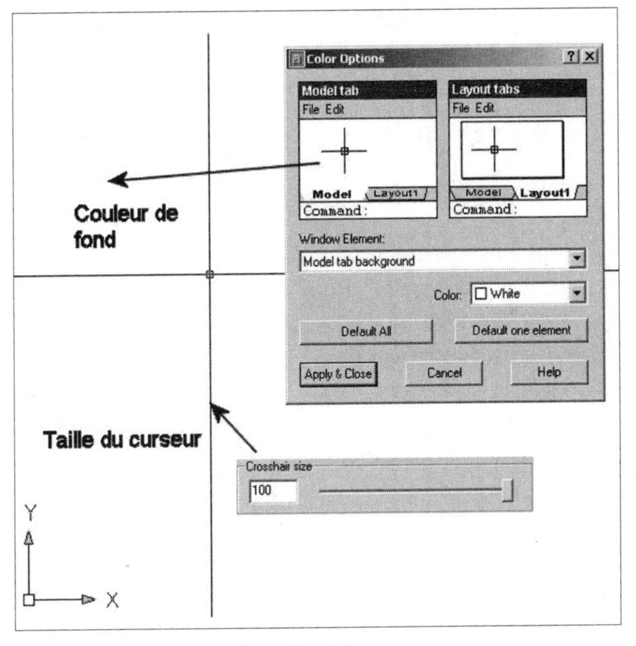

Fig. 1.1

Pour modifier l'outil de pointage, la procédure est la suivante:

1. Cliquer sur l'onglet System (Système) et choisir le périphérique dans la liste déroulante Current Pointing Device (Périphérique de pointage courant).

2. Dans le cas du choix d'une tablette graphique, choisir le mode de fonctionnement du digitaliseur dans la zone Accept input from (Accepter entrée depuis):

- Digitizer only (Numériseur seulement): AutoCAD n'accepte l'entrée des données que via le digitaliseur et ignore la souris;
- Digitizer and mouse (Numériseur et souris): AutoCAD accepte une entrée de données via le digitaliseur ou via la souris.

3 Pour enregistrer les modifications sans quitter la boîte de dialogue, cliquer sur Apply (Appliquer). Pour enregistrer les modifications et quitter la boîte de dialogue, cliquer sur OK.

Pour modifier le comportement de la touche droite de la souris, la procédure est la suivante:

1 Cliquer sur l'onglet User Preferences (Préférences utilisateur).

2 Cliquer sur le bouton Right-clic Customization (Signification du bouton droit).

3 Sélectionner les options dans le cas des 3 comportements possibles (fig. 1.2) :

- Aucune commande n'est active, un clic droit a pour effet :
  - De répéter la dernière commande (repeat last command)
  - D'afficher le menu contextuel (shortcut menu)
- Un ou plusieurs objets sont sélectionnés, un clic droit a pour effet :

- De répéter la dernière commande (repeat last command)
- D'afficher le menu contextuel (shortcut menu)

▸ Une commande est en cours, un clic droit a pour effet :

- Un effet identique à l'appui sur la touche ENTREE
- D'afficher un menu contextuel
- D'afficher un menu contextuel uniquement si la commande possède des options.

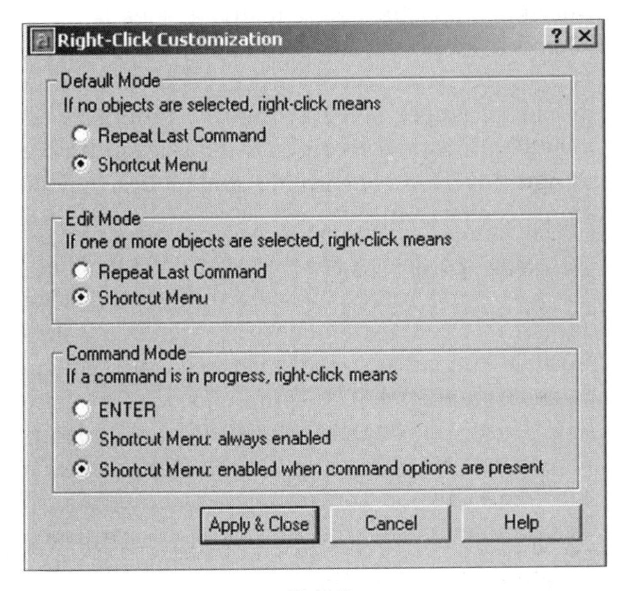

Fig. 1.2

3. La fenêtre d'AutoCAD 2002

La fenêtre d'AutoCAD 2002 ressemble à celle de n'importe quel autre programme prévu pour tourner sous Windows. Outre la barre de titre, la fenêtre initiale d'AutoCAD est divisée en trois parties principales (fig. 1.3):

- La partie supérieure ou zone "menus": compte trois rangées de menus. La première rangée contient la barre des menus que l'on retrouve dans la plupart des applications Windows (Fichier, Edition...). La deuxième rangée, que l'on nomme "barre d'outils standard", regroupe sous la forme d'icônes, les principales commandes concernant la gestion des fichiers et de l'affichage écran. Enfin, la troisième rangée la barre d'outils " Propriétés des objets" qui contient les commandes ayant trait au calque (layer) et aux qualités graphiques (type de ligne, couleur, etc.).
- La partie centrale ou zone "dessin": affiche le dessin en cours, représenté dans une ou plusieurs fenêtres. Les entités sont dessinées dans cette zone à l'aide d'un curseur, activé par une souris ou une tablette graphique. Elle comprend dans sa partie inférieure les onglets Model (Objet), Layout1 (Présentation1) et Layout2 (Présentation2) permettant de passer de l'environnement de création à l'environnement de mise en page. Cette partie peut aussi contenir des barres d'outils flottantes (par

défaut les barres d'outils Dessiner et Modifier) et est entourée en bas et à droite de barres de défilement qui permettent de modifier le champ de vision sur le dessin.

- La partie inférieure ou zone "commande": permet d'entrer les commandes d'AutoCAD au clavier. C'est également dans cette zone qu'AutoCAD indique les opérations à effectuer lorsqu'une commande est sélectionnée. Habituellement composée de trois lignes, cette zone peut être agrandie ou rétrécie et également déplacée en haut de l'écran ou être flottante. La partie inférieure comporte également une "barre d'état" qui affiche la position du curseur à l'aide des coordonnées, et le statut des modes Snap (Resol), Grid (Grille), Ortho, Osnap (Accrobj), Polar (Polaire), Otrack (Reperobj), Lwt (Epaissligne) et Model/Paper (Objet/Papier).

Barre de titre
Indique le nom du document

Barre des menus
Contient toutes les commandes d'AutoCAD

Barre d'outils Propriétés des Objets
Contient les commandes ayant trait au calque et aux propriétés des objets (type de ligne, couleur, etc.)

Boutons de manipulation de la fenêtre
Permet de gérer l'affichage des fenêtres

Barre d'outils standard
Propose les principales commandes concernant la gestion des fichiers et de l'affichage écran

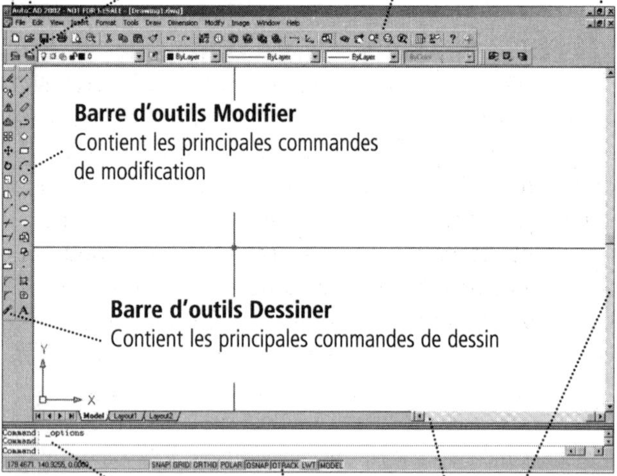

Barre d'outils Modifier
Contient les principales commandes de modification

Barre d'outils Dessiner
Contient les principales commandes de dessin

Zone de commande
Permet d'entrer les commandes d'AutoCAD au clavier et de sélectionner certaines options

Fig.

Barres de défilement horizontale et verticale
Permettent de se déplacer dans le dessin

Barre d'état
Informe l'utilisateur sur la position du curseur et sur l'état de certains paramètres (Resol, Grille, Ortho…)

4. Dialoguer avec AutoCAD

Le dialogue avec AutoCAD s'effectue grâce à des fonctions qui peuvent être activées à l'aide de la souris ou du clavier. Les fonctions sont disponibles à partir des menus à l'écran ou sur une tablette graphique, à partir des barres d'outils ou à partir de boîtes de dialogue.

Utilisation de la souris

Atout principal de l'utilisateur d'AutoCAD, la souris se manifeste sous deux formes principales dans AutoCAD 2002 : un pointeur représenté par une flèche ou un curseur graphique en forme de croix. Le pointeur permet de sélectionner un menu ou de cliquer sur un bouton d'une barre d'outils. Le curseur graphique apparaît lorsqu'on se place dans la zone de dessin et intervient pour la création et les modifications du dessin. Les manipulations de la souris obéissent à un vocabulaire spécifique. Cliquer (à gauche) consiste à enfoncer le bouton gauche de la souris. Pour valider l'exécution d'une commande (en cliquant sur une icône) ou indiquer la position d'un point dans la zone graphique. Cliquer à droite consiste à enfoncer le bouton droit de la souris. Pour donner un retour chariot, qui permet de terminer une instruction (le tracé de lignes, par exemple), ou s'il n'y en a pas, de répéter la dernière instruction. Dans le cas d'une souris à trois boutons, le bouton central permet d'activer la fonction PAN ou d'afficher un menu déroulant comportant les options d'accrochages aux objets. Dans ce dernier cas, il faut mettre la variable MBUTTONPAN= 0

La souris IntelliMouse ou équivalente

Ce type de souris est dotée de deux boutons entre lesquels se trouve une roulette. Les boutons de gauche et de droite ont les mêmes fonctions que ceux d'une souris standard. La roulette permet d'effectuer des zooms et des panoramiques dans le dessin sans utiliser les commandes d'AutoCAD. Les actions suivantes sont disponibles :

▸ **Effectuer un zoom avant ou arrière**

Faire tourner la roulette vers l'avant ou vers l'arrière. La variable ZOOMFACTOR permet de modifier le facteur de zoom qui est réglé à 10% par défaut.

▸ **Effectuer un zoom sur l'étendue du dessin**

Cliquer deux fois sur le bouton de la roulette.

▸ **Panoramique**

Faire glisser la souris en maintenant le bouton de la roulette enfoncé.

▸ **Effectuer un panoramique**

Faire glisser la souris tout en maintenant la touche CTRL et le bouton de la roulette enfoncés.

▸ **Afficher le menu Accrochage aux objets.**

Mettre la variable système MBUTTONPAN sur 0. Cliquer ensuite sur le bouton de la roulette.

Utilisation du clavier

L'entrée des données dans AutoCAD s'effectue également grâce à des "Commandes" qui peuvent être activées directement à partir du clavier. Il suffit de taper directement le nom de la commande ou de son expression abrégée. Exemple: Commande: LINE (LIGNE) puis Entrée ou Commande: L puis Entrée.

Les commandes et les options peuvent être entrées en lettres majuscules ou minuscules. Pour les options, il suffit de taper la (ou les) lettre(s) écrite en majuscule. Ainsi dans le cas du tracé d'une polyligne, il suffit de taper A (Arc), si l'on souhaite dessiner une partie courbe, ou LA (LArgeur) si l'on souhaite modifier la largeur de la polyligne. Les expressions abrégées ou "aliases" sont listées dans le fichier ACAD.PGP (situé dans le répertoire Support d'AutoCAD) qu'il suffit de lire avec le Bloc-Notes de Windows.

Le clavier comporte également une série de touches de fonctions qui permettent d'accéder directement à certaines commandes. Ces touches sont localisées en rangées en haut du clavier et fonctionnent pour la plupart comme un interrupteur actif-inactif. Voici la liste des principales touches:

Clé F1	**permet d'obtenir de l'aide sur AutoCAD ou sur la commande en cours.**
Clé F2	**permet de permuter la fenêtre graphique et la fenêtre texte.**
Clé F3	**permet d'activer les outils d'accrochage (OSNAP).**

Clé F4	permet d'activer le mode TABLET (Tablette).
Clé F5	permet d'activer le mode ISOPLANE (Isometr).
Clé F6	permet de contrôler le mode d'affichage des coordonnées (fixes, mouvantes, absolues, polaires, relatives).
Clé F7 Touches Ctrl-G	permet d'activer ou de désactiver la grille (GRID) à l'écran.
Clé F8 Touches Ctrl-L	permet d'activer ou de désactiver le mode ORTHO.
Clé F9 Touches Ctrl-B	permet d'activer ou de désactiver le mode SNAP (RESOL).
Clé F10	permet d'activer le mode polaire (Polar).
Clé F11	permet d'activer le mode repérage d'objet (Otrack).

Astuce

Si vous désirez annulez une opération en cours et retourner à l'indicatif Commande :, il suffit d'appuyer une ou deux fois sur la touche [Echap] , située dans le coin supérieur gauche de votre clavier.

Les menus déroulants

Ils regroupent l'ensemble des commandes d'AutoCAD. Pour accéder à une commande, il faut dérouler le menu qui l'abrite, en cliquant sur son nom dans la barre des menus. Ensuite, au moyen de la souris, on sélectionne l'instruction souhaitée (qui apparaît en blanc sur fond bleu), puis on valide son choix en cliquant une nouvelle fois. Généralement, ces actions suffisent pour effectuer une action. Toutefois, les menus présentent plusieurs types de commandes. Celles suivies d'une flèche font appel à un menu d'options et celles suivies de trois points font appel à une boîte de dialogue, composée elle-même d'une série impressionnante d'instructions (fig. 1.4).

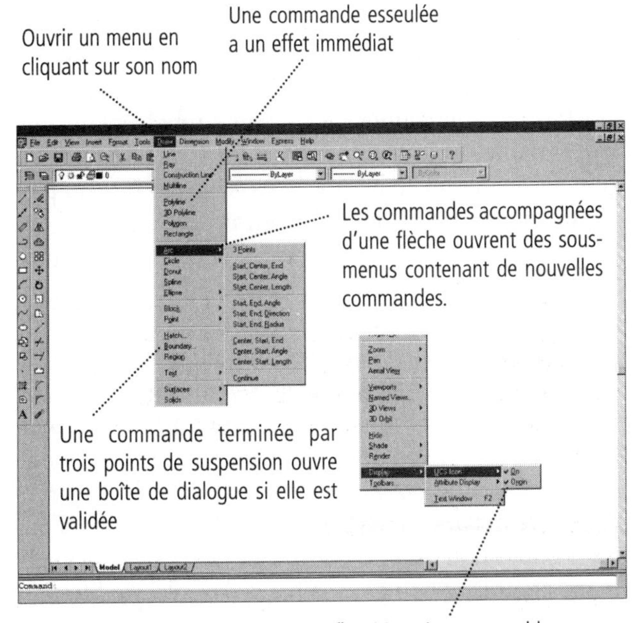

Les commandes " interrupteurs " qui inactives, ressemblent aux autres fonctions mais qui, une fois activées, sont précédées du caractère "✓" (commandes de type ON/OFF)

Fig. 1.4

Astuce

Pour fermer un menu inutile ou ouvert par erreur, il suffit d'enfoncer la touche [Echap].

Les barres d'outils

Les barres d'outils contiennent des icônes classées par thème et correspondant aux commandes les plus fréquemment utilisées. Plutôt que se casser la tête à sélectionner le menu Fichier, puis l'instruction Imprimer..., on cliquera sur l'icône représentant une imprimante. Et le tour est joué. Plus rapide, l'utilisation des icônes évite parfois le passage par une ou plusieurs boîtes de dialogue. Comme dans le cas des menus déroulants, les icônes des barres d'outils possèdent trois types de comportement différents : exécuter directement une commande, ouvrir une boîte de dialogue ou afficher d'autres options sous la forme d'une barre en cascade. Ce dernier comportement est facile à reconnaître : l'icône concernée affiche un petit triangle noir dans le coin inférieur droit. Notez qu'AutoCAD propose une bonne vingtaine de barres d'outils spécialisées. Par défaut, il affiche la barre d'outils standard, la barre d'outils Propriétés des objets, la barre d'outils Dessiner et la barre d'outils Modifier.

La sélection des barres à faire apparaître à l'écran s'effectue par la commande Toolbars (Barre d'outils) du menu View (Vue). Une fois la barre sélectionnée, elle s'affiche librement à l'écran. Elle peut ensuite rester “flottante” sur l'écran ou être ancrée sur l'un des côtés de la fenêtre de dessin. Dans le premier cas, il suffit de pointer en continu sur le titre de la barre pour effectuer un déplacement.

Pour ancrer une boîte, il convient de suivre la procédure suivante (fig. 1.5):

1. Placez le curseur sur le titre de la boîte à outils et maintenez le bouton de validation enfoncé (en général le bouton gauche de la souris).

2. Faîtes glissez la boîte vers l'une des zones d'ancrage: en haut, en bas, à gauche et à droite de la fenêtre de dessin.

3. Lorsque le contour de la boîte apparaît sur la zone d'ancrage, relâchez le bouton de validation.

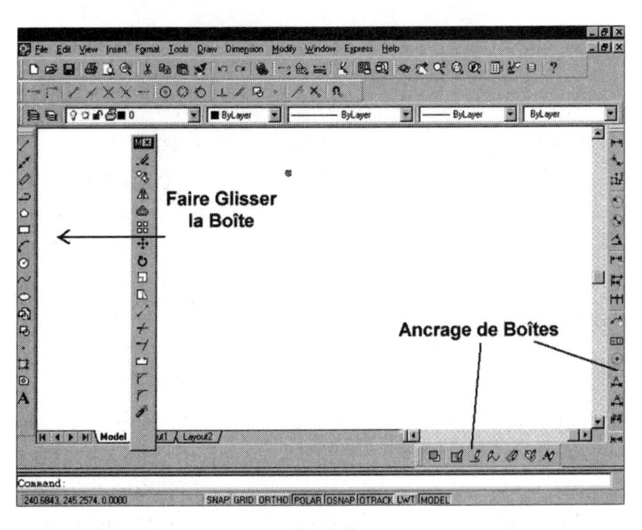

Fig. 1.5

Certaines icônes comportent un petit triangle noir dans le coin inférieur droit et donnent accès à des "palettes déroulantes" contenant d'autres commandes. Pour exécuter une de ces commandes, la procédure est la suivante (fig. 1.6):

1. Placez le pointeur sur l'icône représentant l'outil (exemple: le zoom).
2. Maintenez le bouton de validation enfoncé jusqu'à ce que la palette apparaisse.
3. Déplacez le pointeur sur la palette et relâchez celui-ci sur l'icône représentant l'option souhaitée (exemple: différents types de zoom).

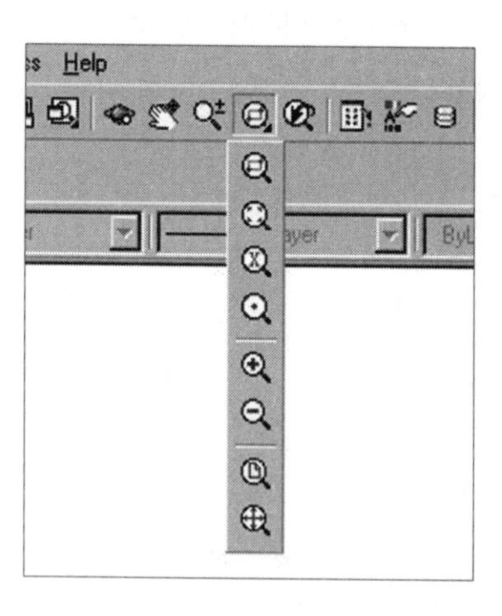

Fig. 1.6

2. La gestion des dessins

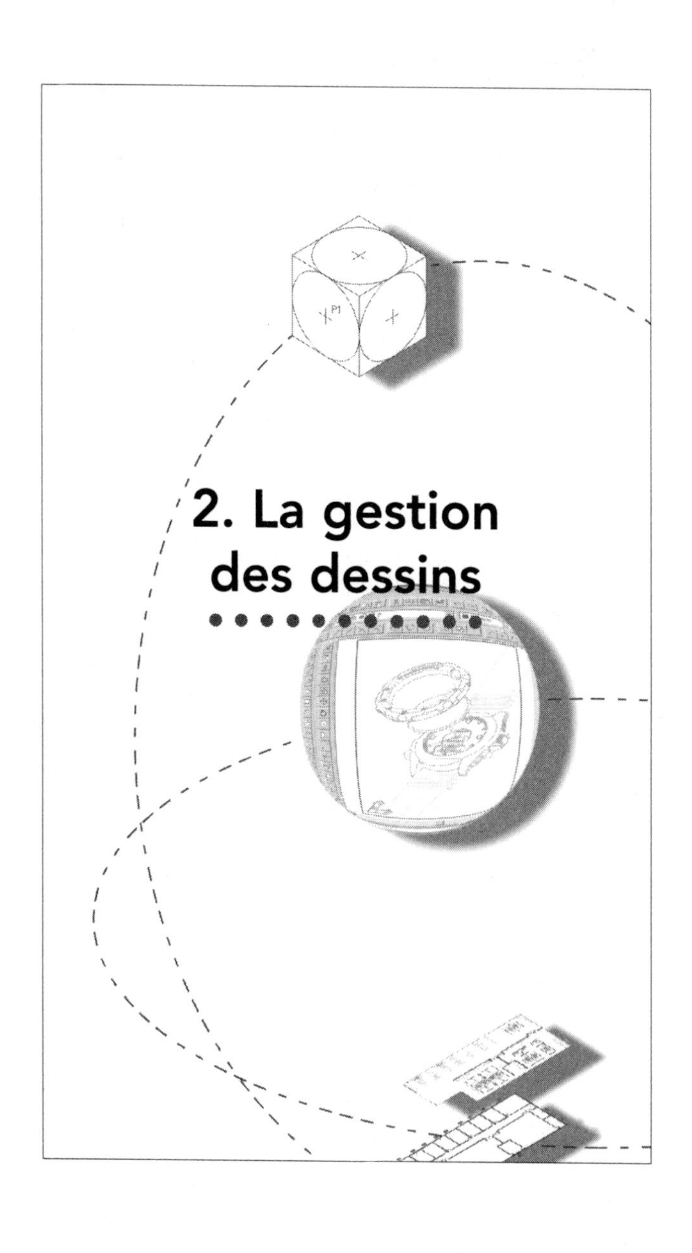

A voir dans ce chapitre

- Le passage du dessin traditionnel au dessin avec AutoCAD
- Le démarrage et la configuration d'un nouveau dessin
- L'ouverture et la sauvegarde d'un fichier de dessin

1. Du dessin traditionnel au dessin informatisé

Avant de vous lancer dans la réalisation d'un nouveau dessin avec AutoCAD, il convient de préparer votre espace (feuille) de travail comme le fait traditionnellement le dessinateur: choix du format de papier, choix de l'échelle, choix des unités. Si dans la méthode traditionnelle ces choix ne peuvent être modifiés facilement une fois la décision prise, il n'en est pas de même avec AutoCAD. En effet, dans ce dernier cas l'entrée des données se fait toujours en vraie grandeur et il est possible, lors de la mise en page ou de l'impression des documents, de préciser le format et l'échelle du dessin souhaités.

Avant d'aller plus loin, il est important de bien comprendre certaines caractéristiques d'AutoCAD :

- AutoCAD ne dispose pas de commande spécifique pour choisir l'unité de travail, car il fonctionne avec une unité neutre. C'est donc à vous en tant qu'utilisateur de déterminer et de retenir mentalement la valeur de cette unité (m, cm, mm, etc.).
- AutoCAD travaille toujours en vraie grandeur. Vous devez donc rentrer les valeurs réelles des éléments que vous dessiner et ne pas tenir compte de l'échelle du plan, comme c'est le cas pour le dessin traditionnel.
- AutoCAD dispose d'un espace illimité pour représenter votre dessin. Pour rendre votre travail plus aisé, AutoCAD vous permet de réduire librement cette zone en délimitant l'espace utile. Ces limites ainsi fixées ne sont pas statiques et peuvent être modifiées à tout moment.

D'autre part, il est également possible dans AutoCAD, de distinguer la phase de conception d'une pièce ou d'étude d'un projet de celle de la présentation et de la diffusion des documents. En effet, AutoCAD dispose de deux environnements de travail distincts: l'espace "objet" et l'espace "papier" (fig. 2.1) L'espace "objet" est utilisé pour la conception (ou modélisation) des objets. Il s'agit d'un environnement bi- et tridimensionnel où les objets sont représentés en vraie grandeur. Lorsque vous débutez un nouveau dessin dans AutoCAD, vous vous situez habituellement dans l'espace-objet. Il est reconnaissable grâce à une icône située dans le coin inférieur gauche du dessin, et qui représente la direction des axes de coordonnées X et Y. Il est également caractérisé par un onglet " Objet " situé en bas de la feuille de dessin.

L'espace "papier" quant à lui est un autre espace de travail et est utilisé pour la mise en page de votre projet. Il s'agit d'un environnement bidimensionnel qui vous permet de placer sur une même feuille de papier différentes vues du projet, d'afficher des détails selon diverses échelles, d'ajouter un cadre, un cartouche et des légendes. Il est reconnaissable grâce à une icône triangulaire située dans le coin inférieur gauche du dessin. Il est également caractérisé par un onglet " Présentation " (Layout) situé en bas de la feuille de dessin.

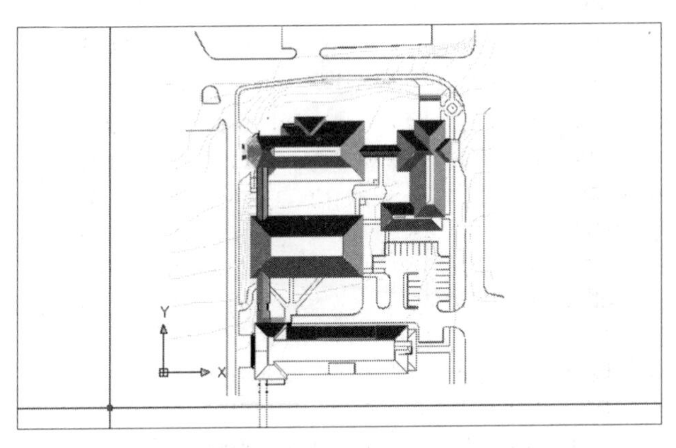

Fig. 2.1a Création du projet dans l'espace Objet

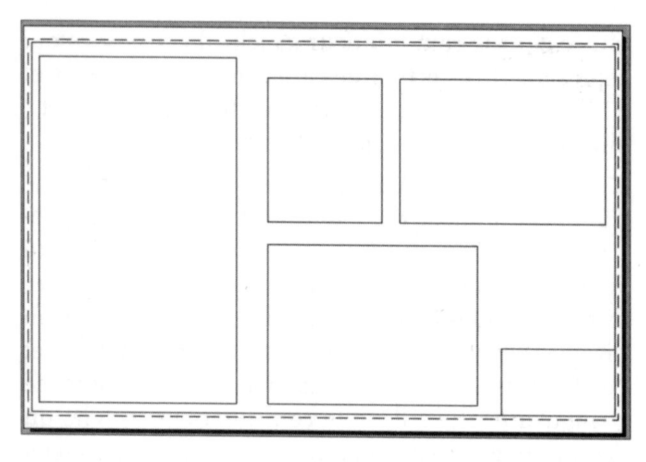

Fig. 2.1b Création des fenêtres dans l'espace Papier (Présentation)

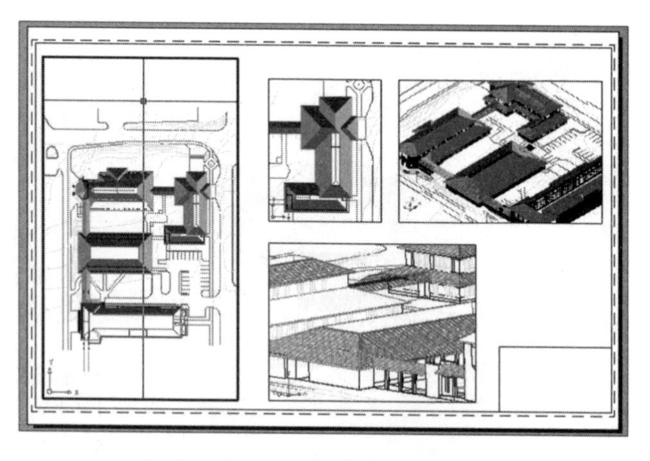

Fig. 2.1c Ouverture des fenêtres et sélection des zones à afficher dans chaque fenêtre

2 . La fenêtre AutoCAD Today (Actualités)

La fenêtre Actualités (fig. 2.2) permet de gérer les fichiers dessins et gabarits, de charger des bibliothèques de symboles, d'accéder au tableau d'affichage pour organiser la collaboration des membres de l'équipe de collaboration et enfin de se connecter au site Autodesk Point A, dédié aux différents métiers de la conception.

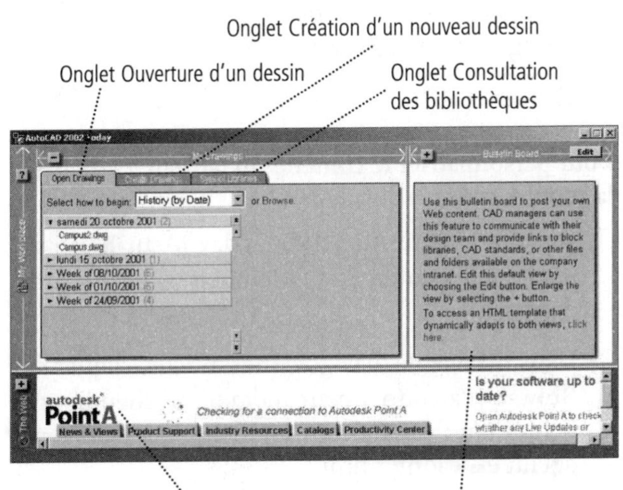

Fig. 2.2.

La fenêtre AutoCAD Today (Actualités) est active par défaut lors de l'ouverture d'AutoCAD. Il est cependant possible de désactiver cette dernière par la procédure suivante :

1. Dans le menu Tools (Options) choisir Options.
2. Dans la boîte de dialogue Options, cliquer sur l'onglet System (Système).
3. Dans la liste Startup (Démarrage) sous General Options (Options générales), sélectionner Do not show a startup dialog (Ne pas afficher de boîte de dialogue de démarrage).
4. Cliquer sur OK.

Pour personnaliser le contenu du tableau d'affichage, la procédure est la suivante :

1. Dans la fenêtre AutoCAD Today (Actualités), cliquer sur le bouton Edit (Modifier), situé en haut à droite.
2. Dans la boîte de dialogue qui s'affiche, cliquer sur Browse (Parcourir) pour indiquer le chemin et le fichier (au format .htm) à afficher. Le fichier par défaut est cadmgr.htm.
3. Cliquer sur Save Path (Enregistrer chemin), pour confirmer l'accès au nouveau fichier (fig. 2.3).

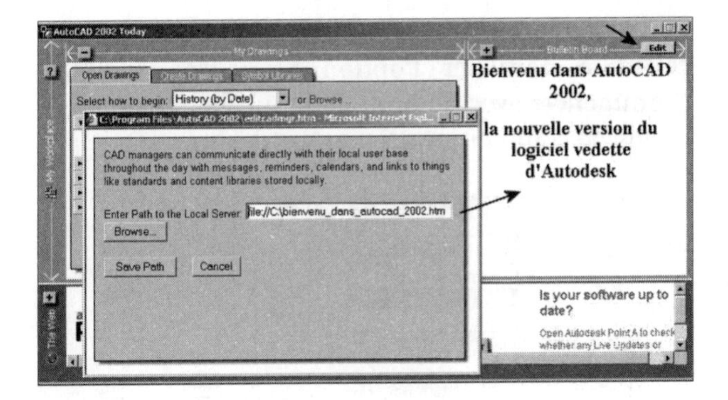

Fig. 2.3

3 . Créer un nouveau dessin

Le deuxième onglet de la fenêtre AutoCAD Today (Actualités) a pour fonction de simplifier le démarrage d'un nouveau dessin et propose trois formules différentes (fig. 2.4):

- Use a Template (utiliser un gabarit): pour commencer un dessin basé sur un gabarit existant (modèle de fond de plan);
- Start from Scratch (Commencer avec un brouillon): pour commencer un dessin sans paramétrage préalable.
- Use a Wizard (utiliser un assistant): pour définir les paramètres d'un dessin (unités et limites de l'espace de travail);

Pour une première utilisation d'AutoCAD, il est conseillé d'utiliser l'option Start from Scratch (Commencer avec un brouillon) qui est une manière rapide de commencer un premier dessin.

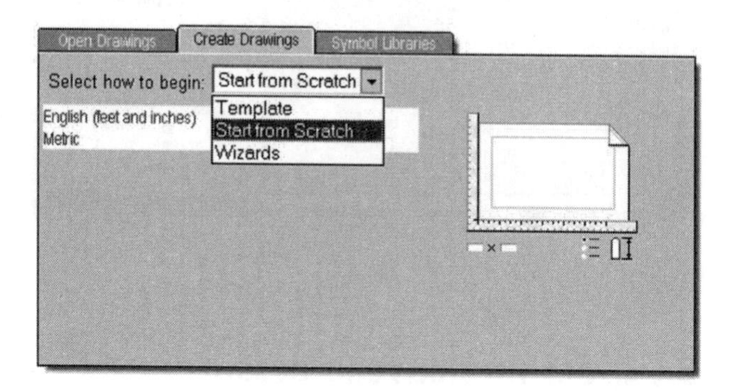

Fig. 2.4

4. Le démarrage en mode brouillon

Dans le cas du démarrage d'un dessin en mode brouillon, il convient de sélectionner au choix le système anglo-saxon ou métrique. Le dessin peut alors commencer. Il est paramétré par défaut avec les valeurs suivantes :

- Espace de travail (les limites du dessin) : 420 x 297 unités AutoCAD
- Système d'unité : système décimal et 4 décimales pour la précision des longueur et 0 décimale pour les mesures d'angle.

Pour modifier ce paramétrage, vous devez faire appel manuellement aux fonctions Units (Unités) et Limits (Limites). Ces fonctions sont détaillées ci-après:

a) Définir le système d'unité : la commande UNITS (UNITES)

Cette commande permet de déterminer le système d'unités pour les coordonnées, les distances et les angles, ainsi que la précision de travail.

La procédure est la suivante :

1 Choisir le menu FORMAT

2 Sélectionner la commande UNITS (Contrôle des unités)

3 Modifier les options souhaitées :

- Length (Longueur), Type : permet de choisir le système d'unité.
- Length (Longueur), Précision : permet de déterminer le nombre de chiffres pour les décimales: 0 à 8.
- Angle, Type: permet de choisir le système d'unité des angles.
- Angle, Précision: permet de déterminer le nombre de décimales à afficher pour les angles: 0 à 8.
- Direction: permet de définir la direction de l'angle 0.
- Clockwise (Sens de mesure des angles): permet de déterminer le sens de la mesure des angles: sens horaire ou non.

- Drawing units for DesignCenter Blocks (Unités de dessin pour blocs DesignCenter) : permet de définir l'unité (m, cm, mm...) utilisée dans le plan en cours pour une adaptation automatique de l'échelle des blocs en provenances du DesignCenter. Ainsi un bloc de 120 cm sera automatiquement transformé en un block de 1.2m, si l'unité du plan en cours est le m.

b) Définir l'espace de travail : la commande LIMITS (LIMITES)

Cette commande permet de définir le format de la zone de travail dans AutoCAD et donc d'une certaine manière l'image de la feuille de dessin qui sortira par la suite de l'imprimante (si on l'imprime à partir de l'espace objet). Les limites sont à choisir en fonction du type de projet à réaliser (dimensions, unités, échelle). Ainsi dans le cas du projet d'un bâtiment de 40 x 25 mètres, il est possible de prendre des limites de 42 x 29,7. Ce qui permettra de tracer le projet à l'échelle 1/100 sur une feuille A3 (fig. 2.5).

La procédure est la suivante :

1. Exécuter la commande à l'aide de l'une des méthodes suivantes :

choisir le menu déroulant FORMAT puis l'option Drawing Limits (Limites du dessin).

taper la commande LIMITS (Limites).

[2] Lower left corner (Coin inférieur gauche) <0,0>: taper sur la touche Entrée pour accepter la valeur par défaut ou entrer de nouvelles valeurs

[3] Upper right corner (Coin supérieur droit) <420, 297>: taper sur la touche Entrée pour accepter la valeur ou entrer de nouvelles valeurs. Par exemple : 42,29.7

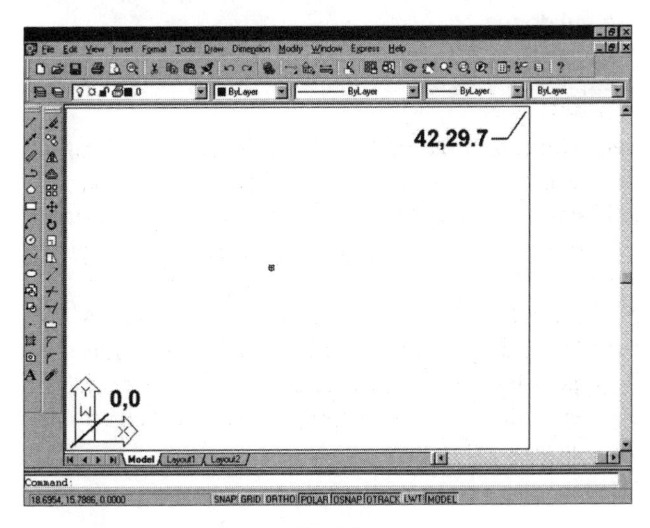

Fig. 2.5

Conseils

a) Pour déterminer facilement dans l'espace objet, les valeurs des limites du dessin en fonction des unités, de l'échelle et du format de papier, il suffit d'appliquer la formule suivante:

$$Lx, Ly = \frac{\text{Format de la feuille transposé dans l'unité de travail}}{\text{Echelle}}$$

Ainsi par exemple pour une feuille A3 (42 x 29,7 cm) avec comme unité le mètre et l'échelle 1/50, on a comme limites:

42 cm transposés en mètres, soit 0,42 divisé par 1/50, ce qui donne 21

29,7 cm transposés en mètre, soit 0,297 divisé par 1/50, ce qui donne 14,85

Les limites sont donc: (0,0) et (21, 14.85).

b) Pour matérialiser les limites et donc la feuille de travail, il peut être utile de dessiner un cadre sur la feuille aux mêmes dimensions que les limites. La procédure est la suivante, par exemple pour les limites 21 x 14,85:

choisir le menu DRAW (DESSIN)
choisir la commande RECTANGLE

Command: _Rectang

First corner (spécifier le premier coin): 0,0

Other corner (spécifier un autre coin):0,0>: 21, 14,85

choisir le menu VIEW (VUE)
choisir la commande ZOOM puis l'option
ALL (TOUT)

Cette dernière commande permet d'adapter l'affichage écran aux nouvelles valeurs des limites. Ce cadre ne sert de guide pour le dessinateur que pendant la phase de dessin, car le cadre réel du dessin accompagné la plupart du temps du cartouche se placent dans l'espace papier, qui est le lieu privilégié pour effectuer la mise en page (voir chapitre 10).

5. Ouvrir un dessin existant

Vous désirez reprendre un dessin commencé la veille. Il suffit d'aller le rechercher dans l'armoire à plans. Toutefois, une prudence naturelle encourage à préserver le travail déjà effectué. C'est pourquoi vous en réalisez une copie que vous déposez sur votre table, l'original demeurant dans l'armoire. Ainsi, aucun risque de perdre le travail effectué la veille ! Dans AutoCAD, vous ouvrez un fichier dessin (déjà existant). Pour être vraiment précis, vous en ouvrez une copie, AutoCAD conservant l'original dans le disque dur. Lorsque vous aurez effectué quelques modifications au sein de la copie placée sur votre table (c'est-à-dire l'écran), vous pourrez demander à AutoCAD de remplacer l'original (se trouvant sur le disque) par cette copie modifiée en l'enregistrant (voir section suivante). La démarche à suivre pour ouvrir un dessin existant dépend de la phase de travail dans laquelle vous vous situez. Si vous êtes au début d'une séance de travail, c'est-à-dire si vous venez d'ouvrir AutoCAD, la fenêtre AutoCAD 2002 Today (Actualités) s'affiche à l'écran et vous donne la possibilité d'ouvrir un dessin en utilisant l'historique (par date, nom de fichier ou emplacement) ou en naviguant (browse). Par contre, si vous souhaitez ouvrir un dessin existant pendant une session de travail sur un autre dessin, vous pouvez outre l'AutoCAD Today (Actualités) utiliser la commande Open (Ouvrir) du menu File (Fichier) qui ouvre la boîte de dialogue Select File (Sélectionner un fichier).

Pour ouvrir un fichier avec cette boîte de dialogue, il convient ensuite de (fig. 2.6):

1. Sélectionner le bon répertoire dans le champ Look In (Regarder dans).
2. Spécifiez le type de fichier à ouvrir (par défaut : Dessin (*.dwg). Seuls ces fichiers sont affichés.
3. Sélectionnez le nom du fichier à ouvrir en cliquant dessus.
4. Cliquez sur le bouton Open (Ouvrir) pour effectuer l'ouverture. La boîte de dialogue fait place au document qui occupe tout l'écran.

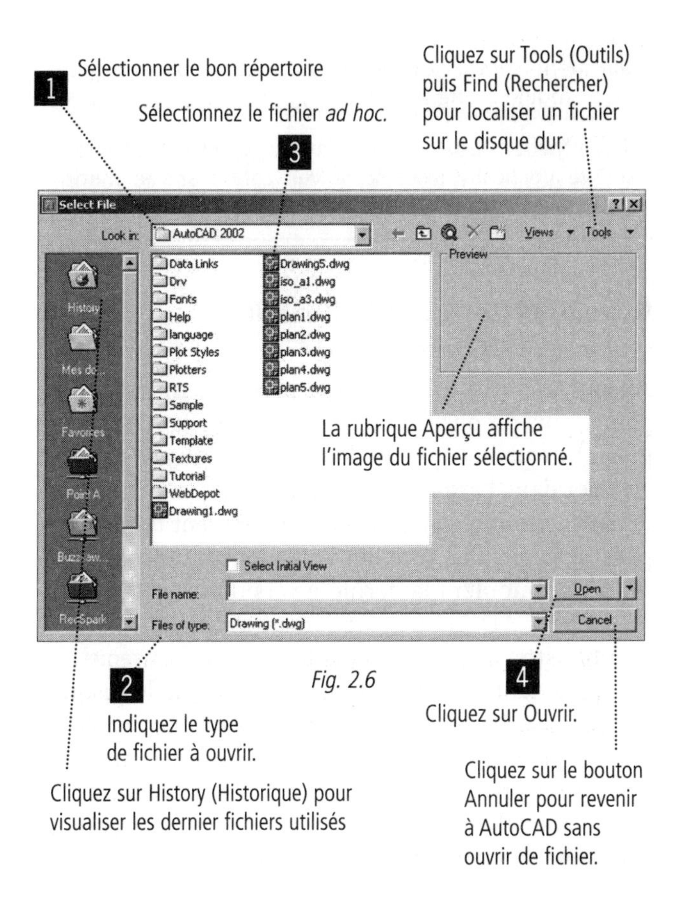

Fig. 2.6

Conseil

A partir d'AutoCAD 2000, il est possible d'ouvrir plusieurs dessins dans une même session de travail. Dans ce cas, pour passer d'un dessin à un autre il suffit de garder la touche CTRL enfoncée et d'appuyer temporairement sur la touche de tabulation pour passer d'une feuille à une autre.

Pour afficher deux dessins cote à cote, il suffit de choisir Tile Vertically (Mosaïque verticale) dans le menu Window (Fenêtre)

6. Sauvegarder un dessin

Au bureau, afin d'éviter toute perte intempestive de plans, vous prenez la sage précaution de faire un tirage ou une photocopie du document de travail et de la remiser dans l'armoire à archives. La version présente dans l'armoire est donc périodiquement remplacée par une copie plus récente. Vous pouvez ainsi retrouver à tout moment la dernière version du document. Avec AutoCAD, cette opération automatique consiste à enregistrer un document, tout nouvel enregistrement mettant à jour la copie présente sur le disque dur. On distingue trois types d'enregistrements : l'enregistrement d'un dessin anonyme (c'est-à-dire qui n'a pas encore de nom précis), l'enregistrement d'un dessin auquel on a donné un nom et l'enregistrement sous un autre nom (ou à une autre place) d'un dessin enregistré. Pour enregistrer un document anonyme, il faut valider la commande File/Save (Fichier/ Enregistrer) et passer par la boîte de dialogue Save Drawing As (Enregistrer le dessin sous) (fig. 2.7). Pour enregistrer un document possédant un nom (on dit alors qu'on le " met à jour " comme on remplacerait la copie présente dans l'armoire par une copie plus récente), il suffit de cliquer sur l'icône en forme de disquette sans effectuer davantage de modification. Pour enregistrer un dessin existant sous un autre nom, on validera la commande File/SaveAS (Fichier/Enregistrer sous). Notez qu'après cette opération, vous disposerez de deux dessins identiques... aux noms différents. Vous pourrez ainsi modifier un des deux jumeaux tout en conservant l'autre intact. AutoCAD 2002 permet d'enregistrer votre dessin selon plusieurs formats. Ainsi, si vous souhaitez regarder votre dessin sur un autre ordinateur qui ne possède pas la dernière version d'AutoCAD, vous pouvez sélectionner dans la rubrique Enregistrer sous, la version souhaitée : AutoCAD R14/LT98-97 ou AutoCAD R13/LT95. Assurez-vous de donner un nom différent lors de cette opération pour éviter de détruire le dessin actuel en version 2002, car certaines informations peuvent être perdues lors de la conversion de formats.

Pour sauvegarder un dessin, il suffit donc de :

1. Sélectionnez le dossier (répertoire) d'accueil du nouveau document. Aidez-vous du menu déroulant de la rubrique Save In (Enregistrer sous) pour désigner à AutoCAD le dossier au sein duquel vous souhaitez qu'il conserve l'original du dessin.

2. Dans la zone File Name (Nom du fichier), saisissez au clavier le nom que vous avez choisi pour le fichier. Soyez attentif à la version d'AutoCAD

mentionnée dans la rubrique Files of type (Enregistrer sous) située dans la partie inférieure de la boîte de dialogue. Par défaut, il s'agit de Dessin d'AutoCAD 2002.

3 Cliquez sur le bouton Save (Enregistrer).

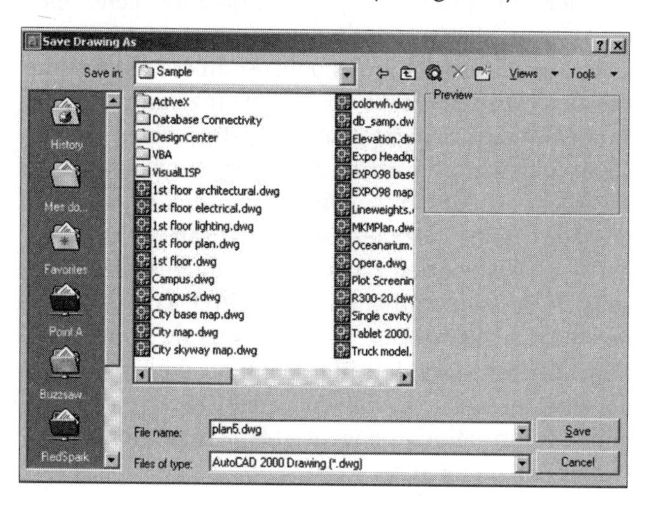

Fig. 2.7.

7. Fermer un dessin et quitter AutoCAD

Depuis AutoCAD 2002, il est possible d'ouvrir plusieurs dessins dans une même session de travail. Fermer un dessin et quitter AutoCAD ne sont donc plus deux opérations obligatoirement liées comme auparavant. Pour fermer un dessin, il suffit de cliquer sur l'icône de fermeture située dans le coin supérieur droit de la feuille de dessin. Pour quitter AutoCAD, il existe deux possibilités distinctes. La plus simple consiste à cliquer sur le bouton de fermeture d'AutoCAD située dans le coin supérieur droit de l'interface. L'autre méthode consiste à utiliser la commande Exit (Quitter) du menu File (Fichier). Lors de cette opération, AutoCAD vérifie toujours que les dernières modifications apportées au fichier à fermer soient correctement enregistrées. Dans le cas contraire, il ouvre une boîte de message demandant s'il doit procéder à l'enregistrement. Si vous cliquez sur Yes (Oui), il ouvre la boîte de dialogue Save as (Enregistrer sous). Une fois le fichier enregistré, il poursuivra la procédure de fermeture.

3. Les outils du dessinateur

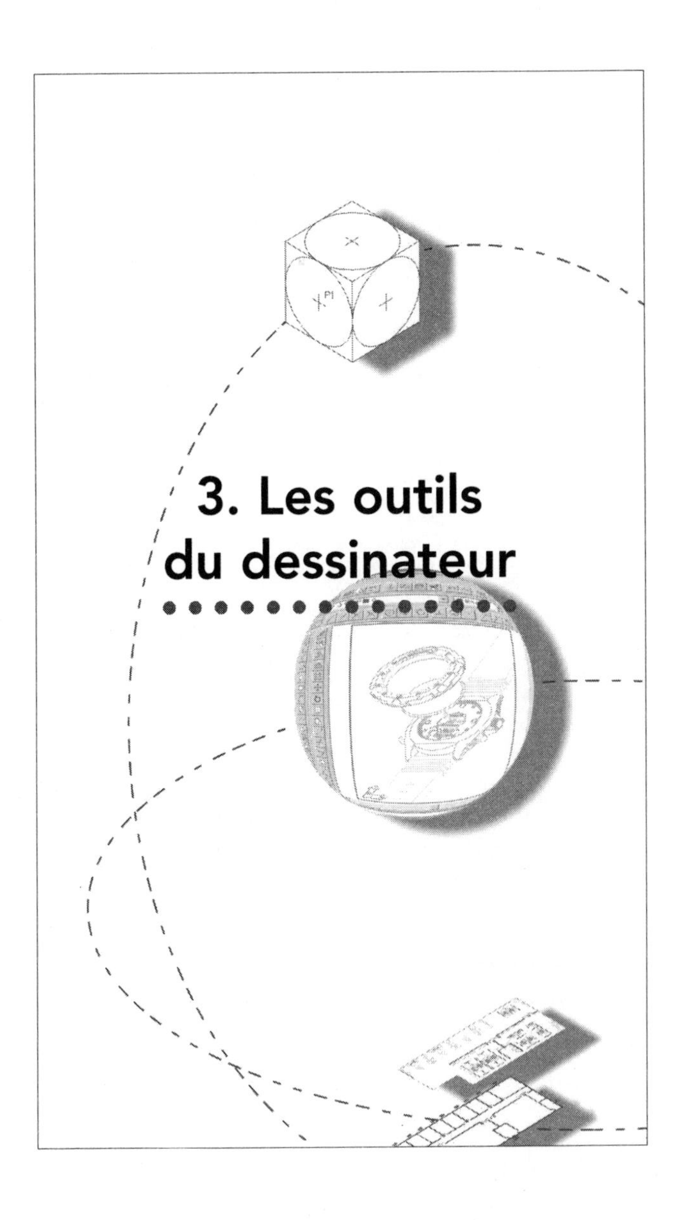

A voir dans ce chapitre

- La création d'une grille d'aide
- Le travail en mode orthogonal et polaire
- L'accrochage et le repérage aux objets
- La gestion de l'affichage écran
- La mesure de longueurs et de surfaces
- L'utilisation des calques

1. Introduction aux outils d'aide

Face à une feuille blanche, le dessinateur a depuis la nuit des temps toujours eu besoin d 'une série d'instruments pour lui permettre de réaliser avec plus ou moins de précision son dessin. L'équerre, la latte, le compas, le rapporteur, la gomme, la balayette... constituent ainsi une série d'outils d'aide prolongeant sa main. A l'ère du dessin assisté par ordinateur ces outils existent toujours mais s'expriment évidemment sous une forme différentes. Dans le cas d'AutoCAD, le dessinateur pourra ainsi glisser une feuille de papier millimétré sous son dessin et s'accrocher aux points de la grille, utiliser une équerre, effacer ses erreurs ou annuler la dernière opération effectuée, etc.

Les fonctions correspondant à ces différents outils d'aide peuvent être regroupées en catégories, suivant leur équivalent en dessin traditionnel:

Le papier millimétré, pour créer une trame de fond

- SNAP (RESOL) : création d'une trame aimantée, invisible à l'écran, forçant le curseur à se déplacer pas par pas.
- GRID (GRILLE) : dessin d'une grille composée de points visibles à l'écran.

L'équerre (fixe ou orientable), pour dessiner en mode orthogonal ou polaire.

- ORTHO: permet le dessin rapide de lignes verticales et/ou horizontales.
- POLAR (POLAIRE) : permet de définir une ou plusieurs directions et d'utiliser celles-ci comme repères pour le dessin.. Ex : 15, 30, 45.

L'aimant, pour s'accrocher avec précision sur des points géométriques du dessin.

- OSNAP (ACCROBJ): permet de pointer avec grande précision des points d'accrochage à l'écran.
- OTRACK (REPEROBJ) : permet d'effectuer un repérage à l'aide d 'alignement définis par rapport à des points d'accrochage.

Le compteur, pour suivre le déplacement du curseur à l'aide des coordonnées

- COORDS: permet l'affichage des coordonnées absolues, relatives et polaire.

La loupe, pour agrandir le dessin à l'écran.

- ZOOM: permet de visualiser de manière plus précise une partie du dessin.
- PAN: permet de translater la feuille de dessin à l'écran.

La balayette, pour rafraîchir l'écran.

- REGEN: régénère l'écran et supprime les marques.

La gomme, pour effacer des éléments du dessin.

- ERASE (EFFACER): permet de supprimer des parties ou l'ensemble d'un dessin.

La latte, pour mesurer les distances et les surfaces.

- DISTANCE: permet de mesurer la distance entre deux points.
- AIRE : permet de mesurer l'aire d'une surface.

La calculatrice, pour calculer une expression géométrique.

- CAL : permet de calculer des données utiles pour le dessin. Par exemple, dessiner une ligne dont la longueur est égale au tiers d'une autre ligne.

Les feuilles de calques, pour structurer l'information

- LAYER (CALQUE) : lorsque vous dessinez dans AutoCAD, vous travaillez systématiquement sur un calque. Pour différencier des entités graphiques différentes vous pouvez les placer sur des calques différents : un calque pour les lignes, un calque pour les textes, un calque pour les hachures...

2. Créer une trame de fond

La création d'une trame de fond de plan s'effectue à l'aide des commandes: GRID (Grille) et SNAP (Resol). La commande GRID (Grille) permet d'afficher à l'écran une série de points dont les espacements en X et Y sont définis par l'utilisateur. Cette grille n'est qu'une aide visuelle pour le dessin à l'écran, on ne pourra donc pas la sortir sur une table traçante.

Cette grille visible peut être complétée par une autre, invisible mais "aimantée", qui force le curseur à se déplacer uniquement sur les points de la trame, dont le pas peut être défini par l'utilisateur via la commande SNAP (Resol). Cette commande permet donc une entrée de données rapide et très précise car il est impossible de pointer entre deux points de cette trame.

La grille, comme la trame "aimantée", est dynamique, c'est-à-dire. qu'il est possible de modifier ses valeurs à tout moment.

La mise en place d'une grille s'effectue de la manière suivante :

1. Sélectionner le menu déroulant TOOLS (Outils) puis l'option Drafting Settings (Aides au dessin) et ensuite l'onglet Snap and Grid (Résolution/ Grille).

2. Activer les champs Grid snap (Accrochage à la grille) et Rectangular snap (Accrochage Rectangulaire) dans la zone Snap type and style (Type et style de l'accrochage) pour pouvoir définir une grille et un accrochage rectangulaire (fig. 3.1).

3. Déterminer le pas de la grille en X et Y :
   - Grid X Spacing (Espacement X): exemple 1
   - Grid Y Spacing (Espacement Y): exemple 1

4. Cliquer dans le champ Grid ON (Active), pour activer le dessin de la grille à l'écran selon les valeurs définies précédemment.

Il est également possible d'activer ou de désactiver la GRILLE par la touche de fonction F7 ou le bouton correspondant de la barre d'état en bas de l'écran.

5. Déterminer le pas de la trame aimantée (invisible) en X et Y (fig. 3.2):
   - Snap X Spacing (Espacement X): 1
   - Snap Y Spacing (Espacement Y): 1

6. Cliquer dans le champ Snap On (Résolution Active), pour activer la trame “aimantée” selon les valeurs définies précédemment.

Il est également possible d'activer ou de désactiver le mode SNAP (RESOL) par la touche de fonction F9 ou le bouton correspondant de la barre d'état en bas de l'écran.

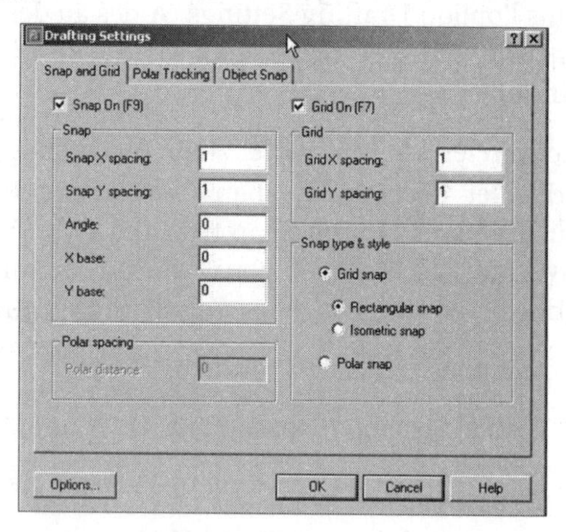

Fig. 3.1

Fig. 3.2

Conseils

L'affichage de la grille ne dépasse jamais les limites du dessin définies lors de la configuration de la feuille de travail. Pour augmenter la zone couverte par la grille, il convient donc de modifier les limites du dessin.

Si le nombre de points de la grille est trop important pour un affichage correct à l'écran, AutoCAD supprime la grille et affiche: "Grid too dense to display" (Grille trop dense pour apparaître). Il convient alors de définir un pas de grille plus large.

Il est conseillé, pour la facilité du travail, d'avoir la même valeur du pas pour la grille visible et la trame aimantée.

3. Travailler en mode orthogonal

Le travail en mode orthogonal s'effectue grâce à la commande ORTHO qui permet de forcer le système à ne dessiner que des lignes perpendiculaires entre elles. Ce qui, dans le style de résolution “standard”, donne uniquement des lignes horizontales et verticales selon la position du dernier point entré.

La procédure à suivre :
Le travail en mode “ortho” est contrôlé par la commande ORTHO qui peut être activée par une des options suivantes:

Ligne d'état : Cliquer sur le bouton

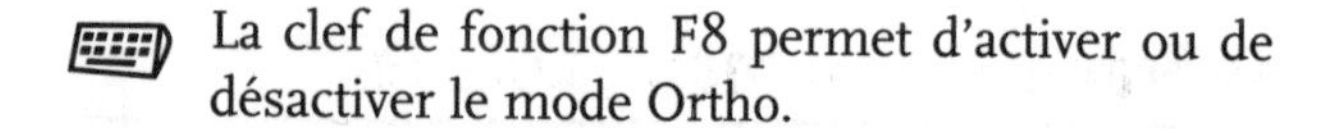
La clef de fonction F8 permet d'activer ou de désactiver le mode Ortho.

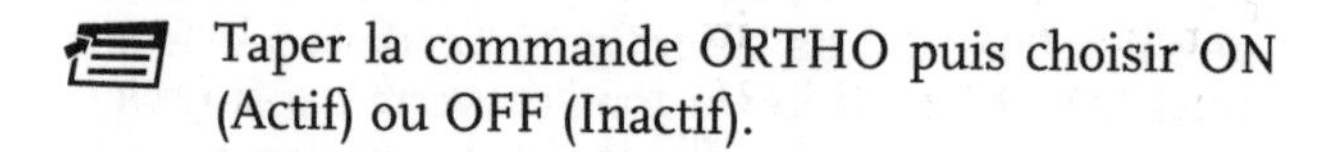
Taper la commande ORTHO puis choisir ON (Actif) ou OFF (Inactif).

Conseils

Le mode "Ortho" fonctionne également dans le cas d'une grille avec rotation et d'une grille isométrique. La rotation de la grille peut s'effectuer à l'aide de la fonction transparente 'SNAPANG (fig. 3.3).

Le mode "Ortho" peut être activé ou désactivé à tout moment au cours d'une session de dessin.

Dans le cas du dessin de lignes, la combinaison du mode "Ortho" et de l'entrée de données en coordonnées relatives permet de réaliser très rapidement un dessin précis.

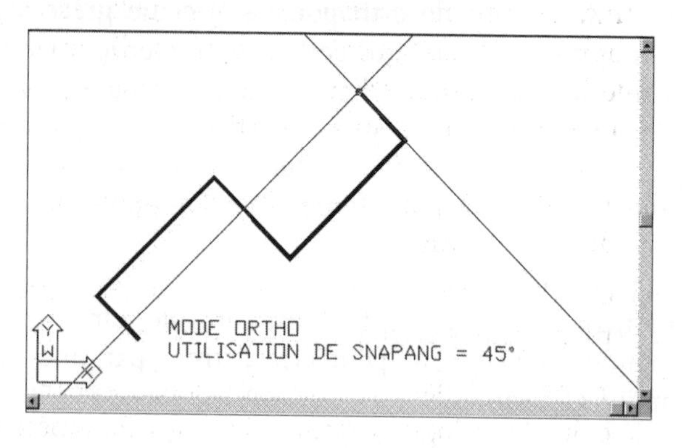

Fig. 3.3

4. Travailler en mode polaire

Le travail en mode polaire s'effectue grâce à la commande POLAR (POLAIRE) qui permet de positionner le curseur sur des chemins d'alignement temporaires définis par des angles polaires à l'aide des options " Du point " et " Au point " d'une commande de dessin.

Par défaut, l'angle d'incrémentation du repérage polaire est fixé à 90 degrés (orthogonal). Il est possible de modifier cet angle et définir les incréments auxquels le curseur s'accroche aux chemins d'alignement polaire lorsque le repérage polaire et le mode résolution sont tous deux activés.

Il est également possible de modifier la façon dont AutoCAD mesure les angles polaires. La mesure absolue des angles polaires base ces angles sur les axes X et Y du système de coordonnées UCS (SCU) courant. La mesure relative des angles polaires base ces angles sur les axes X et Y de la dernière ligne créée (ou de la ligne située entre les deux derniers points créés) pendant une commande active.

Pour modifier les paramètres de repérage polaire, la procédure est la suivante:

1. Dans le menu Tools (Outils), choisir Drafting Settings (Aides au dessin).

2. Sur l'onglet Polar Tracking (Repérage polaire) de la boîte de dialogue Drafting Settings (Paramètres de dessin), sélectionner l'option Polar Tracking

On (Repérage polaire activé) pour activer le repérage polaire (fig. 3.4).

3. Sous Increment angle (Angle d'incrémentation), choisir un angle d'incrémentation. Par exemple : 30. AutoCAD va prendre en considération 30° et tous les multiples de 30° (60, 90, 120...).

4. Si d'autres angles ont été ajoutés (voir la section "Ajout et suppression d'angles polaires"), il faut également sélectionner Additional angles (Angles supplémentaires) pour les afficher pendant le repérage polaire.

5. Sous Polar Angle measurement (Mesure d'angle polaire), choisir une méthode de calcul :

   - Absolute (Absolue) : par rapport à l'orientation de l'axe des X courant.

   - Relative to last segment (Par rapport au dernier segment): par rapport à l'orientation du dernier segment dessiné.

6. Cliquez sur OK.

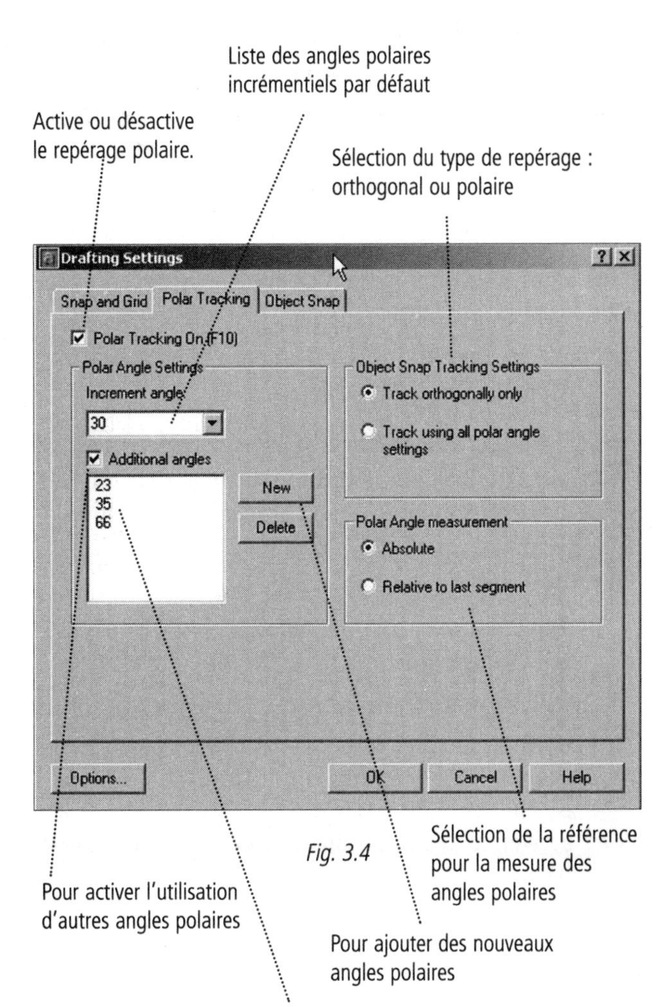
Liste des angles polaires incrémentiels par défaut
Active ou désactive le repérage polaire.
Sélection du type de repérage : orthogonal ou polaire
Drafting Settings
Snap and Grid
Polar Tracking
Object Snap
Polar Tracking On (F10)
Polar Angle Settings
Increment angle:
30
Additional angles
23
35
66
New
Delete
Object Snap Tracking Settings
Track orthogonally only
Track using all polar angle settings
Polar Angle measurement
Absolute
Relative to last segment
Options...
OK
Cancel
Help
Sélection de la référence pour la mesure des angles polaires
Pour activer l'utilisation d'autres angles polaires
Pour ajouter des nouveaux angles polaires
Liste des angles polaires additionnels

Fig. 3.4

AutoCAD fournit neuf angles polaires incrémentiels que l'on peut utiliser avec le repérage Polaire. Il est également possible d'ajouter des angles non incrémentiels. On peut ainsi, par exemple, ajouter un angle polaire de 66 degrés pour effectuer un repérage selon cet angle.

Pour ajouter ou supprimer des angles polaires, la procédure est la suivante :

1. Dans le menu Tools (Outils), choisir Drafting Settings (Aides au dessin).

2. Sur l'onglet Polar Tracking (Repérage polaire) de la boîte de dialogue Drafting Settings (Paramètres de dessin), sous Additional angles (Angles supplémentaires), effectuer l'une des opérations suivantes :

   - Pour ajouter un angle, choisir New (Nouveau), puis entrer un nouvel angle, dans le champ à gauche. Exemple : 66.

   - Pour supprimer un angle, il faut le sélectionner et choisir Delete (Supprimer).

Pour activer le repérage polaire, la procédure est la suivante :

- Appuyer sur la touche F10 ou cliquer sur le bouton POLAR (POLAIRE) dans la barre d'état.

Pour dessiner des objets en utilisant le repérage polaire, la procédure est la suivante :

1. Activer le repérage polaire et lancer une commande de dessin comme Arc, Cercle ou Ligne. Par exemple Ligne (fig. 3.5).
2. Pointer le point de départ (pt. 1).
3. Orienter le curseur plus ou moins dans la bonne direction. Quand la direction s'approche d'une des valeurs d'angle prédéfinies, un chemin d'alignement s'affiche.
4. Pointer le point suivant sur ce chemin (pt. 2).
5. Orienter le curseur dans une autre direction et pointer le point suivant quand le second chemin d'alignement s'affiche à l'écran (pt. 3).

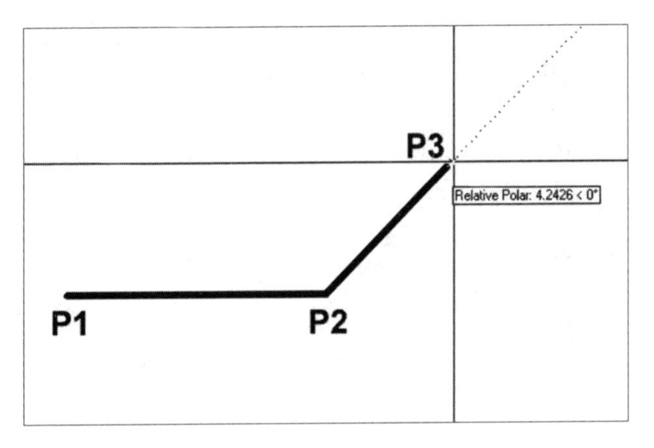

Fig. 3.5

5. Utiliser les outils d'accrochage aux objets

Pour construire géométriquement un dessin, de manière très rapide et avec grande précision, AutoCAD dispose d'un utilitaire très performant, dénommé OSNAP (Accrobj), qui permet de s'accrocher aux objets déjà existants dans le dessin. Il est ainsi, par exemple, très facile de tracer, à partir d'un point, une droite tangente à un cercle, ou perpendiculaire à une autre droite, ou encore passant par l'intersection de deux autres droites.

La sélection des points d'accrochage s'effectue grâce à une "cible" carrée qui se superpose au curseur d'AutoCAD quand le mode OSNAP (ACCROBJ) est activé.

La commande OSNAP (ACCROBJ) peut s'utiliser de deux manières différentes:

- en mode transparent: comme interruption d'une autre commande. Les diverses options d'OSNAP (ACCROBJ) sont alors disponibles soit via la barre d'outils " Object Snap " (Accrochage aux objets), ou via le bouton équivalent de la barre d'outils principale, ou en activant la touche Shift (Maj) du clavier puis la touche droite de la souris, ou enfin pour une souris à trois boutons, via le bouton du milieu (la variable MBUTTONPAN doit être mise à 0)

- en mode permanent: il est possible d'imposer un mode d'accrochage qui devient alors constant jusqu'à l'annulation de la commande ou jusqu'au choix d'un autre mode d'accrochage.

L'accrochage en Mode transparent:

- choisir une commande de dessin: exemple LINE (LIGNE)
- From Point: sélectionner une option d'accrochage dans la barre à outils "Object Snap " (Accrochage aux objets) ou dans le menu contextuel activé par la souris. Par exemple: ENDpoint (EXTrémité))
- To Point (Point suivant): sélectionner à nouveau une option d'accrochage (exemple: MIDpoint (MILieu)) (fig. 3.6). Pour rappel, la barre des outils d'accrochage n'est pas installée par défaut. Il faut le faire via la commande Toolbars (Barres d'outils) du menu View (Affichage).

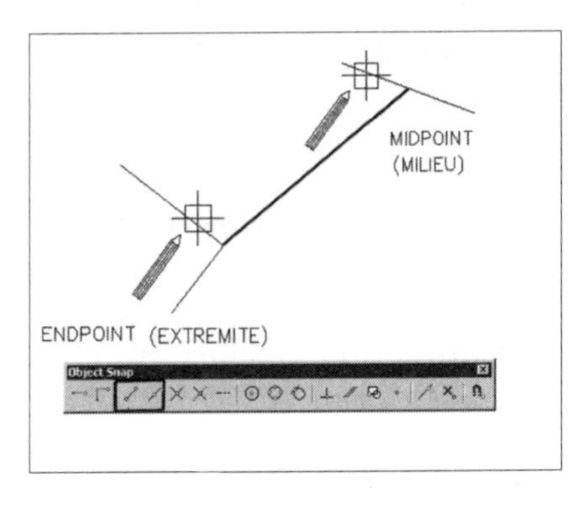

Fig. 3.6

L'accrochage en Mode permanent:
Le choix des modes d'accrochage s'effectue par l'une des procédures suivantes :

choisir le menu déroulant TOOLS (Outils) puis l'option Drafting Settings (Aides au dessin) et ensuite l'onglet Object Snap (Accrochage aux objets). Activer le champ situé à gauche de l'option souhaitée.

cliquer sur l'icône "Object Snap Settings" (Accrochage aux objets) de la barre d'outils Object Snap et sélectionner l'option.

taper la commande OSNAP (Resol), puis l'option souhaitée.

Le mode permanent est très utile pour joindre les mêmes points géométriques d'une figure. Il est ainsi très facile, par exemple, de dessiner un carré à l'intérieur d'un autre carré en joignant les points milieux du premier carré (fig. 3.7).

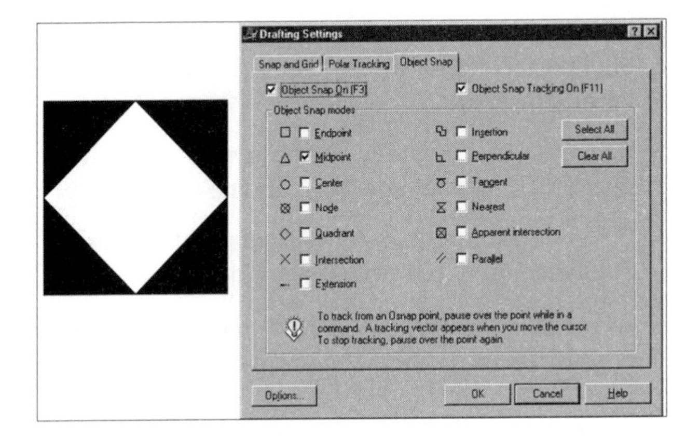

Fig. 3.7

Les principaux modes d'accrochage sont les suivants (fig. 3.8):

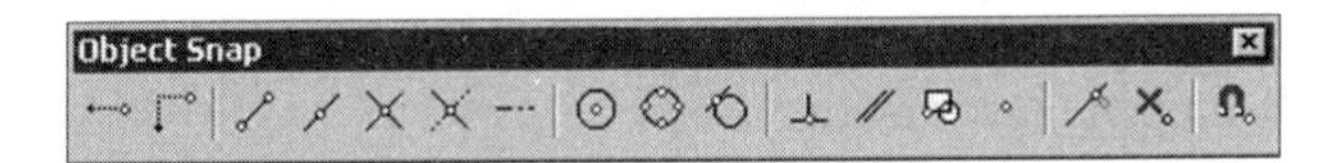

Fig. 3.8

- Tracking (Repérage): permet d'activer un point aligné avec les trajectoires orthogonales passant par deux autres points. Cette option peut être utilisée en combinaison avec une autre.
- From (De): permet d'activer un point situé à une distance relative d'un autre point. Cette option peut être utilisée en combinaison avec une autre.

- CENter (CENtre): accrochage au centre d'un cercle ou d'un arc. Il faut placer la cible n'importe où sur le cercle ou l'arc.
- ENDpoint (EXTrémité): accrochage à l'extrémité la plus proche d'une ligne ou d'un arc.
- INSert (INSertion): accrochage au point d'insertion d'un texte ou d'un symbole (block).
- INTersec (INTersection): accrochage à l'intersection de lignes, cercles, arcs... et de leurs combinaisons (ligne/cercle...).
- App Int (Inters.Proj.): accrochage à l'intersection "virtuelle" de deux entités.
- MIDpoint (MILieu): accrochage au milieu d'une ligne ou d'un arc.
- NEArest (PROche): accrochage au point d'une ligne, d'un arc, d'un cercle, etc., le plus proche de la cible du curseur.
- NODe (NODal): accrochage à une entité point.
- PARallel (Parallèle): permet de tracer une ligne parallèle à une ligne existante, qu'il convient de survoler sans la sélectionner.
- PERpend: permet de tracer une perpendiculaire d'un point à une ligne, un cercle ou un arc.
- QUAdrant: accrochage au point quadrant le plus proche, d'un cercle ou d'un arc. Les quadrants sont les points situés à 0, 90, 180 et 270° d'un cercle ou d'un arc.

- TANgent: permet de tracer une tangente d'un point à un cercle ou à un arc.

Conseil

L'option OSNAP (Accrobj) peut être désactivée et réactivée par le bouton OSNAP (Accrobj) situé dans la barre inférieure de l'écran. Il ne faut donc pas oublier d'activer ce bouton pour que les options d'accrochage soient opérationnelles.

6. Utiliser le repérage d'accrochage aux objets (Autotrack)

Le repérage par accrochage aux objets permet d'effectuer facilement un repérage à l'aide de chemins d'alignement définis par rapport aux points d'accrochage. Ce type d'accrochage est étroitement lié aux modes d'accrochage aux objets. Il convient donc de définir un mode d'accrochage aux objets avant de pouvoir effectuer un repérage à partir d'un point d'accrochage d'objet. A titre d'exemple, il est très facile de trouver par cet outil le centre d'un rectangle en sélectionnant les points milieu de deux côtés jointifs.

Pour activer le repérage par accrochage, la procédure est la suivante :

1. Activer un mode ou plusieurs modes d'accrochage par défaut.

2 Appuyer sur F11 ou cliquer sur OTRACK (REPEROBJ) dans la barre d'état.

Pour utiliser le repérage par accrochage, la procédure est la suivante:

1 Lancer une commande de dessin. Par exemple Circle (Cercle).

2 Amener le curseur sur un point d'accrochage (pt. 1) pour qu'il acquière ses coordonnées. Il est inutile de cliquer sur le point, une brève pause du curseur suffit. Une fois un point acquis, les chemins d'alignement horizontaux, verticaux ou polaires par rapport à ce point s'affichent dès que l'on amène le curseur dessus.

3 Amener le curseur sur un autre point d'accrochage (pt2) pour acquérir ses coordonnées.

4 Déplacer le curseur sur le chemin d'alignement horizontal afin de positionner l'extrémité (pt. 3) alignée avec le chemin vertical en provenance du premier point sélectionné (fig. 3.9).

5 Cliquer pour confirmer le point. Il s'agit du centre du cercle.

6 Définir le rayon du cercle, et le tour est joué.

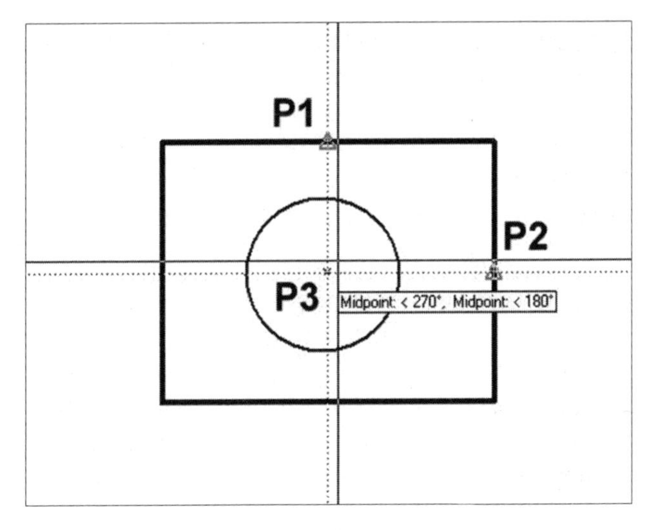

Fig. 3.9

Conseil

Pour supprimer un point acquis, il suffit d'amener à nouveau le curseur sur le marqueur d'acquisition du point. Chaque invite de commande entraîne la suppression automatique des points acquis.

Pour modifier les paramètres du repérage par accrochage aux objets, la procédure est la suivante:

1. Dans le menu Tools (Outils), choisir Drafting Settings (Aides au dessin).
2. Sur l'onglet Polar Tracking (Repérage polaire) de la boîte de dialogue Drafting Settings (Paramètres de dessin), sous Object Snap Tracking Settings

(Repérage d'accrochage aux objets), sélectionner l'une des options suivantes (fig. 3.10):

- Track orthogonally only (Plan orthogonal uniquement) : affiche seulement les points de repérage orthogonaux (axes horizontal et vertical) à partir d'un point acquis sur un objet.
- Track using all polar angle settings (Utilisation de tous les paramètres d'angle polaire) : applique les paramètres de repérage polaire au repérage par accrochage aux objets. A titre d'exemple, si l'on sélectionne un incrément d'angle polaire de 30 degrés, les chemins d'alignement pour le repérage s'affichent également par incréments de 30 degrés.

3 Cliquer sur OK.

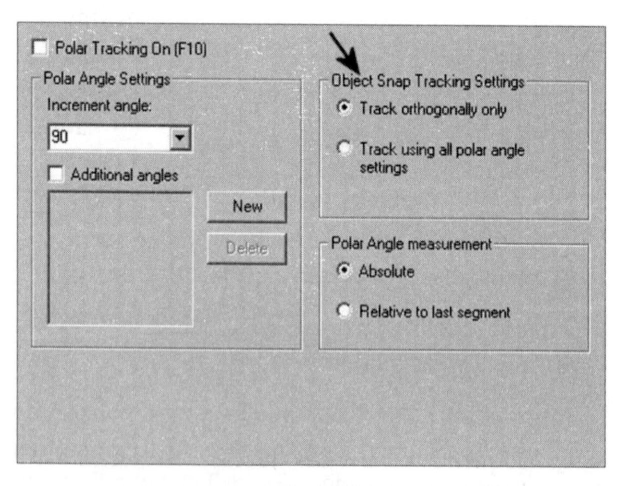

Fig. 3.10

7. Visualiser correctement son dessin

Pour la plupart des applications professionnelles, il est impossible de visualiser correctement l'ensemble d'un projet à l'écran, étant donné sa taille limitée par rapport à la table de dessin traditionnelle. Pour remédier à cet état de choses, AutoCAD fournit au concepteur un ensemble de commandes, dont ZOOM et PAN, lui permettant de visualiser son dessin dans les moindres détails.

La commande ZOOM fonctionne comme le zoom en photographie et permet d'agrandir ou de rétrécir une partie du dessin. Cette commande ne modifie en rien la précision et les dimensions réelles du dessin.

La commande PAN permet de faire une translation de l'écran de visualisation dans n'importe quelle direction sans changer les caractéristiques du dessin, ni le facteur de ZOOM.

Les commandes ZOOM et PAN peuvent aussi être utilisées en temps réel, ce qui permet de naviguer beaucoup plus facilement et de manière plus intuitive au sein des dessins, quelle que soit leur taille.

La procédure pour effectuer un Zoom est la suivante:

 Choisir le menu déroulant VIEW (Vue) puis l'option Zoom.

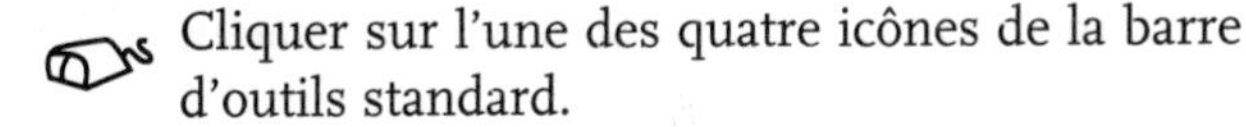 Cliquer sur l'une des quatre icônes de la barre d'outils standard.

Taper la commande ZOOM, puis l'option souhaitée.

Les options sont les suivantes (fig. 3.11):

- Zoom Realtime (Zoom Temps réel):

  permet de visualiser le dessin en temps réel à l'écran. Il suffit de pointer au milieu de l'écran puis de déplacer la souris vers le haut (Zoom) ou vers le bas (Zoom -) en maintenant la touche de la souris en permanence enfoncée.

- Zoom All (Total):

  permet de visualiser l'ensemble du dessin à l'écran, même les parties situées en dehors des limites définies au départ du projet. Cette option permet donc de ravoir une vue générale après un zoom sur une partie du dessin.

- Zoom Center (Centre):

  permet de spécifier un point du dessin qui deviendra le centre de l'écran. Il convient de préciser également la hauteur de la fenêtre que l'on souhaite visualiser dans le zoom, en pointant deux points ou en entrant une valeur au clavier.

- Zoom Dynamic (Dynamique):

  permet d'agrandir ou de rétrécir une partie du dessin à l'aide d'une fenêtre mobile (cadre avec un "X" au centre) se déplaçant sur l'ensemble de la feuille de travail. Cette fenêtre peut être agrandie horizontalement et/ou verticalement par l'utilisateur.

- Zoom Extents (Etendu):

  cette option permet également de voir l'ensemble du dessin, comme dans le cas du zoom "all", mais ici le dessin est affiché en plein écran.

- Zoom Previous (Avant):

  permet de revenir à un zoom précédent. Suivant les versions AutoCAD, on peut ainsi revenir 5 ou 10 zooms en arrière sans devoir obligatoirement repasser par un zoom "all" (total).

- Zoom Window (Fenêtre):

  permet en cours de travail d'agrandir rapidement une partie du dessin pour y travailler avec grande précision. La zone à agrandir doit être spécifiée par deux points formant la diagonale d'un rectangle entourant la zone concernée (fig. 3.12).

- Zoom Scale (Echelle):

  permet d'agrandir ou de rétrécir la visualisation d'un dessin à l'écran en donnant un facteur d'échelle. Si ce facteur est un nombre seul (ex.: 0,5), le facteur d'agrandissement sera un multiple des limites fixées au départ. Dans le cas où le nombre est suivi d'un X (ex.: 0,5X), la nouvelle surface affichée sera un multiple de la surface en cours.

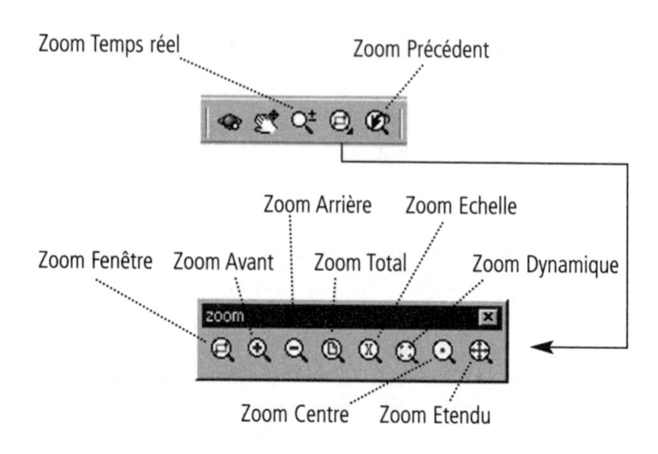

Fig. 3.11

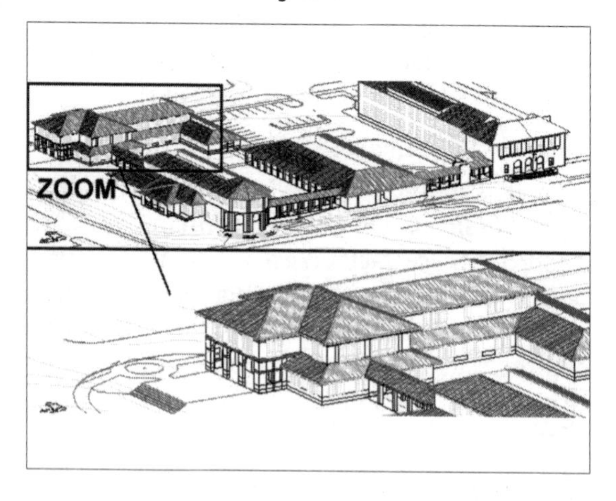

Fig. 3.12

La procédure pour effectuer un panoramique est la suivante:

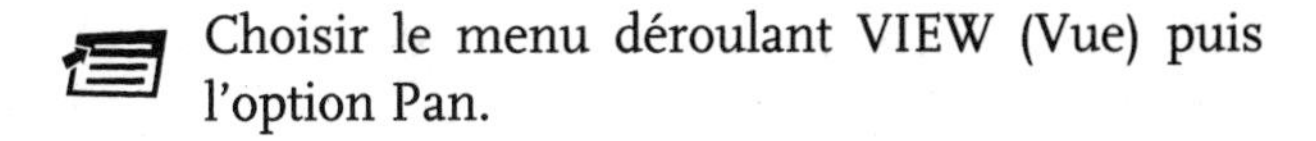

Choisir le menu déroulant VIEW (Vue) puis l'option Pan.

Cliquer sur l'icône Pan Realtime (Panoramique dynamique) de la barre d'outils standard.

Taper la commande PAN pour un panoramique en temps réel et -PAN pour réaliser un panoramique en pointant deux points.

Options:

- Realtime (Temps réel):

  permet de déplacer la feuille en temps réel. Il convient de garder la touche de la souris enfoncée pendant le déplacement.

- Point:

  permet de pointer deux points pour effectuer le panoramique: un point de départ et un point d'arrivé (fig. 3.13).

- Left (Gauche), Right (Droite), Up (En haut), Down (En bas):

  permet de déplacer la feuille à gauche, à droite, vers le haut ou vers le bas.

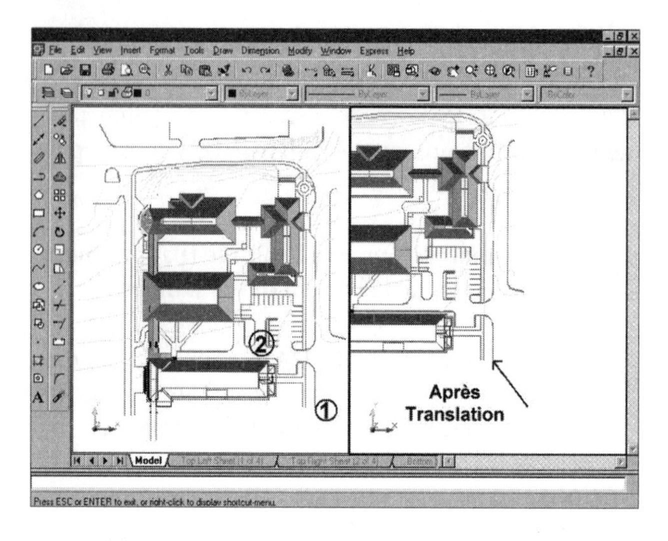

Fig. 3.13

8. Rafraîchir son écran

Après une certaine période de travail, il s'avère nécessaire de rafraîchir l'écran afin de supprimer les "blips" non nécessaires et d'obtenir un meilleur contraste des objets. Deux commandes sont disponibles dans AutoCAD pour effectuer ce nettoyage: Redraw (Redess), pour rafraîchir l'affichage à l'écran et Regen pour régénérer le dessin au complet. Cette dernière fonction, qui est plus longue que la première, est parfois nécessaire pour afficher la nouvelle taille ou le nouvel aspect de certains objets.

La procédure de rafraîchissement est la suivante:

Choisir le menu déroulant VIEW (Vue) puis l'option Redraw (Redessiner) ou Regen (Regénérer).

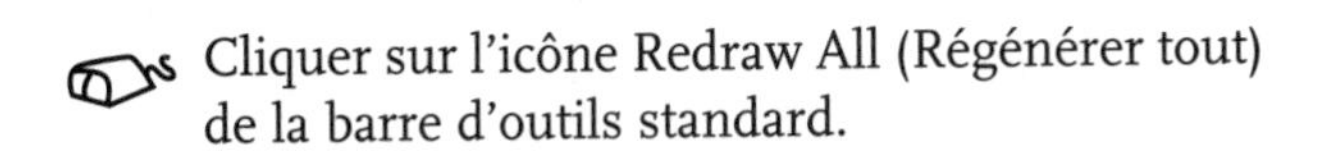

Cliquer sur l'icône Redraw All (Régénérer tout) de la barre d'outils standard.

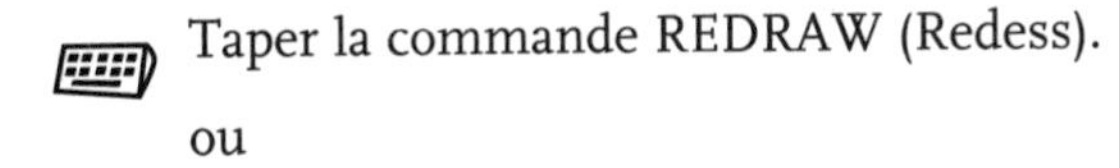

Taper la commande REDRAW (Redess).

ou

taper la commande REGEN.

9. Sélectionner les entités du dessin

Il existe plusieurs moyens pour sélectionner des entités du dessin: le dernier créé, un par un, par une fenêtre de sélection, tous les objets, etc. Le tableau suivant reprend les différentes options disponibles:

- WINDOW (Fenêtre) : permet de sélectionner les entités contenues entièrement dans la fenêtre de sélection (fig. 3.14).
- LAST (Dernier) : permet de sélectionner la dernière entité dessinée dans la zone affichée à l'écran.
- PREVIOUS (Précédent) : permet de sélectionner les entités contenues dans la dernière opération de sélection.

- CROSSING (Capturé) : permet de sélectionner les entités contenues entièrement ou partiellement dans la fenêtre de sélection.
- REMOVE (Retirer) : permet de retirer des entités non désirables dans la sélection en cours. Il est également possible de retirer des entités du dessin en tenant la touche Maj (Shift) enfoncée et en sélectionnant les entités concernées.
- ADD (Ajouter) : permet d'ajouter, une par une, des entités dans la sélection en cours (option par défaut).
- UNDO (annUlation) : élimine la dernière entité sélectionnée.
- BOX (Boîte) : si l'on déplace le curseur vers la droite on obtient une fenêtre de type "Window" (fenêtre) et vers la gauche une fenêtre de type "Crossing" (capturé).
- AUTO : si l'on pointe en dehors de toute entité à l'écran, le point deviendra le premier coin d'une fenêtre de type Box.
- SINGLE (unique) : l'entité est activée dès la sélection (pas besoin de confirmer par Return). Cette option doit accompagner une autre option comme LAST (dernier), ADD (ajouter), etc.
- ALL (TOUT) : sélectionne toutes les entités du dessin.
- CPOLYGON (CPolygone) : concerne les entités contenues entièrement ou partiellement dans le polygone (de forme quelconque) de sélection.

- FENCE (TRAjet) : concerne les entités qui coupent la ligne du trajet.
- WPOLYGON (FPolygone) : concerne les entités contenues entièrement dans le polygone (de forme quelconque) de sélection.

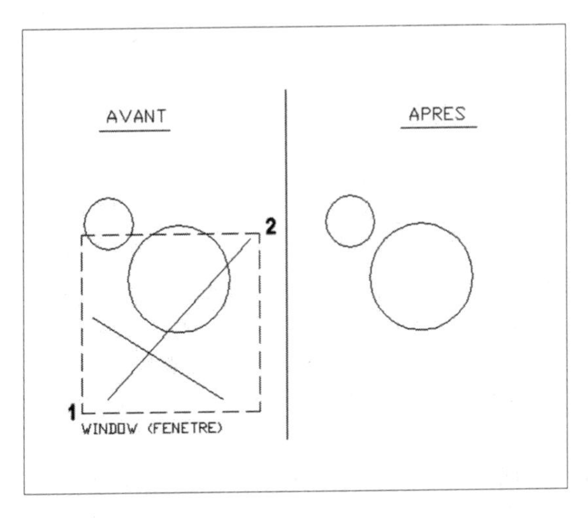

Fig. 3.14

10. Effacer des objets et les récupérer

AutoCAD permet d'effacer toutes les entités dessinées à l'aide des différentes méthodes de sélection disponibles. Les objets ainsi effacés peuvent être récupérés directement en cas de fausse manœuvre par la commande OOPS (Reprise) ou la commande générale d'annulation UNDO (Annuler).

La procédure pour effacer des objets est la suivante:

1. Exécuter la commande d'effaçage à l'aide de l'une des méthodes suivantes:

Choisir le menu déroulant MODIFY (Modifier) puis l'option Erase (Effacer).

Choisir l'icône Erase (Effacer) de la barre d'outils Modify (Modifier).

Taper la commande ERASE (Effacer).

2. Sélectionner les objets à effacer à l'aide de l'une des options de sélection. Par exemple les deux cercles avec l'option Fenêtre (fig. 3.15).

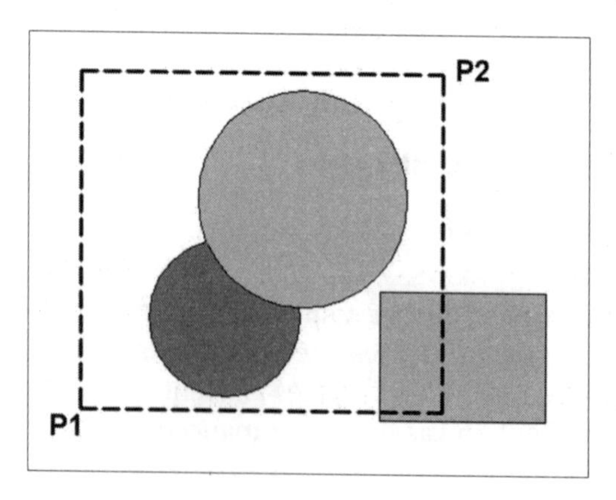

Fig. 3.15

Procédure pour récupérer les objets effacés:

1. Exécuter la commande de récupération à l'aide de la méthode suivante:

Cliquer sur l'icône Undo (Annuler) de la barre d'outils principale.

Taper la commande OOPS (Reprise) ou UNDO (Annuler)

11. Mesurer la distance entre deux points

En dessinant avec AutoCAD, il est important de pouvoir contrôler à tout moment la distance entre deux point. La procédure est la suivante:

1. Sélectionner la commande DISTANCE à l'aide de l'une des méthodes suivantes:

Choisir le menu déroulant TOOLS (Outils) puis l'option Inquiry (Renseignement) et ensuite Distance.

Cliquer sur l'icône Distance de la barre d'outils Inquiry (Renseignements).

Taper la commande DIST (Distance)

[2] Sélectionner le premier (P1) et le second point (P2) de la distance à mesurer (fig. 3.16).

[3] AutoCAD affiche la distance ainsi mesurée. Si la zone de commande ne comprend pas suffisamment de lignes pour afficher le résultat, il suffit d'enfoncer la touche F2 pour ouvrir la fenêtre texte de Windows.

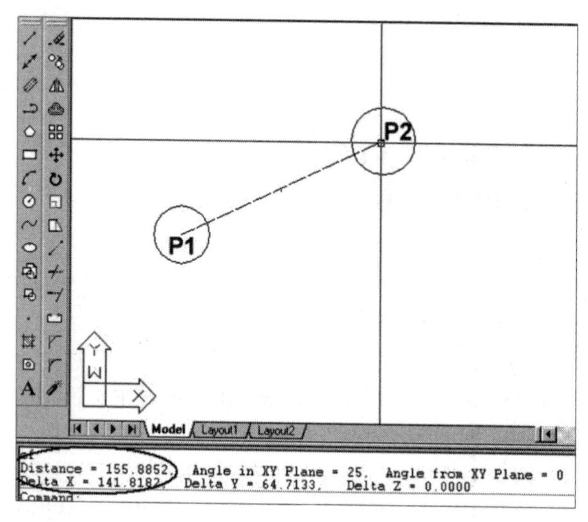

Fig. 3.16

12. Mesurer l'aire d'une surface

En dessinant avec AutoCAD, il est aussi important de pouvoir contrôler en cas de besoin l'aire d'une surface. Pour effectuer cette opération, AutoCAD dispose de la commande AREA (Aire). Il est aussi possible d'effectuer des additions et/ou des soustractions de surfaces. La procédure est la suivante:

1. Sélectionner la commande AREA (Aire) à l'aide de l'une des méthodes suivantes:

Choisir le menu déroulant TOOLS (Outils) puis l'option Inquiry (Renseignement) et ensuite Area (Aire).

Cliquer sur l'icône Area (Aire) de la barre d'outils Inquiry (Renseignements).

Taper la commande AREA (Aire)

2. Sélectionner la surface à mesurer ou pointer les différents points du contour. Dans le cas du calcul de la surface d'un carré moins celui d'un cercle, on a (fig. 3.17):

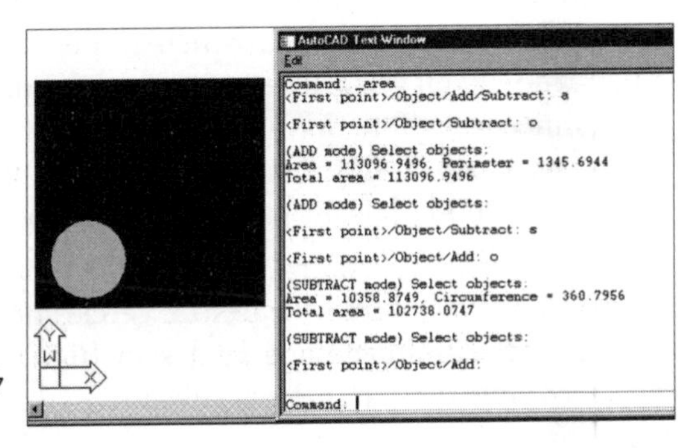

Fig. 3.17

- Command: AREA (AIRE)
- <First point>/Object/Add/Subtract: taper A (pour Additionner)
- <First point>/Object/Subtract: taper O (pour sélectionner un objet)
- (Add mode) Select Object: pointer le rectangle
- <First point>/Object/Subtract: taper S (pour soustraire)
- <First point>/Object/Add: taper O
- (Subtract mode) Select Object: pointer le cercle
- Entrée pour sortir de la commande

AutaCAD affiche la surface résultante.

13. Utiliser la calculatrice

La calculatrice d'AutoCAD est une fonction fort utile pour extraire et utiliser des données mathématiques d'entités déjà tracées dans le dessin. Les expressions utilisables sont de nature mathématique (addition, soustraction...) ou vectorielle (comprend des points de coordonnées). La fonction CAL peut être utilisée de façon transparente, en réponse à un message d'AutoCAD, en la faisant précéder d'une apostrophe ('CAL).

On souhaite par exemple, tracer un cercle sur la base de données existantes dans le dessin (fig. 3.18), en tenant compte des paramètres suivants :

- le centre: situé au milieu de l'axe de la figure;
- le rayon: équivalent à 1/5 du rayon de l'arc supérieur.

La procédure est la suivante:

[1] Sélectionner la commande Circle (Cercle):

- Command: Circle 3P/2P/TTR/<Center point>:

[2] Taper la commande transparente 'CAL

[3] >>Expression: taper (mid + qua)/2

[4] >>Select entity for MID snap: sélectionner la ligne du bas (P1)

[5] >>Select entity for QUA snap: sélectionner la partie supérieure du cercle (P2).

[6] Diameter/<Radius>: taper 'CAL

[7] >>Expression: 1/5Rad

[8] >>Select circle, arc or polyline segment for RAD function: sélectionner l'arc (P3).

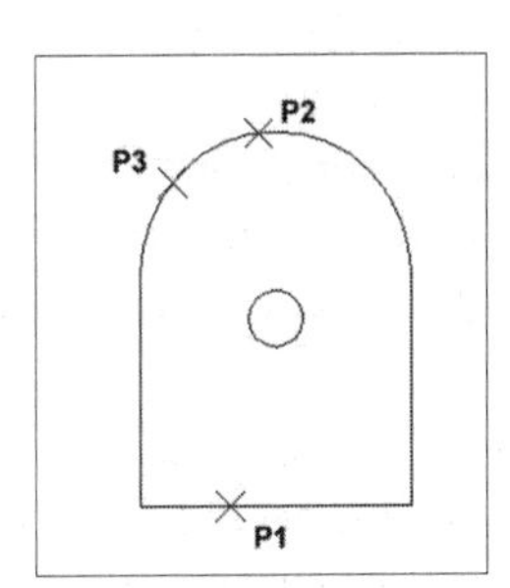

Fig. 3.18

Pour rendre l'utilisation de la calculatrice plus efficace, il existe dans AutoCAD une série de fonctions préprogrammées très faciles à utiliser. Les expressions suivantes sont ainsi à taper après l'affichage du message >>Expression.

Abréviation	Fonction	Description
DEE	DIST(END,END)	Calcul de la distance entre deux extrémités.
ILLE	ILL(END,END,END,END)	Intersection de deux droites définies par 4 extrémités.
MEE	(END,END)/2	Le point milieu d'une droite définie par 2 extrémités.
NEE	NOR(END,END)	Vecteur unitaire dans le plan X,Y et normal à une droite définie par deux extrémités.
VEE	VEC(END,END)	Vecteur entre deux extrémités.
VEE1	VEC1(END,END)	Vecteur unitaire entre deux extrémités.

Ainsi pour tracer par exemple un cercle au milieu d'un carré, il suffit d'utiliser l'expression MEE (fig. 3.19):

- Command: Circle
- 3P/2P/TTR/<Center point>: 'CAL
- >>Expression: MEE
- >>Select one endpoint for MEE: sélectionner le coin droit du carré (P1)

- >>Select another endpoint for MEE: sélectionner le coin opposé du carré (P2)
- Diameter/<Radius>: taper une valeur.

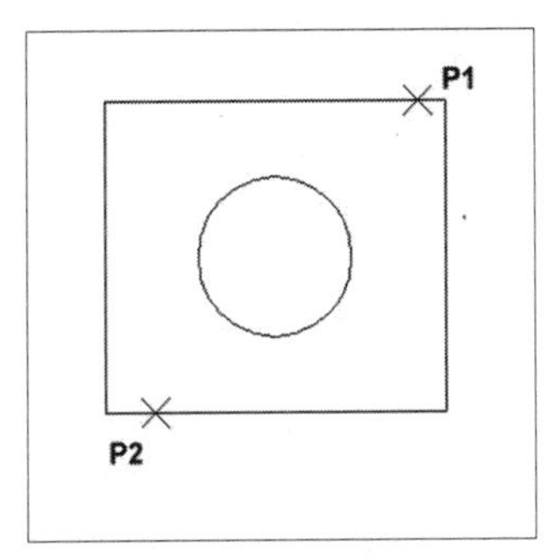

Fig. 3.19

14. Utiliser des calques superposés

Un layer (calque) peut être considéré comme une feuille de calque transparent qu'il est possible de superposer à une autre. Un architecte pourra ainsi créer un dessin de maison à l'aide d'une série de calques superposés, chacun reprenant des données spécifiques à une technique particulière: le gros œuvre, l'électricité, la plomberie, le mobilier, etc. Ces différents calques peuvent être activés (visibles) ou non (invisibles), et cela aussi bien à l'écran que lors du tracé sur traceur. Il est possible d'associer à chacun de ces calques, une couleur, un type de ligne, une épaisseur de trait, etc. Le nombre de calques est illimité. La gestion des calques est donc une tâche importante dans le processus de dessin sur ordinateur car elle permet de bien structurer l'information. (fig. 3.20). Voir aussi le chapitre 12 à ce sujet.

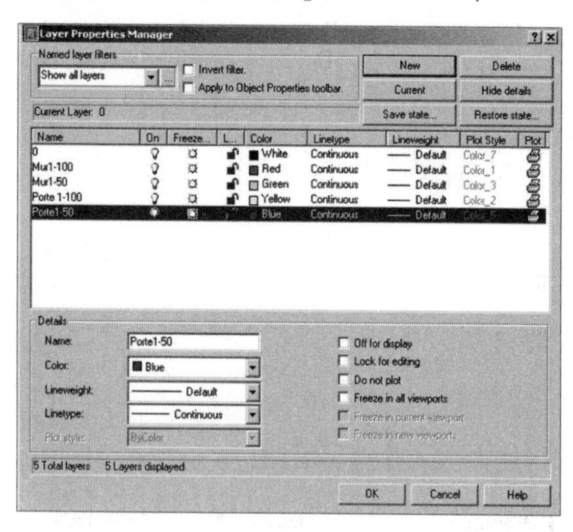

Fig. 3.20

Pour créer et nommer un calque la procédure est la suivante:

[1] Sélectionner la commande Layer (Calque) à l'aide d'une des méthodes suivantes:

Choisir le menu déroulant FORMAT puis l'option Layers (Calques).

Cliquer sur l'icône Layers (Calques).

Taper la commande Layer (Calque).

[2] La boîte de dialogue “Layer Properties Manager” (Gestionnaire des propriétés des calques) s’affiche à l’écran. Cliquer sur New (Nouveau) pour créer un nouveau calque. Dans le champ Name (Nom) de la zone Details (Détails) rentrer le nom du nouveau calque (fig. 3.21). Le nouveau nom s’ajoute à la liste des calques.

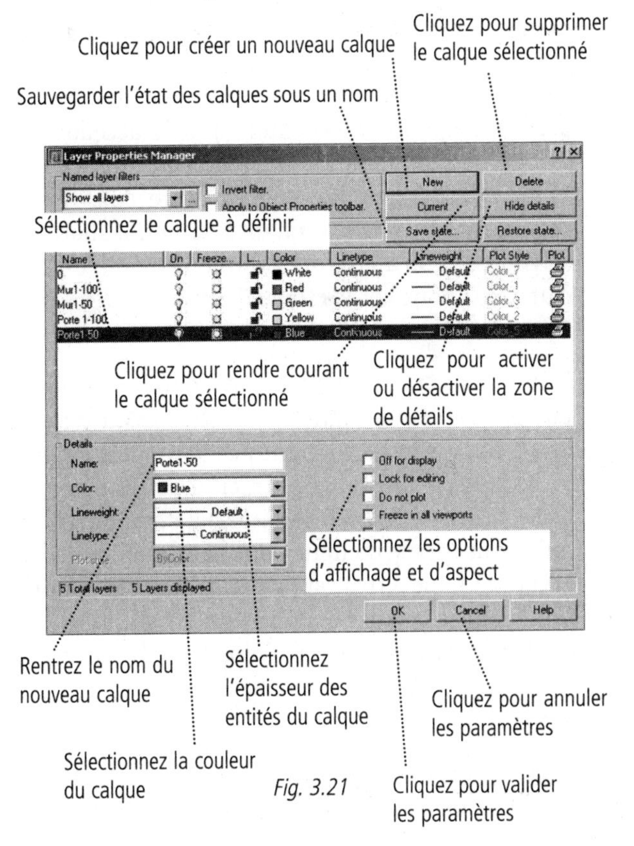

Fig. 3.21

Pour définir les attributs du calque (couleur, type de ligne .....) la procédure est la suivante:

1. Toujours dans la boîte de dialogue "Layer Properties Manager" (Gestionnaire des propriétés des calques), sélectionner le calque puis cliquer sur le symbole de la couleur dans la colonne Color (Couleur). Une autre possibilité consiste à sélectionner la couleur dans la liste déroulante du champ Color (Couleur) située dans la partie Details (Détails). Choisir une couleur de base ou prendre l'option Other (Autres) pour accéder à la palette des couleurs. Si la couleur permet de distinguer facilement les calques entre eux, il faut cependant être prudent quant à son utilisation, car la couleur est aussi un moyen disponible dans AutoCAD pour lier les traits du dessin à des épaisseurs de plume.

2. Cliquer dans la colonne ou dans le champ Linetype (Type de ligne) pour choisir un type de ligne. Si la liste ne contient pas le modèle souhaité, il faut au préalable charger d'autres types de ligne par l'option Load (Charger) disponible en cliquant sur le type de ligne dans la colonne Linetype (Type de ligne). Il n'est pas obligatoire de définir un type de ligne dès le départ du dessin. La modification peut être effectuée plus tard. De même, il est aussi possible d'avoir plusieurs types de ligne sur le même calque.

3. A partir de la version 2000 d'AutoCAD, il est également possible de définir de manière directe

l'épaisseur des traits d'un calque sans passer par une définition de couleur. Il suffit pour cela de cliquer dans la colonne ou dans la liste déroulante Lineweight (Epaisseur des lignes) et de sélectionner l'épaisseur souhaitée.

4 Il est en outre possible de définir un style d'impression pour le calque via la liste déroulante Plot Style (style de tracé) ou la colonne du même nom (voir le chapitre sur l'impression). L'option Plot (Traceur) permet d'activer ou non l'impression du calque sélectionné.

Pour rendre un calque courant, deux possibilités sont offertes:

1 Toujours dans la boîte de dialogue "Layer Properties Manager" (Gestionnaire des propriétés des calques), cliquer sur le calque concerné dans la liste, puis cliquer sur le bouton Current (Courant). Cliquer sur OK pour quitter la boîte de dialogue.

2 Dans la barre d'outils Propriétés des objets, cliquer sur la liste déroulante Layer Control (Contrôle des calques), puis cliquer sur le calque à rendre courant (fig. 3.22).

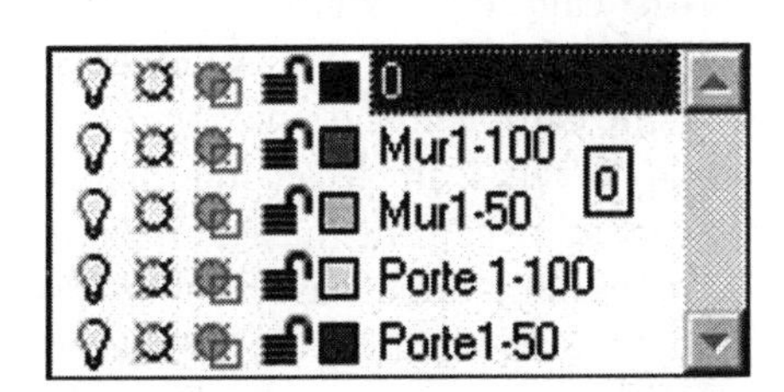

Fig. 3.22

Pour rendre le calque d'un objet sélectionné courant, la procédure est la suivante:

1. Cliquer sur le bouton Make Object's Layer Current (Rendre le calque de l'objet courant) situé dans la barre d'outil Propriété des Objets.

2. Cliquer sur l'objet concerné. Le calque de celui-ci devient le calque courant.

Pour contrôler la visibilité d'un calque, plusieurs points sont à prendre en compte:

- l'utilité: pour augmenter la lisibilité d'un plan à l'écran, il peut être intéressant d'éteindre à certains moments des informations non utiles. Par exemple, un ingénieur peut éteindre le calque mobilier dans un plan d'architecte, car cette information n'est pas utile pour sa mission. De même, pour imprimer son plan de stabilité, le même ingénieur a la possibilité d'éteindre tous les calques non indispensables.

- les méthodes de contrôle: pour rendre un calque visible ou invisible, AutoCAD dispose de deux fonctions distinctes : On/Off (Activé/Désactivé) et Freeze/Thaw (Geler/Dégeler). Dans le premier cas un calque "invisible" est toujours considéré comme existant par AutoCAD, celui-ci en tient donc compte lors d'un zoom ou d'une régénération de l'écran. Dans le second cas, un calque "gelé" est considéré comme inexistant par AutoCAD. Celui-ci n'en tient donc pas compte lors d'un zoom ou d'une régénération de l'écran, ce qui permet de gagner du temps pour les gros fichiers.

Le contrôle de la visibilité des calques s'effectue par l'une des méthodes suivantes:

1. Dans la boîte de dialogue Layer Properties Manager (Gestionnaire des propriétés des calques), cliquer sur le(s) calques concernés en maintenant la touche majuscule (Shift) enfoncée. Cliquer ensuite sur le symbole de l'ampoule ou du soleil ou cocher l'un des champs Off for display (Inactif pendant l'affichage) ou Freeze (Geler) dans la partie inférieure de la fenêtre.

2. Dans la barre des outils, cliquer sur la liste déroulante Layer Control (Contrôle des calques), puis cliquer sur l'un des symboles (ampoule ou soleil) en regard du calque concerné pour activer l'option.

Le verrouillage d'un calque est une autre option intéressante qui permet de rendre un calque visible mais empêche toute modification des entités situées sur celui-ci. Cela permet donc de protéger un calque contre toute erreur de manipulation. Il est cependant possible de s'accrocher aux objets du calque ainsi verrouillé. La procédure de verrouillage est la suivante (deux méthodes):

1. Dans la boîte de dialogue Layer Properties Manager (Gestionnaire des propriétés des calques), cliquer sur le(s) calques concernés en maintenant la touche majuscule (Shift) enfoncée. Cliquer ensuite sur le symbole du cadenas ou cocher le champ Lock for editing (Verrouiller pour l'édition) situé dans la partie inférieure de la fenêtre.

[2] Dans la barre des outils, cliquer sur la liste déroulante Layer Control (Contrôle des calques), puis cliquer sur le symbole du cadenas en regard du calque concerné pour activer l'option.

Pour changer le calque d'un objet (ou en d'autres mots changer un objet d'un calque sur un autre), la procédure est la suivante:

[1] Sélectionner la commande Properties (Propriétés) du menu Modify (Modifier) ou cliquer sur l'icône correspondante.

[2] Cliquer sur l'objet à modifier.

[3] Dans la boîte de dialogue Properties (Propriétés), cliquer sur le champ Layer (Calque) et sélectionner le nouveau calque dans la liste déroulante (fig. 3.23).

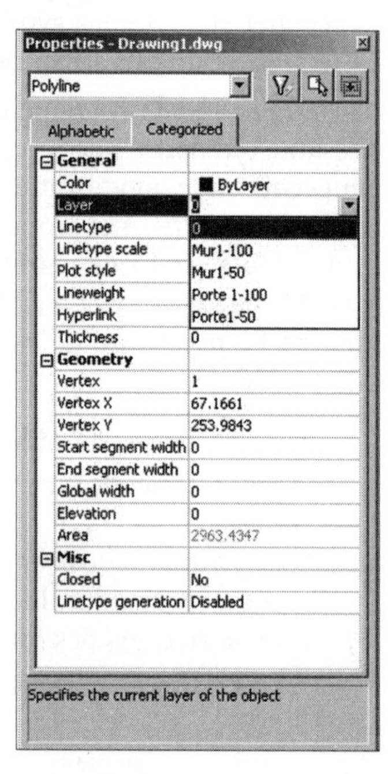

Fig. 3.23

Une méthode plus rapide, consiste à sélectionner l'objet dans le dessin, puis à sélectionner le calque de destination dans la liste des calques (fig. 3.24).

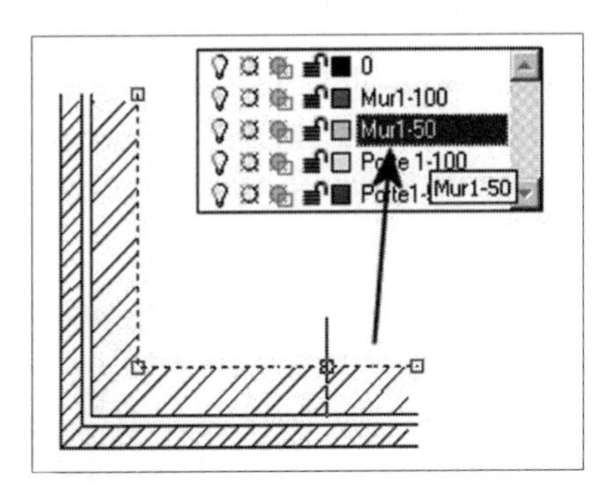

Fig. 3.24

Pour sauvegarder la situation des calques sous un nom à un moment donné, la procédure est la suivante :

1. Dans la boîte de dialogue Layer Properties Manager (Gestionnaire des propriétés des calques), cliquer sur le bouton Save State (Enregistrer état). La boîte de dialogue Save Layer State (Enregistrer les états de calque) s'affiche à l'écran.

2. Taper un nom dans le champ New Layer State Name (Nouveau nom d'état de calque). Par exemple : Plan1-50.

3. Dans la zone Layer States (Etats de calque), sélectionner l'état souhaité. Par exemple : ON (Activé).

L'ensemble des calques nécessaires pour le dessin ou le tracé du plan au 1/50 sont regroupé sous le nom Plan1-50.

4 Cliquer sur OK pour confirmer.

5 Il est possible d'activer à tout moment la sélection des calques ainsi sauvegardés, en cliquant sur le bouton Restore State (Restaurer état) (fig. 3.25).

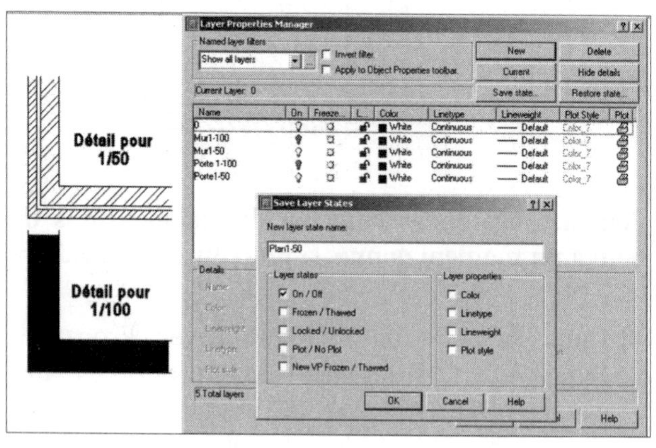

Fig. 3.25

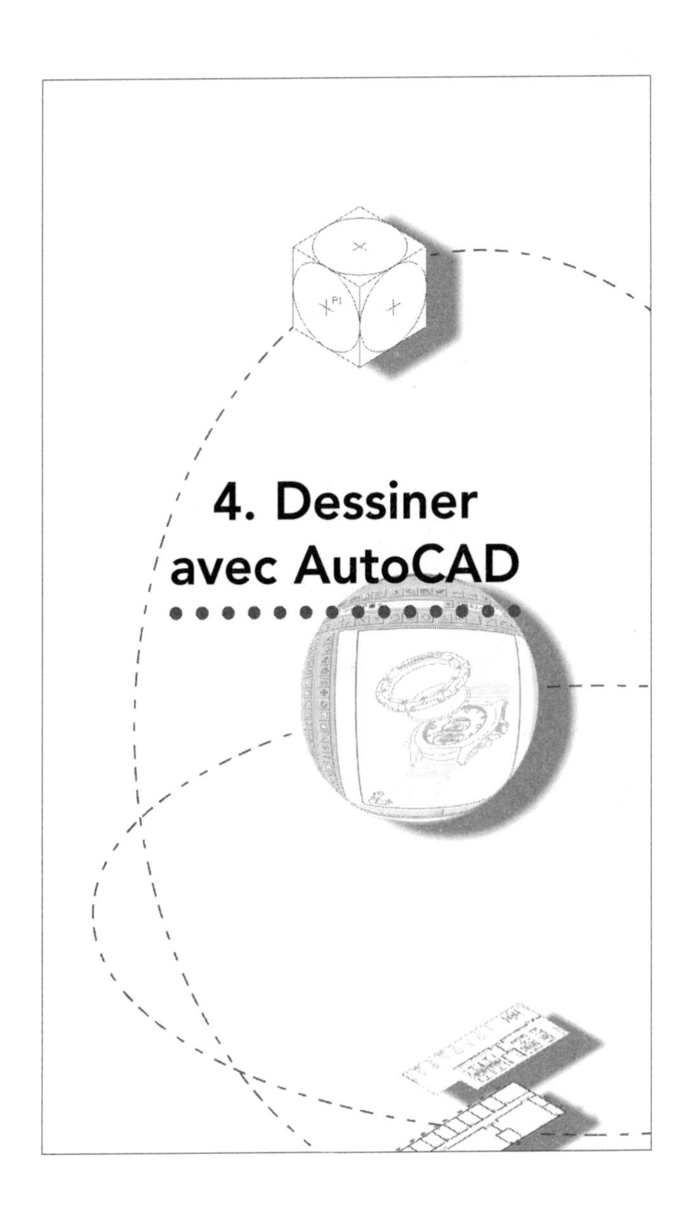

4. Dessiner avec AutoCAD

A voir dans ce chapitre

- La création d'objets constitués de lignes
- La création d'objets constitués de courbes
- La création de formes géométriques de base
- La création d'objets pleins

1. Les fonctions de dessin

Pour construire les éléments de base de votre dessin, AutoCAD met à votre disposition quatre groupes de fonctions de dessin:

- **la création d'objets constitués de lignes** : la ligne simple, la polyligne, les lignes de construction ;
- **la création d'objets constitués de courbes** : l'arc de cercle, l'arc elliptique, la polyligne, la courbe Spline ;
- **la création de formes géométriques de base** : le cercle, l'ellipse, le rectangle, le polygone régulier, le point, la polyligne contour ;
- **la création d'objets pleins** : la polyligne avec épaisseur, l'anneau, le solide 2D.

2. Dessiner des lignes et des polylignes

Une ligne simple est constituée d'un ou de plusieurs segments reliés entre eux. Chaque segment est considéré comme un objet à part entière, ce qui permet de le modifier indépendamment des autres.

Une polyligne est un ensemble de lignes interconnectées et formant une entité unique. Elle offre plusieurs avantages par rapport à la ligne comme dans le cas, par exemple, de la création de copies décalées (fig. 4.1).

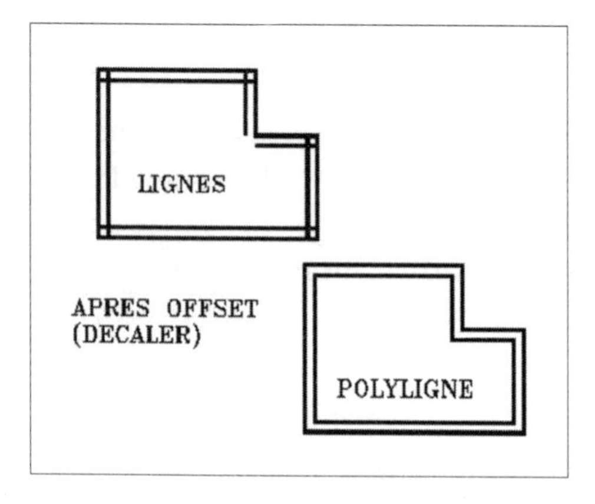

Fig. 4.1

L'entrée des données peut se faire soit graphiquement à l'écran par la souris ou la tablette graphique, soit numériquement par le clavier à l'aide des types de coordonnées suivantes (2D dans le cas présent) (fig. 4.2):

- **Absolues** : de type (X, Y), chaque point est situé par rapport à l'origine (0,0) du système de référence. Exemple : (6,4) et (13,11).
- **Relatives** : de type (@X, Y), chaque point est situé à une distance X et Y du dernier point entré. Exemple : @10, 6
- **Polaires** : de type (@Distance<Angle), chaque point est situé à une distance D et un angle A du dernier point entré. Exemple : @11<45

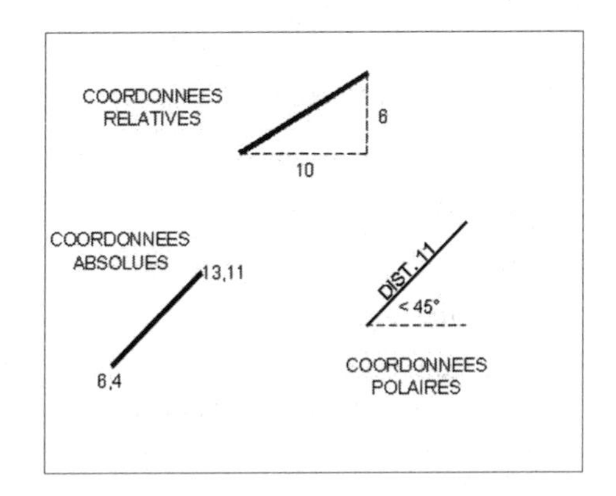

Fig. 4.2

La procédure à suivre est la suivante:

1. Sélectionner la commande Ligne ou Polyligne à l'aide de l'une des méthodes suivantes :

Choisir le menu déroulant DRAW (Dessin) puis l'option Line (Ligne) ou Polyline (Polyligne).

 Choisir l'icône Line (Ligne) ou Polyline (Polyligne) de la barre d'outils Draw (Dessiner).

 Taper la commande Line (Ligne) ou pline (Polylign).

[2] Spécifier le point de départ : pointer un point (P1) ou entrer les coordonnées absolues (ex : 0,0,0)

[3] Spécifier le point suivant : pointer le point P2 ou entrer les coordonnées absolues (ex : 2,0,0), ou les coordonnées relatives (ex : @2,0), ou les coordonnées polaires (ex : @2<0)

[4] Spécifier le point suivant : point P3 (ou 2,3,0), (ou @0,3) (ou @3<90)

[5] Spécifier le point suivant : point P4 (ou 0,3,0), (ou @-2,0) (ou @2<180)

[6] Spécifier le point suivant : taper C pour clore le contour ou appuyer sur Entrée si le contour ne doit pas être fermé (fig. 4.3).

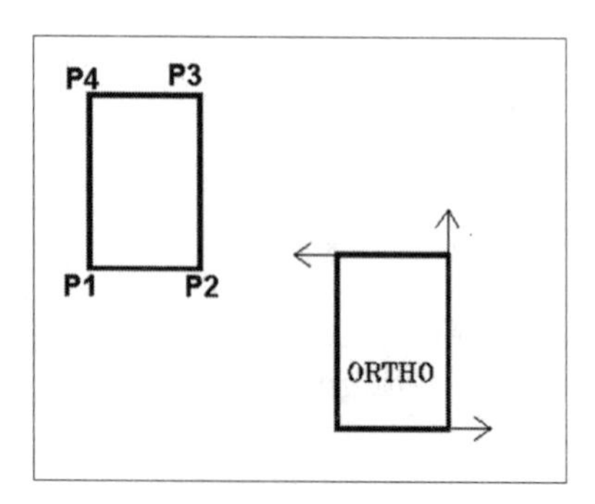

Fig. 4.3

Conseil

Pour dessiner des lignes orthogonales, utiliser le mode ORTHO. Dans ce cas il suffit d'orienter le curseur dans la bonne direction et de taper simplement la longueur du segment au clavier sans devoir utiliser les coordonnées relatives ou polaires.

Pour dessiner des lignes qui ne sont pas horizontales ou verticales, il convient d'utiliser le mode POLAIRE qui permet d'orienter directement le curseur dans une des directions préalablement déterminée (fig. 4.4).

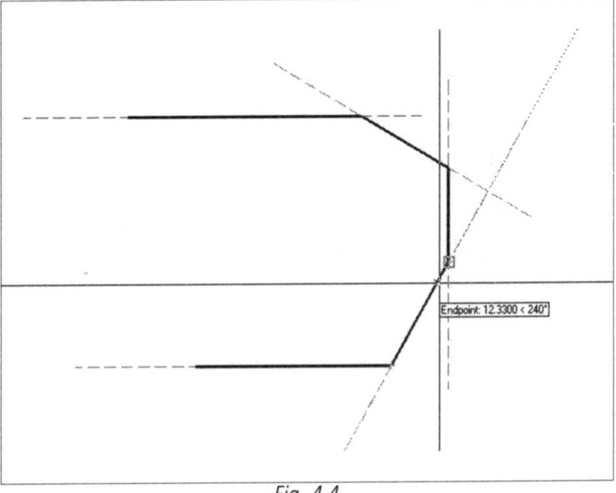

Fig. 4.4

3. Transformer une polyligne en lignes ou des lignes en une polyligne

Pour transformer une polyligne en lignes, la procédure est toute simple, il suffit de sélectionner la polyligne et de cliquer sur l'icône Explode (Décomposer) de la barre d'outils Modify (Modifier).

Pour transformer un ensemble de lignes (qui doivent être jointives) en une polyligne, la procédure est la suivante (fig. 4.5):

1. Sélectionner la première ligne (1).
2. Exécuter la commande de modification de polylignes à l'aide de l'une des méthodes suivantes:

Choisir le menu déroulant MODIFY (Modifier) puis l'option Polyline (polyligne).

Choisir l'icône Edit Polyline (Editer polyligne) dans la barre d'outils Modify II (Modifier II).

Taper la commande PEDIT.

2. Comme l'entité sélectionnée n'est pas une polyligne, AutoCAD demandera d'abord si vous désirez transformer la ligne en polyligne. Il convient de répondre Yes (Oui).
3. Sélectionner l'option Join (Joindre) en tapant J au clavier.

4 Sélectionner les autres segments (2, 3, 4, 5, 6).

5 Appuyer deux fois sur Enter (Entrée). L'ensemble des ligne forme à présent une polyligne(fig. 4.5).

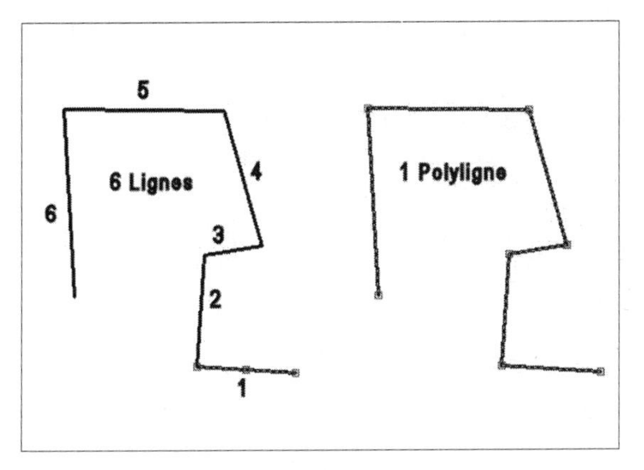

Fig. 4.5

4. Dessiner des lignes de construction

AutoCAD permet de créer des lignes qui s'étendent à l'infini dans une ou dans les deux directions. Ces lignes infinies peuvent servir de lignes de construction pour définir plus facilement d'autres objets. Elles ne modifient pas les dimensions totales du dessin. Elles peuvent être modifiées au même titre que les autres objets. Deux commandes permettent de créer ces lignes de construction:

- Xline (Droite): ligne infinie dans les deux directions
- Ray (Demidroite): ligne infinie dans une direction

La procédure pour tracer des droites de construction est la suivante:

1. Exécuter la commande de dessin de droites à l'aide de l'une des méthodes suivantes:

Choisir le menu déroulant DRAW (Dessin) puis l'option Construction Line (Droite).

Choisir l'icône Construction Line (Droite) dans la barre d'outils Draw (Dessiner).

Taper la commande Xline (Droite).

2. Désigner le point qui sera l'origine de la droite (point 1).
3. Spécifier le second point par lequel la droite doit passer (point 2).
4. Définir les autres droites souhaitées.
5. Appuyer sur Entrée pour terminer l'opération (fig. 4.6).

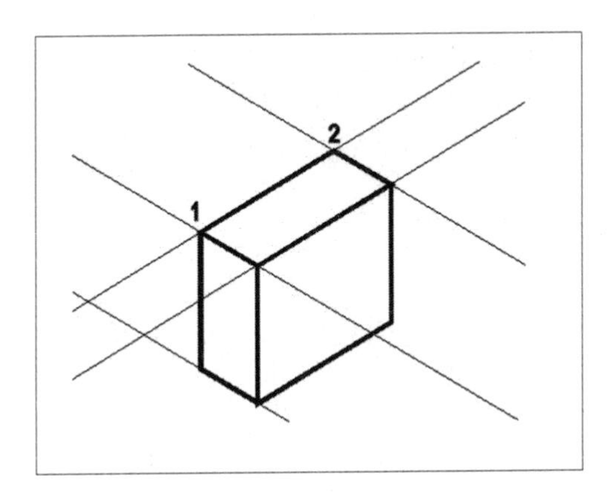

Fig. 4.6

Les options sont les suivantes:

- **Horizontal(e) - Vertical(e):**

  permet de créer des droites parallèles aux axes X ou Y du système de coordonnées en cours et passant par un point à spécifier.

- **Angle:**

  permet de créer une droite formant un angle donné avec l'axe horizontal ou avec une ligne de référence.

- **Bisectrice (Bissectrice):**

  permet de créer une droite correspondant à la bissectrice de l'angle spécifié. Il convient de désigner le sommet et les lignes formant l'angle concerné.

- **Offset (Décalage):**

  permet de créer une droite parallèle à la ligne de référence sélectionnée et à une distance déterminée de celle-ci. Il convient ainsi de spécifier la valeur du décalage, de désigner la ligne de référence, puis d'indiquer de quel côté la droite doit se situer par rapport à la ligne de référence.

La procédure pour tracer des rayons de construction est la suivante:

1. Exécuter la commande de dessin de rayons à l'aide de l'une des méthodes suivantes:

   Choisir le menu déroulant DRAW (Dessin) puis l'option Ray (Demi-droite).

   Choisir l'icône Ray (Demi-droite) dans la barre d'outils Draw (Dessiner).

   Taper la commande Ray (Demidroite).

2. Désigner le point de départ du rayon (point 1).
3. Spécifier le second point par lequel le rayon doit passer (point 2).
4. Définir les autres rayons souhaités. Tous les rayons passent obligatoirement par le premier point désigné.
5. Appuyer sur Entrée pour terminer l'opération (fig. 4.7)

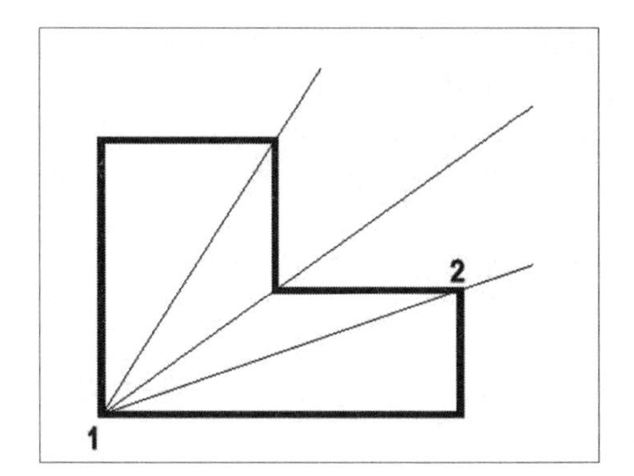

Fig. 4.7

5. Dessiner des arcs de cercle

AutoCAD permet la création d'arcs de cercle à l'aide de dix techniques différentes. La méthode par défaut consiste à désigner trois points à l'écran, dont un point de départ et un point d'extrémité. Les arcs sont tracés par défaut dans le sens trigonométrique (fig. 4.8).

La procédure pour dessiner un arc est la suivante:

1 Exécuter la commande de dessin d'arc à l'aide de l'une des méthodes suivantes:

Choisir le menu déroulant DRAW (Dessin) puis l'option Arc.

Choisir l'icône Arc dans la barre d'outils Draw (Dessiner).

Taper la commande Arc.

2 Sélectionner l'option de dessin souhaitée. Dans le cas de l'option par défaut, il suffit de pointer un point de départ, un deuxième point et un point d'extrémité.

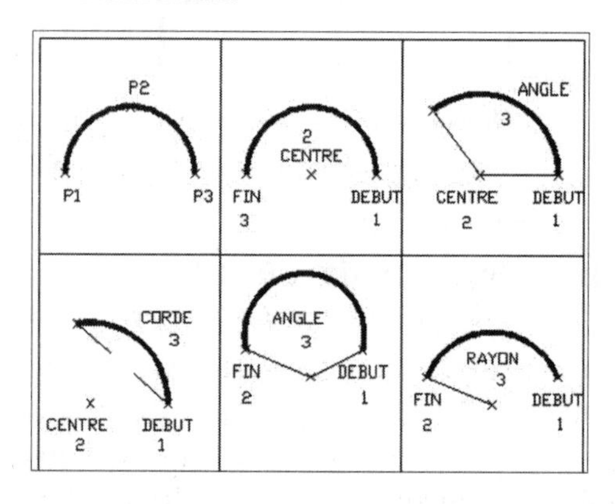

Fig. 4.8

Les options peuvent être regroupées en 4 classes:

- Classe 1: 3-Points: arc passant par 3 points P1, P2, P3.
- Classe 2: Start/Center/: point de départ (PT) et centre (C) plus

  end: point final (F)

  angle: angle inscrit (A)

  chordlen: longueur de corde (L)
- Classe 3: Start/End/: point de départ et point final plus

angle: angle inscrit

radius: rayon (R)

direction: direction de la tangente (D)

- Classe 4: Center/Start/: centre et point de départ plus

  end: point final

  angle: angle inscrit

  chordlen: longueur de corde

  Continue: permet de continuer une ligne ou un arc, déjà en place, par un autre arc.

6. Dessiner des courbes Splines

Une spline est une courbe régulière passant par une série donnée de points. Il existe plusieurs types de splines dont la courbe NURBS utilisée dans AutoCAD. Les courbes splines sont très pratiques pour représenter des courbes de formes irrégulières comme c'est le cas en cartographie ou dans le dessin automobile. La forme de la courbe Spline peut être contrôlée par un facteur de tolérance qui définit l'écart admissible entre la courbe et les points d'interpolation spécifiés à l'écran. Plus la valeur de tolérance est faible, plus le tracé de la spline est fidèle aux points désignés.

La procédure pour créer une courbe spline est la suivante :

1. Exécuter la commande de dessin de spline à l'aide de l'une des méthodes suivantes (fig. 4.9):

Choisir le menu déroulant DRAW (Dessin) puis l'option Spline.

Choisir l'icône Spline dans la barre d'outils Draw (Dessiner).

Taper la commande Spline.

2. Indiquer le point de départ de la spline (point 1).
3. Désigner autant de points que nécessaire pour créer la spline (exemple: points 2 à 5) et appuyer sur Entrée pour terminer la courbe.
4. Retourner à l'origine et définir l'orientation de la tangente de départ de la courbe (point 6).
5. Retourner à la fin de la courbe et définir l'orientation de la tangente de fin (point 7).

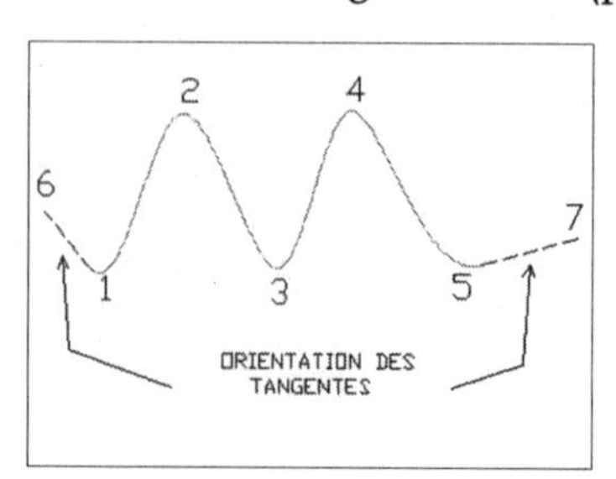

Fig. 4 .9

7. Dessiner un cercle

Le cercle est un objet de base très couramment utilisé en dessin. AutoCAD permet de créer celui-ci de plusieurs façons différentes: en spécifiant le centre et un rayon (méthode par défaut), le centre et le diamètre, en spécifiant deux points pour indiquer le diamètre, trois points pour définir sa circonférence. Il est également possible de créer un cercle tangent à deux (plus une valeur de rayon) ou à trois objets du dessin. La désignation des points demandés peut se faire à l'aide des coordonnées ou en se servant des points d'accrochage (OSNAP).

La procédure pour dessiner un cercle est la suivante:

[1] Exécuter la commande de dessin d'un cercle à l'aide de l'une des méthodes suivantes (fig. 4.10):

Choisir le menu déroulant DRAW (Dessin) puis l'option Circle (Cercle).

Choisir l'icône Circle (Cercle) de la barre d'outils Draw (Dessiner).

Taper la commande Circle (Cercle).

[6] Pointer le centre (ou entrer les coordonnées) : P1

[7] Entrer la valeur du rayon ou pointer un deuxième point : P2

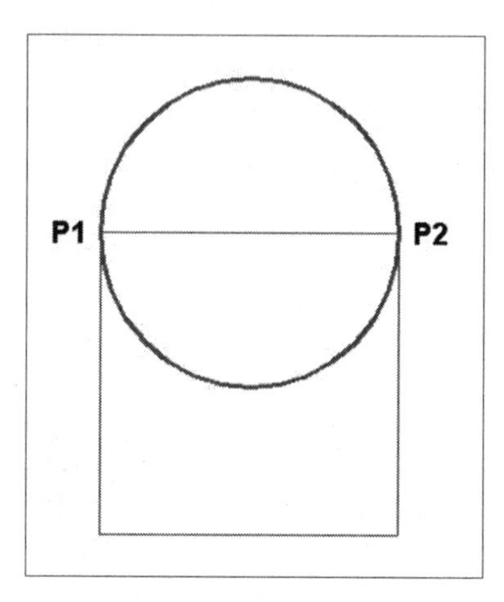

Fig. 4.10

Les Options de dessin sont les suivantes:

- CEN,RAD (CENtre et RAYon):

  entrer les coordonnées du centre et la valeur du rayon ou pointer graphiquement par la souris ou le stylet.

- CEN,DIA (CENtre et DIAmètre):

  entrer les coordonnées du centre et la valeur du diamètre ou pointer graphiquement.

- 2 POINTS:

  donner deux points (P1 et P2) qui seront les extrémités du diamètre.

- 3 POINTS:

  donner trois points (P1,P2,P3) sur la circonférence du cercle.

- TTR:

  permet de dessiner un cercle en spécifiant la valeur du rayon et en pointant deux objets (lignes, cercles, arcs, etc.) auxquels le cercle doit être tangent.

- TaTaTan:

  permet de dessiner un cercle en pointant trois objets (lignes, arcs, cercles, etc.) auxquels le cercle doit être tangent.

8. Dessiner une ellipse

AutoCAD permet de tracer des vraies ellipses (représentation mathématique exacte) ou une représentation polyligne d'une ellipse (mettre au préalable la variable PELLIPSE sur 1). La méthode de dessin par défaut consiste à désigner les extrémités du premier axe et à définir une distance (demi-longueur) du second axe.

La procédure pour dessiner une ellipse est la suivante:

1. Exécuter la commande de dessin de l'ellipse à l'aide de l'une des méthodes suivantes:

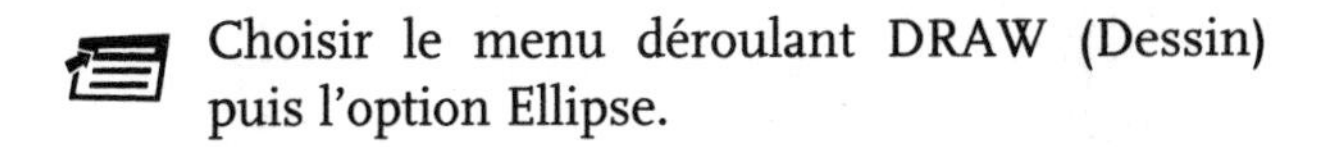

Choisir le menu déroulant DRAW (Dessin) puis l'option Ellipse.

Choisir l'icône Ellipse de la barre d'outils Draw (Dessiner).

Taper la commande Ellipse.

[2] Dans le cas de l'option par défaut (fig. 4.11), désigner la première extrémité du premier axe (point P1).

[3] Indiquer la seconde extrémité du premier axe (point P2).

[8] Pointer l'extrémité du deuxième axe (point P3).

[9] Dans le cas de l'option Centre, taper C pour activer l'option, puis pointer le centre de l'ellipse : P1.

[10] Pointer l'extrémité du premier axe (point P2).

[11] Pointer l'extrémité du deuxième axe (point P3).

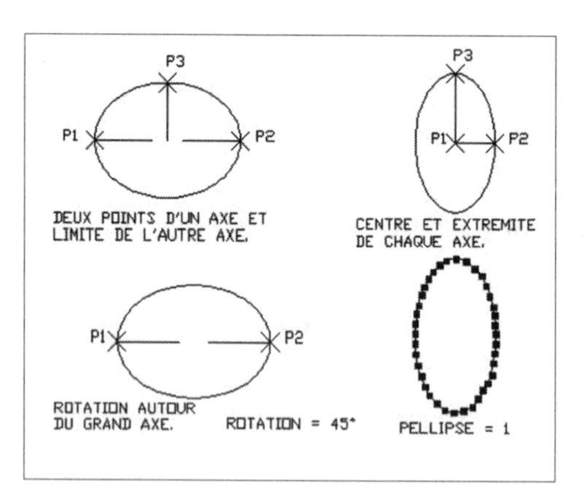

Fig. 4.11

La procédure pour dessiner un arc elliptique est la suivante:

[1] Sélectionner l'option Arc de la commande Ellipse.

[2] Pointer les 3 extrémités des axes de l'ellipse : P1, P2 et P3.

[3] Pointer la direction de l'angle de départ : P4

[4] Pointer la direction de l'angle d'arrivé : P5 (fig. 4.12).

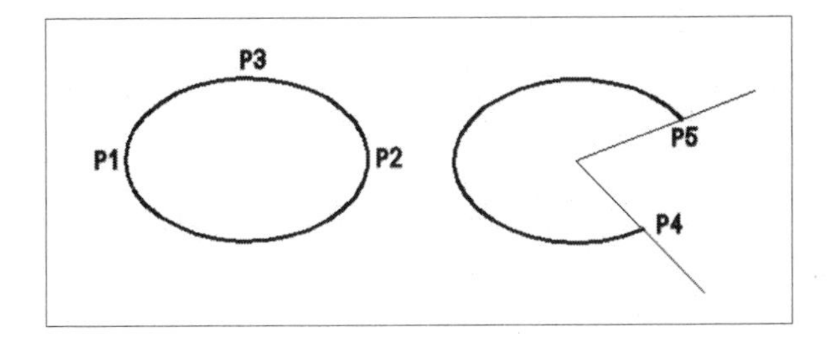

Fig. 4.12

9. Dessiner un rectangle

Un rectangle est une polyligne fermée ayant la forme d'un rectangle. Avant de dessiner celui-ci, il est possible de définir quelques paramètres permettant par exemple d'arrondir ou de couper les angles.

La procédure pour créer un rectangle est la suivante:

[1] Exécuter la commande de dessin du rectangle à l'aide de l'une des méthodes suivantes (fig. 4.13):

Choisir le menu déroulant DRAW (DESSIN) puis l'option Rectangle.

Choisir l'icône Rectangle de la barre d'outils Draw (Dessiner).

Taper la commande Rectang ou Rectangle.

[2] Pointer l'origine du rectangle : P1

[3] pointer l'extrémité du rectangle : P2 ou entrer des valeurs relatives (@x,y) pour définir la longueur et la largeur. Exemple : un rectangle de 20 sur 10 demande comme coordonnées @20,10.

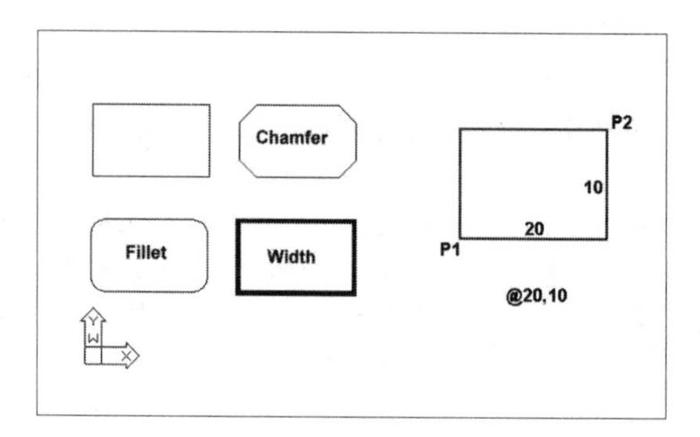

Fig. 4.13

Les options sont les suivantes:

- Chamfer (Chanfrein):

  permet de chanfreiner les côtés du rectangle en spécifiant deux distances (voir chapitre 8 pour plus de détails).

- Elevation:

  permet de spécifier la hauteur de création du rectangle (voir chapitre 18 pour plus de détails).

- Fillet (Raccord):

  permet d'arrondir les sommets du rectangle en spécifiant un rayon (voir chapitre 8 pour plus de détails).

- Thickness (Hauteur):

  permet de spécifier la hauteur d'extrusion du rectangle.

- Width (Largeur):

  permet de spécifier l'épaisseur des côtés du rectangle.

10. Dessiner un polygone régulier

Un polygone est une polyligne fermée de forme régulière et composée de 3 à 1.024 côtés. La grandeur du polygone peut être déterminée par l'une des trois méthodes suivantes (fig. 4.14):

- le polygone est inscrit dans un cercle imaginaire (I): cette méthode est utile si l'on connaît la distance entre le centre du polygone et chacun des sommets. Cette distance correspond au rayon du cercle dans lequel le polygone est inscrit.
- le polygone est circonscrit à un cercle (C): cette méthode est utile si l'on connaît la distance entre le centre du polygone et le milieu de chaque côté.

Cette distance correspond au rayon du cercle inscrit dans le polygone.

- par la longueur d'un côté.

La procédure pour dessiner un polygone est la suivante:

1. Exécuter la commande de dessin du polygone à l'aide de l'une des méthodes suivantes:

Choisir le menu déroulant DRAW (DESSIN) puis l'option Polygon (Polygone).

Choisir l'icône Polygon (Polygone) de la barre d'outils Draw (Dessiner).

Taper la commande Polygon (Polygone).

2. Déterminer le nombre de côtés souhaités : exemple 6.
3. Indiquer le centre du polygone (point P1).
4. Entrer I ou C pour créer le polygone.
5. Spécifier le rayon (ex. : 5).

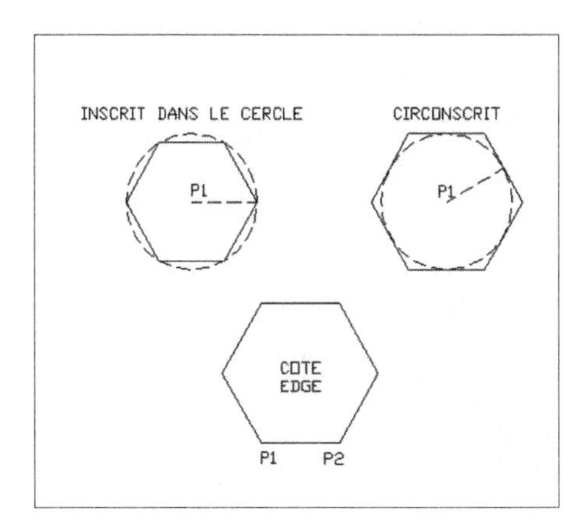

Fig. 4.14

11. Dessiner un point

Un point est un outil permettant de repérer facilement des lieux significatifs dans le dessin. L'utilisateur a la possibilité de définir le style du point et sa taille. Il est possible de s'accrocher ensuite à un point par la commande OSNAP (ACCROBJ) et l'option NODE (NODAL).

La procédure pour définir le style et la taille des points est la suivante:

[1] Exécuter la commande de définition du style à l'aide de l'une des méthodes suivantes (fig. 4.15):

Choisir le menu déroulant FORMAT puis l'option Point Style (Style des points).

 Taper la commande DDPTYPE.

[2] Sélectionner un style de point.

[3] Spécifier la taille voulue dans le champ Point Size (Taille des points).

[4] Cliquer sur OK pour confirmer.

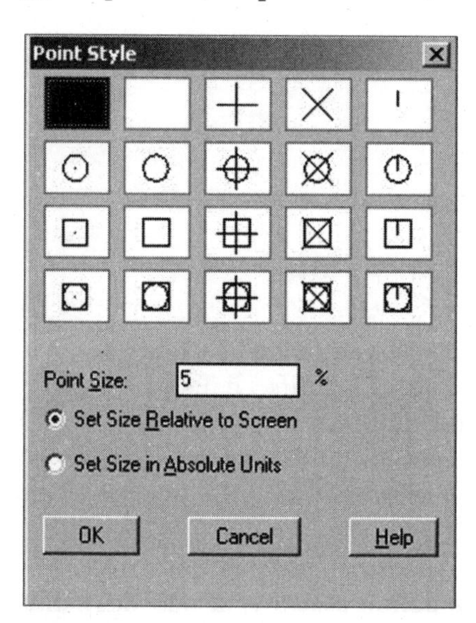

Fig. 4.15

La procédure pour dessiner un point est la suivante:

[1] Exécuter la commande de dessin d'un point à l'aide de l'une des méthodes suivantes:

 Choisir le menu déroulant DRAW (DESSIN) puis l'option Point et ensuite Single Point

(Point Unique) ou Multiple Point (Point Multiple).

Choisir l'icône Point de l'icône déroulante Point de la barre d'outils Draw (Dessiner).

Taper la commande Point.

[2] Désigner l'emplacement du ou des points (fig. 4.16).

[3] Appuyer sur Entrée pour terminer l'opération.

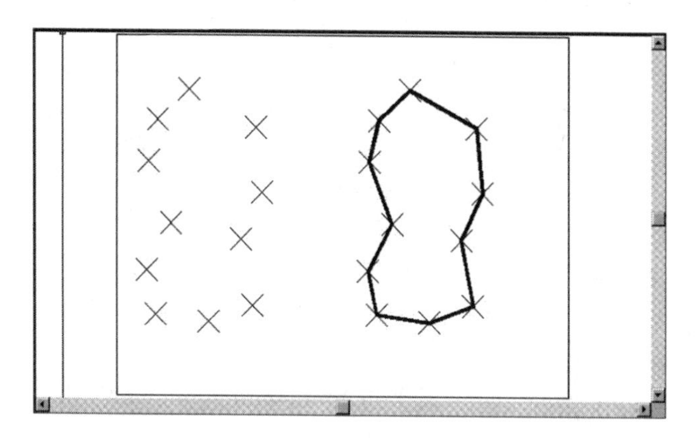

Fig. 4.16

12. Dessiner une polyligne avec épaisseur

Une polyligne est une entité constituée d'une série de segments de droite et d'arc considérée comme un tout. Il est possible de définir pour chaque segment une épaisseur déterminée, constante ou non. Cette caractéristique permet de dessiner des objets aux formes très variées, comme une flèche par exemple.

La procédure pour dessiner une flèche est la suivante :

1. Exécuter la commande de dessin d'une polyligne à l'aide de l'une des méthodes suivantes:

   Choisir le menu déroulant DRAW (DESSIN) puis l'option Polyline (Polyligne).

   Choisir l'icône Polyline (Polyligne) de la barre d'outils Draw (Dessiner).

   Taper la commande Polyline (Polyligne).

2. Pointer le premier point de la polyligne à l'endroit souhaité. Les options de la polyligne s'affichent ensuite à l'écran (point P1).

3. Taper "w" (la) pour déterminer l'épaisseur de la polyligne. Entrer l'épaisseur de départ puis l'épaisseur d'arrivée du segment. Par exemple 10 et 10.

4 Pointer l'extrémité du segment (point P2).

5 Taper à nouveau "w" (la) pour définir une nouvelle épaisseur. Entrer 40 comme épaisseur de départ et 0 comme épaisseur d'arrivée.

6 Pointer l'extrémité du segment (point P3).

7 Appuyer sur Entrée pour terminer la commande. Le résultat est le dessin d'une flèche (fig. 4.17).

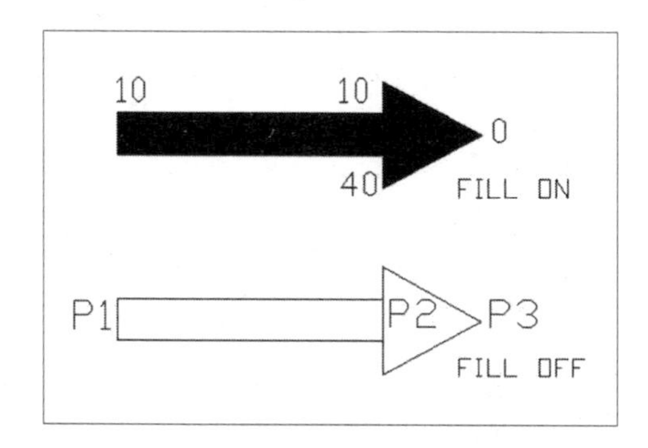

Fig. 4.17

13. Dessiner un anneau ou un disque plein

AutoCAD permet de dessiner facilement des couronnes ou des disques grâce à la commande DONUT (Anneau). Pour créer un anneau, il convient de définir les diamètres interne et externe et de désigner le centre. Pour dessiner un anneau en forme de disque, il suffit de spécifier un diamètre interne de valeur 0.

La procédure pour créer un anneau est la suivante :

1. Exécuter la commande de dessin d'un anneau à l'aide de l'une des méthodes suivantes:

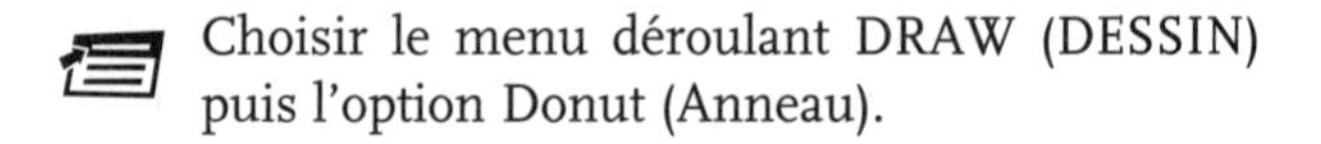

Choisir le menu déroulant DRAW (DESSIN) puis l'option Donut (Anneau).

Taper la commande Donut (Anneau).

2. Spécifier la valeur du diamètre intérieur (ex. : 10). Entrer une valeur de 0 pour un disque.
3. Spécifier le diamètre extérieur (ex. : 12).
4. Pointer le(s) centre(s) du ou des anneaux ou appuyer sur Entrée pour quitter la commande (fig. 4.18).

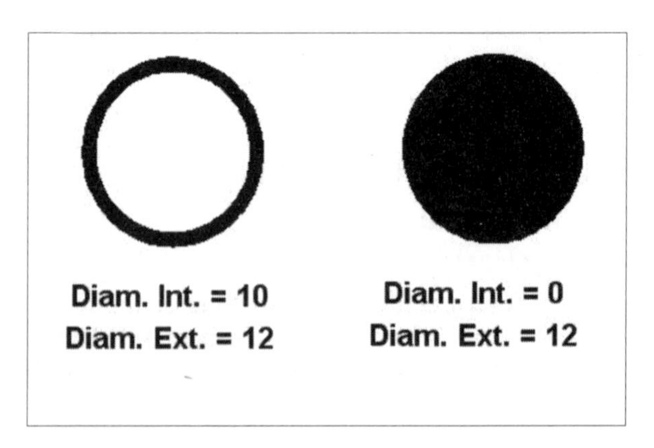

Fig. 4.18

Conseil

Avec l'apparition des hachures solides (avec la version 14 d'AutoCAD), il est à présent très facile de remplir complètement une zone quelconque du dessin.

15. Créer des contours fermés

Pour créer automatiquement une polyligne fermée à partir d'entités qui se chevauchent et qui délimitent une frontière, AutoCAD dispose de la commande BOUNDARY (Contour). Pour générer cette polyligne particulière, il suffit de pointer à l'intérieur de la zone désirée qui se met en surbrillance.

Cette fonction est utile dans beaucoup d'applications: mécanique (pour créer rapidement une pièce), architecture (pour calculer rapidement la surface des locaux), cartographie (pour délimiter facilement des contours digitalisés), etc.

Il est largement conseillé de définir une couche (layer) spécifique pour la création des polylignes frontière afin de pouvoir les manipuler plus facilement.

La procédure de création est la suivante:

[1] Exécuter la commande de création de polyligne frontière à l'aide de l'une des méthodes suivantes (fig. 4.19):

Choisir le menu déroulant DRAW (Dessin) puis l'option Boundary (Contour).

Taper la commande Boundary (Contour).

2 Sélectionner le bouton Pick Points (Choisir un point) dans la boîte de dialogue Boundary Creation (Créer un contour).

3 Pointer un point à l'intérieur de la zone souhaitée (P1). La frontière ainsi créée s'affiche en pointillé.

4 Appuyer sur Entrée pour sortir de la commande. AutoCAD a créé une polyligne superposée à la frontière détectée.

5 Pour visualiser la frontière ainsi créée, il suffit de la déplacer par la commande Move (Déplacer) et l'option Last (Dernier) ou d'utiliser et d'activer des couches (layers) différentes.

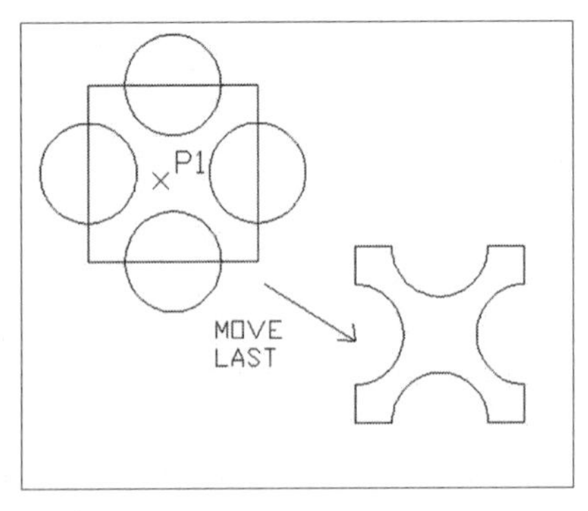

Fig. 4.19

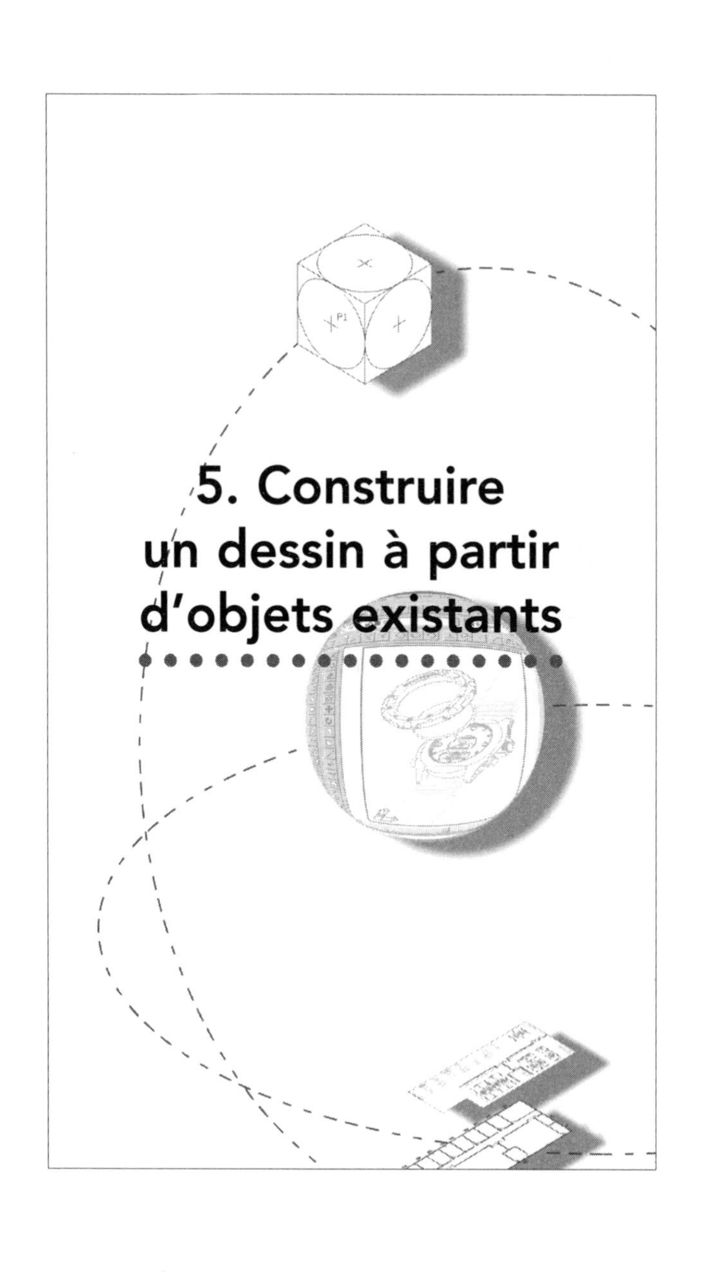

5. Construire un dessin à partir d'objets existants

A voir dans ce chapitre

- Effectuer une copie simple ou multiple
- Copier parallèlement un objet
- Créer une copie-miroir d'un objet
- Réaliser un réseau rectangulaire d'objets
- Réaliser un réseau polaires d'objets
- Copier et Coller des objets

1. La construction d'un dessin

Il existe une multitude d'outils dans AutoCAD pour construire un nouveau dessin. Parmi ceux-ci, il en existe plusieurs basés sur la copie d'objets existants (fig. 5.1):

- **la copie simple**: pour copier un ou plusieurs objets d'un point à un autre du dessin. La commande utilisée est COPY (Copier).
- **la copie multiple**: pour copier plusieurs fois un ou plusieurs objets d'un point à plusieurs autres du dessin. La commande utilisée est COPY (Copier) avec l'option Multiple.

- **la copie parallèle**: pour copier un objet parallèlement à lui-même et à une certaine distance. La commande utilisée est OFFSET (Decaler).
- **la copie-miroir**: pour créer une copie-miroir d'un objet suivant un axe de symétrie. La commande utilisée est MIRROR (Miroir).
- **la copie en réseau**: pour créer une série de copies d'un objet sous la forme d'un réseau polaire ou rectangulaire. La commande utilisée est ARRAY (Reseau).
- **la copie à l'aide du Presse-papiers de Windows**: pour copier un objet d'un dessin AutoCAD vers un autre dessin AutoCAD, ou vers une autre application .

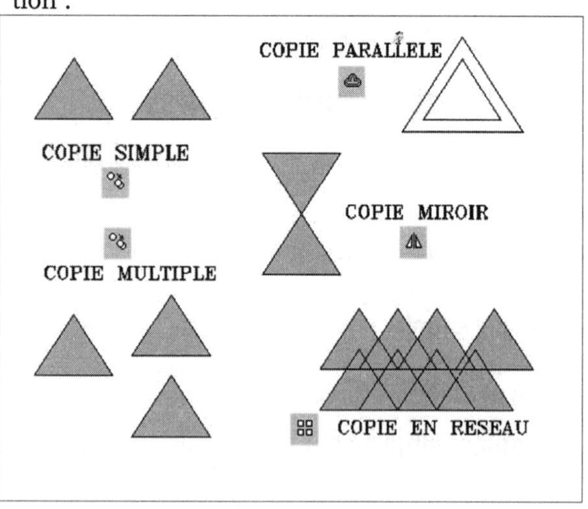

Fig. 5.1

2. Copier un objet

Pour copier un ou plusieurs objets à l'intérieur d'un dessin, il suffit d'effectuer la sélection et de définir ensuite le point de départ et le point d'arrivée de la copie. Ces points peuvent être déterminés par des coordonnées ou par le pointeur sur l'écran avec l'aide éventuelle des outils d'accrochage. La copie peut être simple ou multiple suivant les besoins. Les procédures qui suivent illustrent la copie simple d'un cercle sur le côté d'un carré, et la copie multiple du même cercle aux quatre coins du carré.

La procédure pour effectuer une copie simple est la suivante:

1. Exécuter la commande de copie à l'aide de l'une des méthodes suivantes (fig. 5.2):

Choisir le menu déroulant MODIFY (Modifier) puis l'option Copy (Copier).

Choisir l'icône Copy Object (Copier des objets) de la barre d'outils Modify (Modifier).

Taper la commande Copy (Copier).

2. Sélectionner le(s) objet(s) à copier et appuyer sur Entrée.
3. Spécifier le point de base (point de départ) (P1).
4. Spécifier le point de destination de la copie (P2).

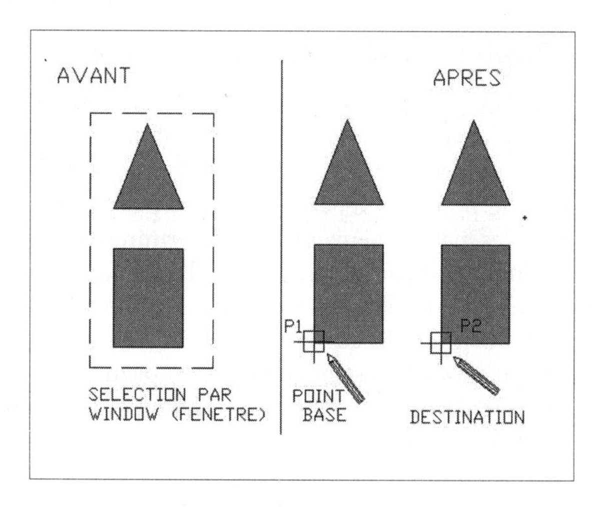

Fig. 5.2

La procédure pour effectuer plusieurs copies est la suivante:

1 Exécuter la commande de copie à l'aide de l'une des méthodes suivantes (fig. 5.3):

Choisir le menu déroulant MODIFY (Modifier) puis l'option Copy (Copier).

Choisir l'icône Copy Object (Copier des objets) de la barre d'outils Modify (Modifier).

Taper la commande Copy (Copier).

2 Sélectionner l'(es) objet(s) à copier et appuyer sur Entrée.

3 Entrer "m" pour activer l'option Multiple.

3 Spécifier le point de base (point de départ) (P1).

4 Spécifier le point de destination de la copie (P2).

5 Spécifier les autres points de destination (P3, P4, P5).

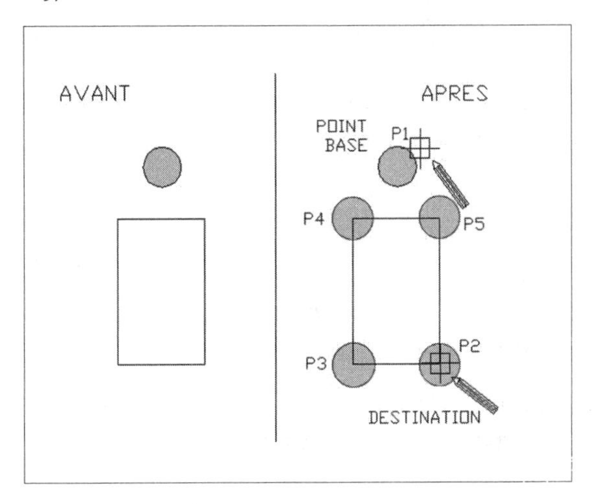

Fig. 5.3

3. Copier parallèlement un objet

Lors de la réalisation d'un dessin, il arrive fréquemment que des objets soient parallèles les uns aux autres. La création de ces objets peut être accomplie facilement grâce à la commande OFFSET (Décaler), qui permet de créer une copie d'un objet parallèle à lui-même et à une distance donnée. A part le cas de la ligne droite, les dimensions de la copie sont supérieures ou inférieures à l'objet de base en fonction de la position de la copie. La copie peut s'effectuer en spécifiant une distance ou en indiquant un point de passage.

La procédure pour effectuer une copie en spécifiant une distance est la suivante:

1. Exécuter la commande de copie à l'aide de l'une des méthodes suivantes (fig. 5.4):

   Choisir le menu déroulant MODIFY (Modifier) puis l'option Offset (Décaler).

   Choisir l'icône Offset (Décaler) de la barre d'outils Modify (Modifier).

   Taper la commande Offset (Décaler).

2. Entrer la distance à laquelle l'objet doit être copié. Elle peut être définie par une valeur rentrée au clavier ou par deux points désignés à l'écran. Exemple: 20.
3. Sélectionner l'objet à copier.
4. Spécifier de quel côté l'objet doit être copié.
5. Sélectionner un autre objet ou appuyer sur Entrée pour terminer l'opération.

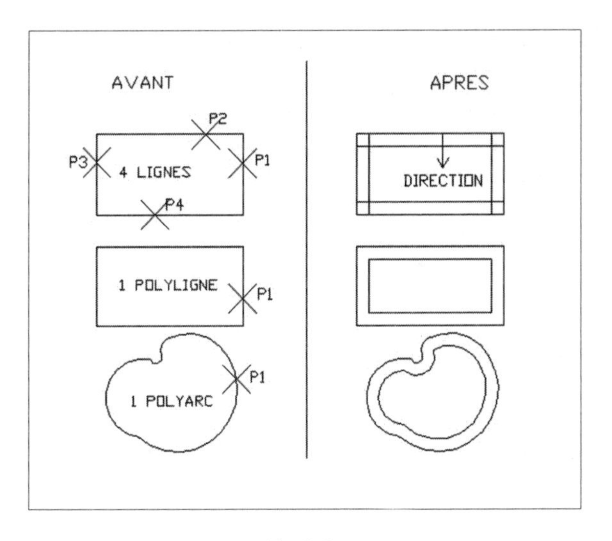

Fig. 5.4

La procédure pour effectuer une copie en spécifiant un point de passage est la suivante:

1 Exécuter la commande de copie à l'aide de l'une des méthodes suivantes (fig. 5.5):

Choisir le menu déroulant MODIFY (Modifier) puis l'option Offset (Décaler).

Choisir l'icône Offset (Décaler) de la barre d'outils Modify (Modifier).

Taper la commande Offset (Décaler).

2 Entrer “t” (p) pour activer l’option Through (Par).

3 Sélectionner l’objet à copier.

4 Spécifier le point par lequel la copie doit passer.

5 Appuyer sur Entrée pour terminer l’opération.

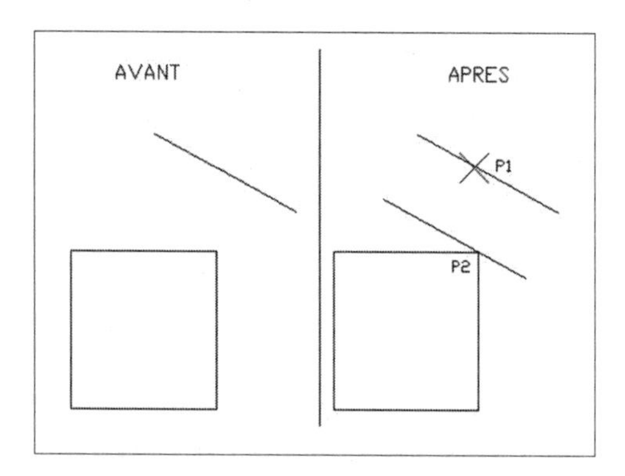

Fig. 5.5

4. Créer une copie-miroir d’un objet

Une copie-miroir d’un objet est un objet identique au premier, mais placé dans une position opposée. Il convient de désigner deux points à l’écran de façon à définir un axe de symétrie. Après la copie, l’objet original peut être conservé ou supprimé.

La procédure pour créer une copie miroir est la suivante :

1 Exécuter la commande de copie-miroir à l’aide de l’une des méthodes suivantes (fig. 5.6):

Choisir le menu déroulant MODIFY (Modifier) puis l'option Mirror (Mirroir).

Choisir l'icône Mirror (Miroir) de la barre d'outils Modify (Modifier).

Taper la commande Mirror (Miroir).

2 Sélectionner les objets à copier symétriquement.

3 Désigner le premier point de l'axe de symétrie (P1).

4 Désigner le deuxième point (P2).

5 Entrer "n" pour conserver l'original ou "y" (o) pour le supprimer.

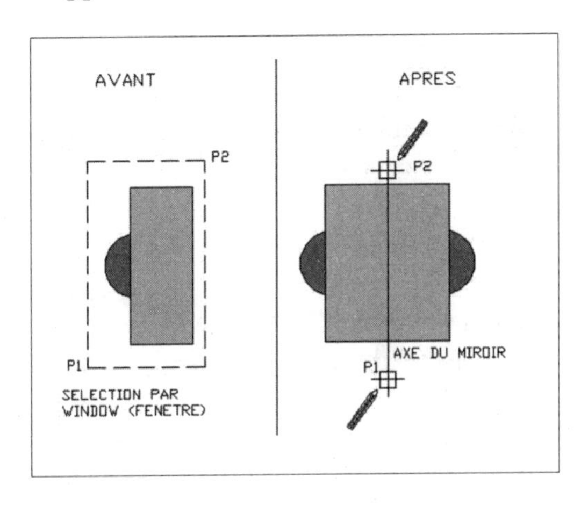

Fig. 5.6

Conseil

> La commande MIRROR (Miroir) a également pour effet d'inverser les textes et les attributs. Pour éviter qu'un texte ne soit inversé, il suffit de désactiver la variable MIRRTEXT (à rentrer au clavier) en lui donnant la valeur zéro.

5. Comment réaliser une copie d'objets en réseau

La copie en réseau d'un objet permet de créer plusieurs copies de cet objet en les disposant de façon rectangulaire (parallèle au curseur) ou circulaire. Dans le cas d'un réseau rectangulaire, il convient de préciser le nombre de lignes et de colonnes souhaitées et de spécifier la distance qui les sépare les unes des autres. Dans le cas d'un réseau polaire, il suffit d'indiquer le nombre d'exemplaires souhaité et la position du centre de la copie.

La procédure pour créer un réseau rectangulaire droit est la suivante :

1. Exécuter la commande de copie en réseau à l'aide de l'une des méthodes suivantes (fig. 5.7):

Choisir le menu déroulant MODIFY (Modifier) puis l'option Array (Réseau).

Choisir l'icône Array (Réseau) de la barre d'outils Modify (Modifier).

Taper la commande Array (Réseau).

[2] Dans la boîte de dialogue Array (Réseau) cocher l'option Rectangular Array (Réseau rectangulaire)

[3] Sélectionner l'(es) objet(s) à copier en réseau en cliquant sur le bouton Select objects (Choix des objets).

[4] Spécifier le nombre de rangées dans le champ Row (Rangées). Exemple: 2.

[5] Spécifier le nombre de colonnes dans le champ Columns (Colonnes). Exemple: 3.

[6] Indiquer la distance entre les lignes dans le champ Row offset (Décalage de rangée). Exemple: 6.

[7] Indiquer la distance entre les colonnes dans le champ Column offset (Décalage de colonne). Exemple: 6.

[8] Cliquer sur OK pour confirmer (fig. 5.8).

[9] Pour créer un réseau rectangulaire incliné (fig. 5.9), la procédure est identique aux étapes 1 à 7. Il suffit d'ajouter en plus, la valeur d'inclinaison dans le champ Angle of array (Angle du réseau).

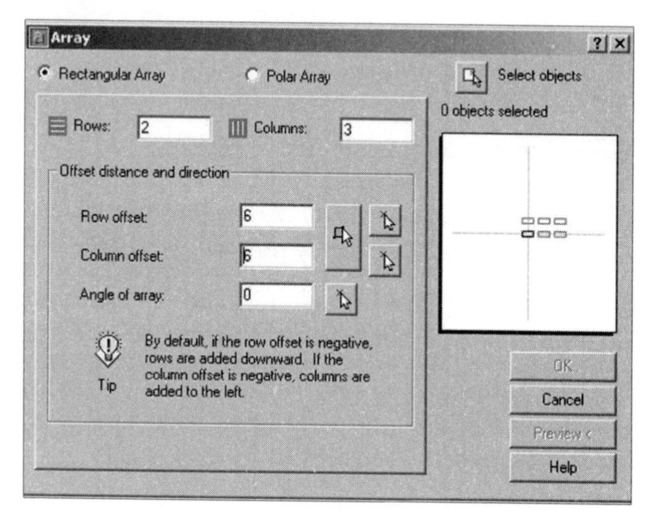
Array
Rectangular Array
Polar Array
Select objects
0 objects selected
Rows: 2
Columns: 3
Offset distance and direction
Row offset: 6
Column offset: 6
Angle of array: 0
By default, if the row offset is negative, rows are added downward. If the column offset is negative, columns are added to the left.
Tip
OK
Cancel
Preview <
Help

Fig. 5.7

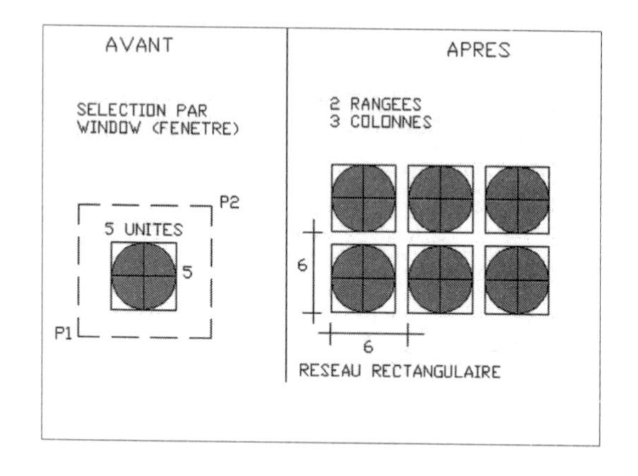
AVANT
APRES
SELECTION PAR
WINDOW (FENETRE)
2 RANGEES
3 COLONNES
P2
5 UNITES
5
P1
6
6
RESEAU RECTANGULAIRE

Fig. 5.8

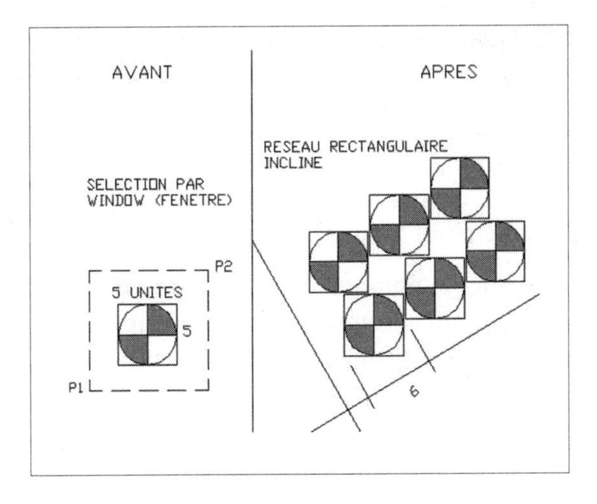

Fig. 5.9

La procédure pour créer un réseau polaire (circulaire) est la suivante:

[1] Exécuter la commande de copie en réseau à l'aide de l'une des méthodes suivantes (fig. 5.10):

Choisir le menu déroulant MODIFY (Modifier) puis l'option Array (Réseau).

Choisir l'icône Array (Réseau) de la barre d'outils Modify (Modifier).

Taper la commande Array (Réseau).

[2] Dans la boîte de dialogue Array (Réseau). Choisir l'option PolarArray (Réseau polaire)

[2] Sélectionner l'(es) objet(s) à copier en réseau, en cliquant sur le bouton Select objects (Choix des objets).

[4] Désigner le point correspondant au centre du réseau polaire (P1) en cliquant sur le bouton Center point (Centre).

[5] Spécifier le nombre d'éléments formant le réseau (objet original compris) dans le champ Total number of items (Nombre total d'éléments). Exemple: 6.

[6] Définir l'angle décrit par le réseau (valeur comprise entre 0 et 360°) dans le champ Angle to fit (Angle à décrire). L'angle par défaut est de 360°.

[7] Activer le champ Rotate items as copied (Faire pivoter les éléments copiés) pour indiquer si les objets doivent tourner ou non pendant l'opération de copie (fig. 5.11).

[8] Cliquer sur OK.

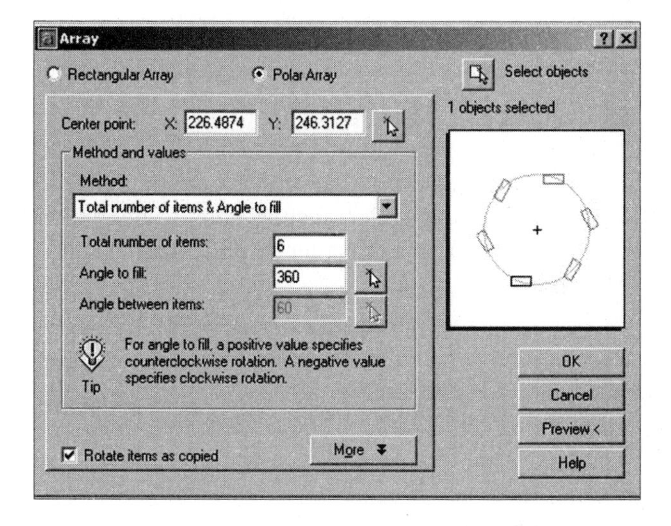

Fig. 5.10

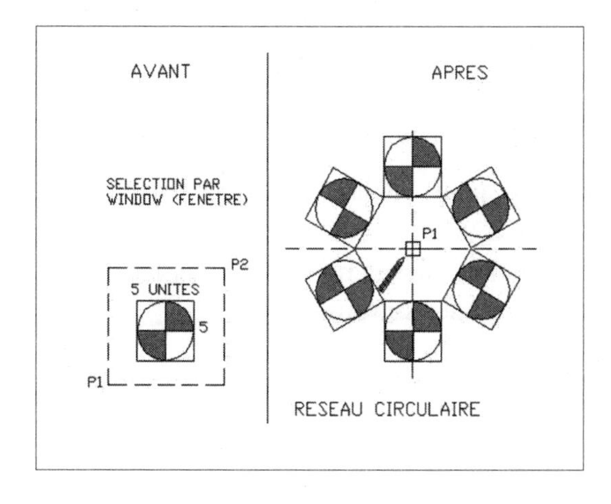

Fig. 5.11

6. Comment copier/coller des objets

Pour utiliser des objets provenant d'un autre dessin AutoCAD ou d'une autre application, il suffit de copier ces objets à l'aide du Presse-papiers de Windows et de les coller ensuite dans le dessin en cours. La copie peut s'effectuer de deux manières différentes :

- la copie simple : fonction COPYCLIP (COPIERPRESS)
- la copie avec point de base : fonction COPYBASE (COPIERBASE)

De même, pour coller l'objet, il existe trois possibilités :

- le collage simple, avec ou sans point de base
- le collage avec transformation de l'objet en bloc
- le collage avec conservation des coordonnées d'origine. Dans ce cas l'objet doit être collé dans un autre dessin.

Procédure pour copier les objets dans le Presse-papiers:

1 Exécuter la commande de copie à l'aide de l'une des méthodes suivantes:

Choisir le menu déroulant EDIT (Edition) puis l'option Copy (Copier) ou Copy with Base Point (Copier avec le point de base).

Choisir l'icône Copy (Copier) de la barre d'outils standard.

Taper la commande Copyclip (Copierpress) ou Copybase (Copierbase).

2 Sélectionner l'(es) objet(s) à copier ou sélectionner le point de base puis les objets à copier.

3 Appuyer sur Entrée pour sortir de la fonction.

Procédure pour coller les objets dans le dessin:

1 Exécuter la commande de collage à l'aide de l'une des méthodes suivantes (fig. 5.12):

Choisir le menu déroulant EDIT (Edition) puis l'option Paste (Coller) ou Paste as Block (Coller en tant que bloc) ou Paste to Original Coordinates (Coller vers les coordonnées d'origine).

Choisir l'icône Paste (Coller) de la barre d'outils standard.

Taper la commande Pasteclip (Collerpress) ou Pasteblock (Collerbloc) ou Pasteorig (Colleorig).

2 Pointer le point d'insertion de l'objet dans le cas d'un collage sous forme de bloc ou dans le cas où l'objet a été copié avec une origine.

3 Appuyer sur Entrée pour sortir de la fonction.

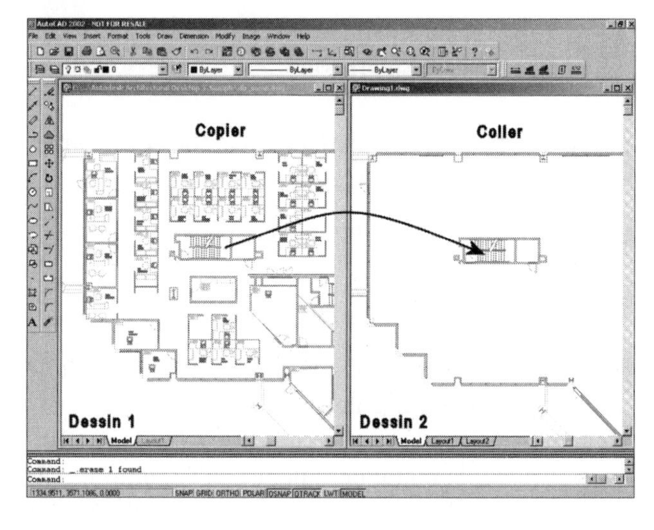

Fig. 5.12

6. Modifier un dessin

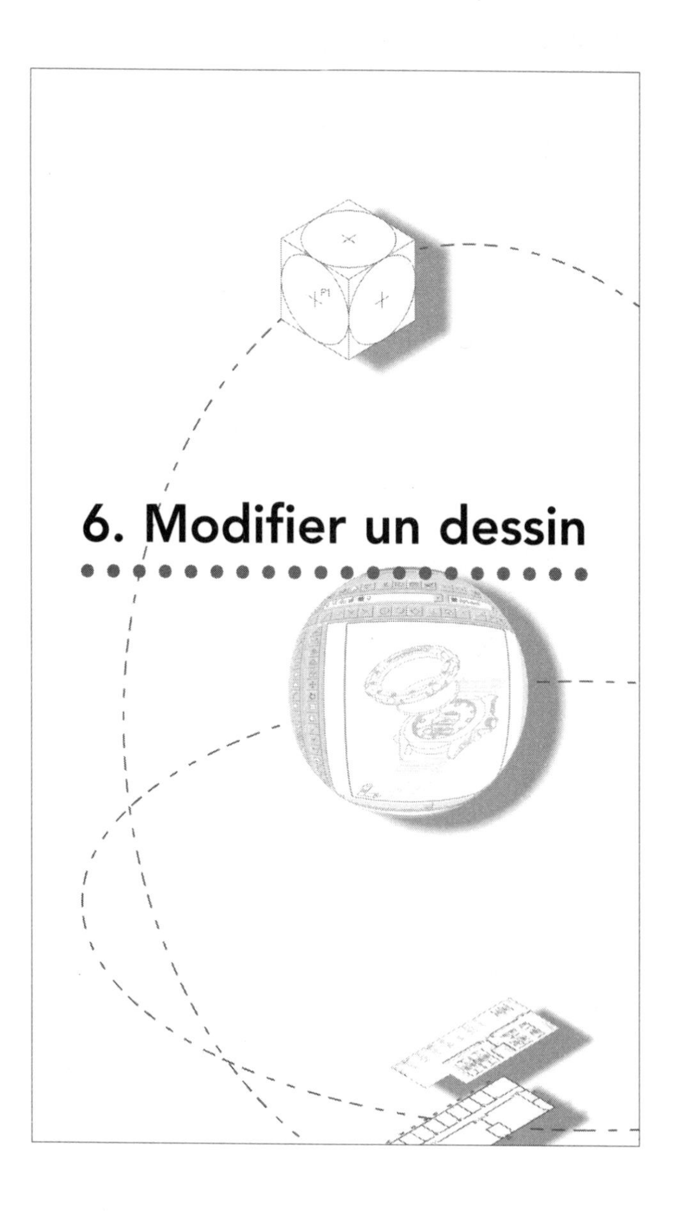

A voir dans ce chapitre

- Les modifications géométriques des objets: Allonger, Rétrécir, Ajuster, Raccorder...
- Les modifications de position des objets: Déplacer, Rotation.
- Les modifications des propriétés des objets: Couleur, Type de ligne.

Après avoir abordé les différentes techniques disponibles dans AutoCAD pour créer des objets et construire un dessin, ce chapitre a comme objectif de parcourir les outils permettant de modifier les objets ainsi créés.

Quatre types de modifications sont principalement abordés ici:

- le redimensionnement des objets: étirement, mise à l'échelle, prolongement.
- la finition des objets: ajustage, coupure, chanfreinage, filetage.

- le déplacement des objets : translation, rotation.
- les propriétés des objets : couleur, type de ligne

1. Allonger ou rétrécir un objet

Pour allonger ou rétrécir un objet ou un groupe d'objets dans une direction donnée, il convient de sélectionner par une fenêtre de sélection la partie à modifier et de désigner un point de base et un point de destination. En fonction de la partie sélectionnée, il est possible pour un même objet d'avoir des résultats très différents. L'exemple de la figure 6.1 illustre trois modifications différentes pour une même pièce dans un bâtiment.

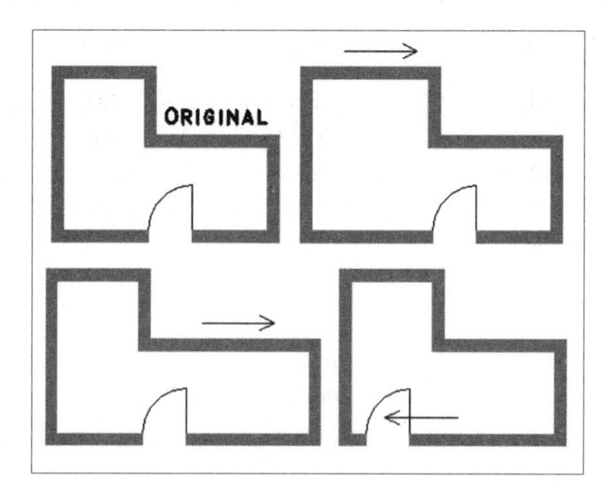

Fig. 6.1

La procédure pour étirer un objet est la suivante:

1. Exécuter la commande d'étirement à l'aide de l'une des méthodes suivantes (fig. 6.2):

   Choisir le menu déroulant MODIFY (Modifier) puis l'option Stretch (Etirer).

   Choisir l'icône Stretch (Etirer) de la barre d'outils Modify (Modifier).

   Taper la commande Stretch (Etirer).

2. Sélectionner la partie à étirer à l'aide d'une fenêtre de sélection globale (crossing) (P1, P2). Appuyer sur Entrée pour terminer la sélection.
3. Choisir un point de base (P3) de l'étirement.
4. Désigner un point de destination (P4). Dans le cas d'un déplacement précis, le point de destination peut être défini à l'aide des coordonnées polaires (ex.: @20<0) ou à l'aide du mode Ortho ou Polaire avec une valeur de distance.

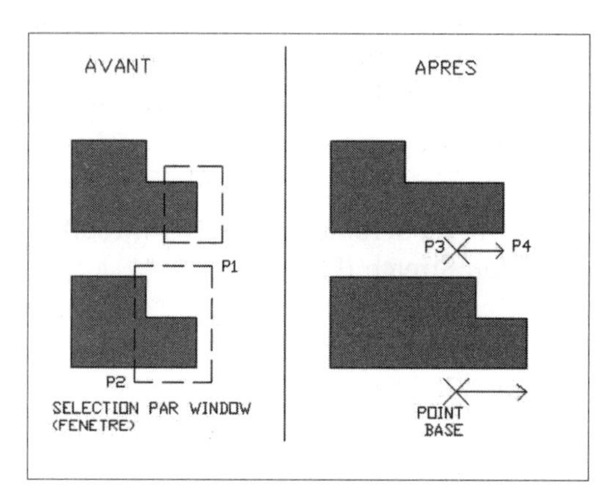

Fig. 6.2

Conseil

Pour déplacer un objet par étirement, il suffit de sélectionner uniquement cet objet dans la fenêtre de sélection globale. Il est ainsi très facile de déplacer, par exemple, une porte dans une cloison.

Il est également possible d'étirer un objet à l'aide de ses poignées (grips). Il suffit de cliquer sur la poignée qui servira de point de base et d'effectuer le déplacement souhaité.

Pour sélectionner deux poignées à la fois, il convient d'appuyer sur la touche Shift (Majuscule) puis de les pointer une à une.

2. Changer l'échelle des objets

La modification de l'échelle d'un objet dans AutoCAD a pour effet de changer les dimensions de l'objet sélectionné dans toutes les directions. Pour réaliser un changement d'échelle il convient d'indiquer un facteur d'échelle qui peut être supérieur à 1 (pour agrandir l'objet) ou inférieur à 1 (pour réduire la taille). Ainsi pour doubler la taille d'un objet il convient d'appliquer le facteur 2, tandis que pour réduire la taille de moitié il convient d'appliquer un facteur 0,5.

La procédure pour modifier l'échelle d'un objet est la suivante:

1. Exécuter la commande de changement d'échelle à l'aide de l'une des méthodes suivantes (fig. 6.3):

   Choisir le menu déroulant MODIFY (Modifier) puis l'option Scale (Echelle).

   Choisir l'icône Scale (Etirer) de la barre d'outils Modify (Modifier).

   Taper la commande Scale (Echelle).

2. Sélectionner l'objet dont on veut changer l'échelle.
3. Choisir un point de base (P1) pour le changement d'échelle. Ce point restera fixe lors du redimensionnement de l'objet.

4 Spécifier un facteur d'échelle et appuyer sur Entrée. Exemple: 0,5 ou 1,5.

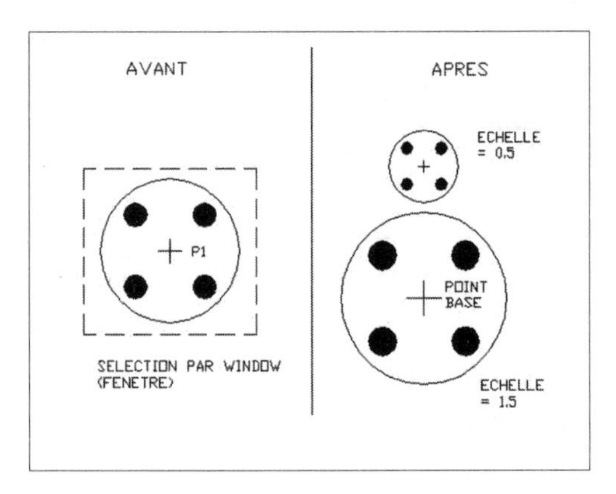

Fig. 6.3

3. Prolonger des objets

Il est possible de prolonger des objets jusqu'à un contour défini par d'autres objets ou jusqu'au point d'intersection apparente avec ces objets. Les objets à prolonger peuvent être des lignes, polylignes ouvertes, splines, rays, arcs simples ou elliptiques. Les frontières peuvent être les mêmes types d'objets avec en plus les cercles et les polylignes fermées.

La procédure pour prolonger des objets est la suivante:

1 Exécuter la commande de prolongement à l'aide de l'une des méthodes suivantes (fig. 6.4):

Choisir le menu déroulant MODIFY (Modifier) puis l'option Extend (Prolonger).

Choisir l'icône Extend (Prolonger) de la barre d'outils Modify (Modifier).

Taper la commande Extend (Prolonge).

[2] Sélectionner les frontières contre lesquelles on souhaite prolonger les objets (P1 à P3). Appuyer sur Entrée.

[3] Sélectionner les objets à prolonger (P4 à P8) et appuyer sur Entrée.

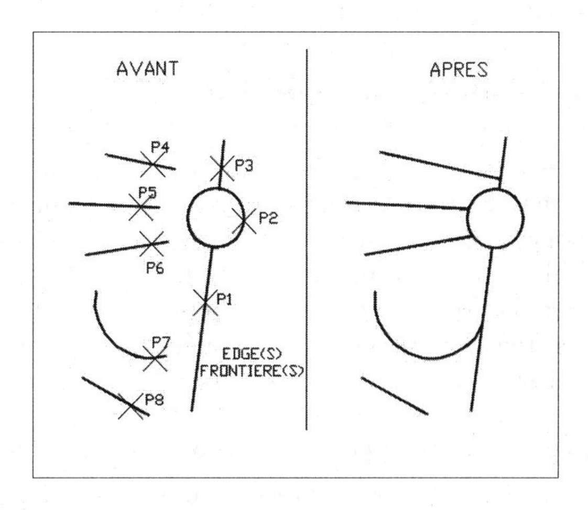

Fig. 6.4

La procédure pour prolonger des objets jusqu'au point d'intersection apparent est la suivante:

1. Exécuter la commande de prolongement à l'aide de l'une des méthodes suivantes (fig. 6.5):

   Choisir le menu déroulant MODIFY (Modifier) puis l'option Extend (Prolonger).

   Choisir l'icône Extend (Prolonger) de la barre d'outils Modify (Modifier).

   Taper la commande Extend (Prolonge).

2. Sélectionner la frontière contre laquelle on souhaite prolonger les objets. Entrer "e" (c) pour activer l'option Edge (côté).

3. Entrer "e" (pr) pour activer l'option Extend (prolongement).

4. Sélectionner les lignes à prolonger et appuyer sur Entrée.

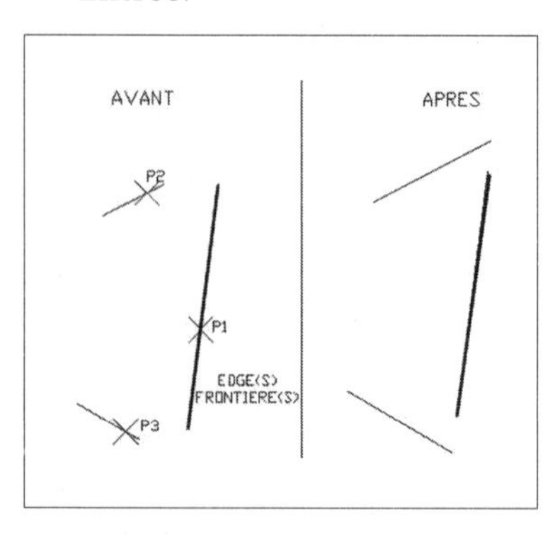

Fig. 6.5

4. Ajuster la dimension d'un objet

Pour ajuster avec précision un objet, AutoCAD permet d'enlever facilement des parties d'objets par rapport à des frontières formées par un ou plusieurs autres objets (lignes, cercles, ellipses, etc.). Cette possibilité est très largement utilisée pour finaliser rapidement et avec précision un dessin. Les exemples de la figure 6.6 illustrent quelques applications possibles en architecture et mécanique.

La procédure d'ajustement est la suivante:

[1] Exécuter la commande d'ajustement à l'aide de l'une des méthodes suivantes (fig. 6.7):

Choisir le menu déroulant MODIFY (Modifier) puis l'option Trim (Ajuster).

Choisir l'icône Trim (Ajuster) de la barre d'outils Modify (Modifier).

Taper la commande Trim (Ajuster).

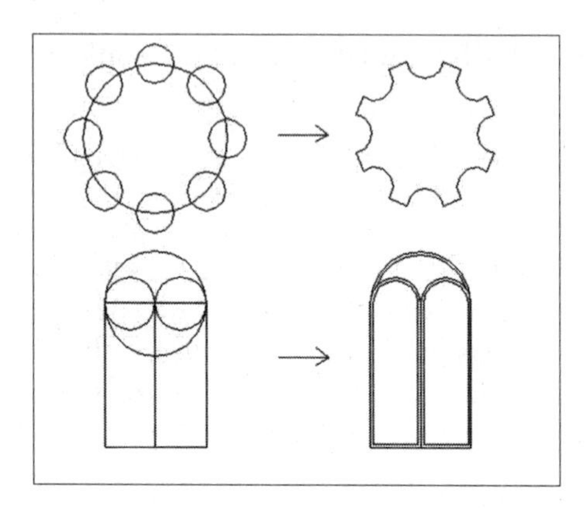

Fig. 6.6

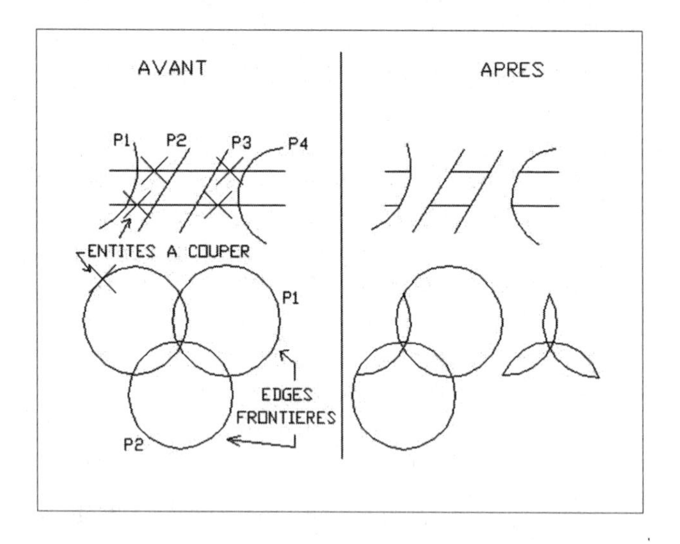
AVANT
APRES
P1
P2
P3
P4
ENTITES A COUPER
P1
EDGES
FRONTIERES
P2

Fig. 6.7

2 Sélectionner les frontières P1, P2, P3... et appuyer sur Entrée.

3 Sélectionner les parties d'objets à couper et appuyer sur Entrée.

4 Dans certains cas, il est plus simple de sélectionner l'ensemble des objets par une fenêtre de sélection globale et de sélectionner ensuite les objets à couper même s'ils sont déjà sélectionnés comme frontières.

La procédure pour ajuster des objets par rapport à des frontières virtuelles est la suivante:

1 Exécuter la commande d'ajustement à l'aide de l'une des méthodes suivantes (fig. 6.8):

Choisir le menu déroulant MODIFY (Modifier) puis l'option Trim (Ajuster).

Choisir l'icône Trim (Ajuster) de la barre d'outils Modify (Modifier).

Taper la commande Trim (Ajuster).

2 Sélectionner la frontière P1 et appuyer sur Entrée.

3 Entrer "e" (c) pour activer l'option Edge (Côté) et appuyer sur Entrée.

4 Entrer "e" (pr) pour activer l'option Extend (prolongement) et appuyer sur Entrée.

5 Sélectionner les objets à couper en cliquant du côté approprié P2, P3 et appuyer sur Entrée.

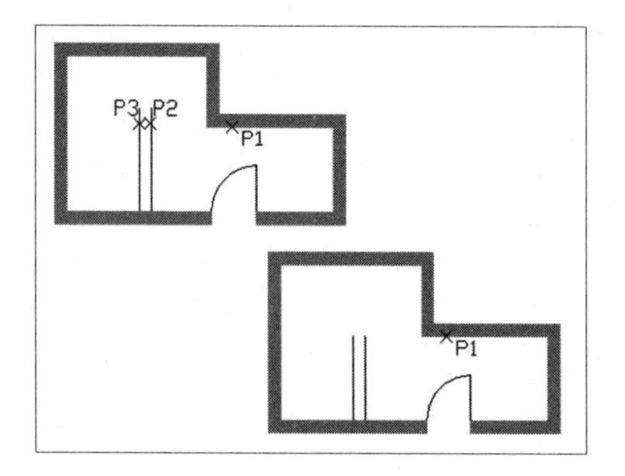

Fig. 6.8

5. Couper des objets

Il est possible de supprimer une partie d'un objet en précisant deux points de coupure sur celui-ci. La détermination de ces deux points peut se faire de plusieurs manières:

- deux points distincts, pour couper une partie de l'objet:
  - en sélectionnant l'objet d'abord puis les deux points (Sel, 2 Pts)
  - en sélectionnant l'objet et un deuxième point. Le point de sélection est aussi considéré comme le premier point (Sel, 2nd).
- deux points superposés, pour couper l'objet en deux parties:

- en sélectionnant l'objet. Le point de sélection est aussi le point de coupure (Sel Pt)
- en sélectionnant l'objet puis un point de coupure (Select 1 st)

La procédure pour couper un objet est la suivante:

1. Exécuter la commande de coupure à l'aide de l'une des méthodes suivantes (fig. 6.9):

Choisir le menu déroulant MODIFY (Modifier) puis l'option Break (Coupure).

Choisir l'icône Break (Coupure) de la barre d'outils Modify (Modifier).

Taper la commande Break (Coupure).

2. Sélectionner l'objet à couper (P1). Ce point sera aussi le premier point de la coupure.
3. Sélectionner le deuxième point de la coupure (P2).

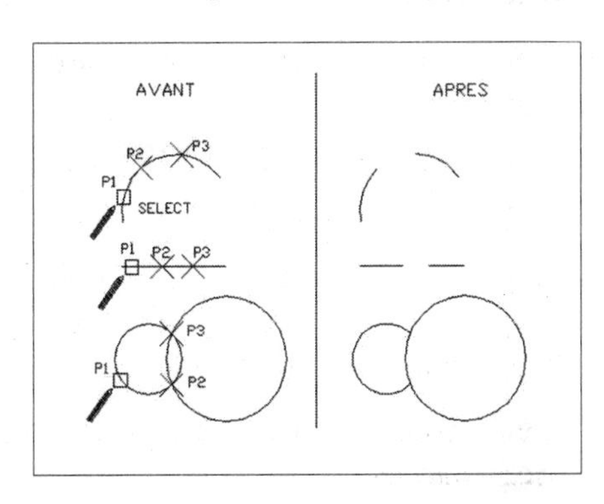

Fig. 6.9

6. Raccorder des objets

L'opération de raccordement permet de relier deux objets par un arc de cercle d'un rayon donné. Ce rayon doit être défini en premier lieu car il est égal à zéro par défaut. La modification du rayon ne s'applique pas aux raccords existants, elle n'agit en effet que lors de l'opération suivante. Plusieurs possibilités de raccordement sont possibles:

- raccordement de deux segments de droite;
- raccordement de cercles et d'arcs de cercle;
- raccordement d'une polyligne complète;
- raccordement de lignes parallèles.

La procédure pour raccorder deux entités est la suivante:

1. Exécuter la commande de raccordement à l'aide de l'une des méthodes suivantes (fig. 6.10):

   Choisir le menu déroulant MODIFY (Modifier) puis l'option Fillet (Raccord).

   Choisir l'icône Fillet (Raccord) de la barre d'outils Modify (Modifier).

   Taper la commande Fillet (Raccord).

2. Entrer “r” pour activer l'option Radius (Rayon) et appuyer sur Entrée.

3 Spécifier le rayon du raccord. Exemple 2. Appuyer sur Entrée.

4 Sélectionner le premier puis le second objet à raccorder.

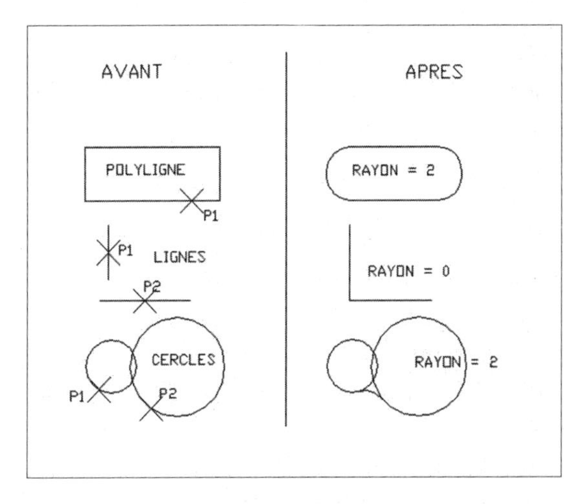

Fig. 6.10

Conseil

Il est possible de raccorder des lignes parallèles. Dans ce cas, le rayon de l'arc de raccord est obligatoirement égal à la moitié de la distance entre les deux droites (fig. 6.11).

Il est possible d'obtenir en une seule opération un raccord (congé ou fillet) à toutes les intersections d'une polyligne. Il suffit dans ce cas de sélectionner l'option Polyligne.

L'utilisation de la commande FILLET (Raccord) permet parfois de finaliser plus rapidement un dessin qu'avec la commande TRIM (Ajuster). En effet, avec un rayon de raccord égal à zéro, il est très facile d'ajuster certains dessins comme l'illustre la figure 6.11.

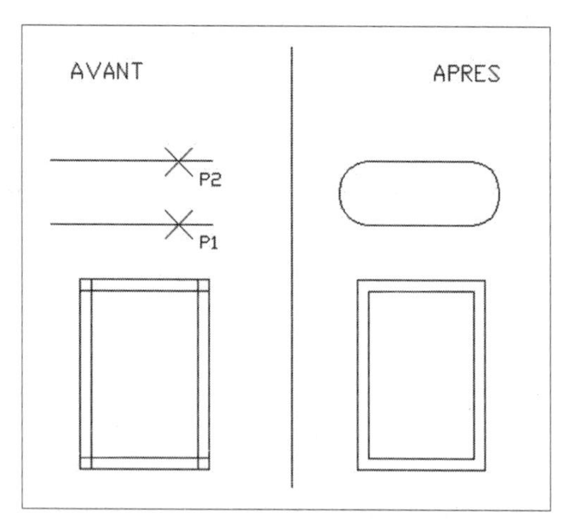

Fig. 6.11

7. Chanfreiner des objets

Le chanfrein est une fonction de dessin qui permet de créer un coin ou une arête biseauté(e) entre deux lignes ou deux surfaces. Pour réaliser un chanfrein il convient de spécifier à quel niveau il faut relier les lignes (en indiquant les distances correspondantes par rapport au point d'intersection) ou préciser à quel endroit la ligne de chanfrein commence et l'angle décrit par rapport à la première ligne.

Plusieurs possibilités existent pour chanfreiner deux objets:

- chanfreinage avec définition de deux distances;
- chanfreinage avec définition d'une distance et d'un angle;
- chanfreinage d'une polyligne complète.

La procédure pour chanfreiner deux objets est la suivante:

1. Exécuter la commande de chanfreinage à l'aide de l'une des méthodes suivantes (fig. 6.12):

   Choisir le menu déroulant MODIFY (Modifier) puis l'option Chamfer (Chanfrein).

   Choisir l'icône Chamfer (Chanfrein) de la barre d'outils Modify (Modifier).

   Taper la commande Chamfer (Chanfrein).

2. Entrer "d" (e) pour activer l'option Distance (Ecarts) et appuyer sur Entrée.
3. Spécifier la première distance du chanfrein. Exemple 2. Appuyer sur Entrée.
4. Spécifier la seconde distance du chanfrein. Exemple 3 . Appuyer sur Entrée.

5 Sélectionner les lignes à chanfreiner (P1, P2).

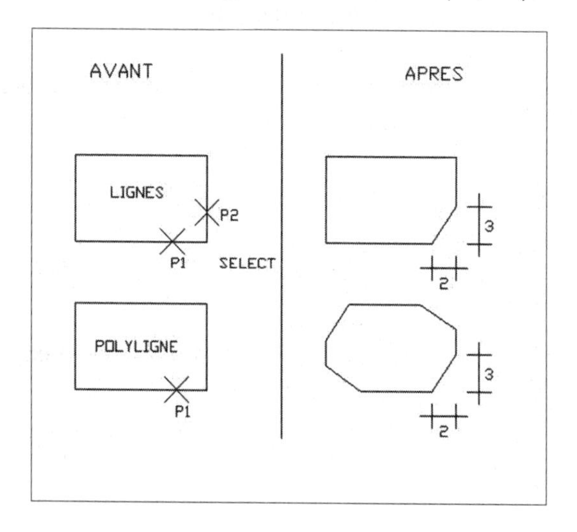

Fig. 6.12

8. Déplacer un objet par translation

Lors d'un déplacement par translation, les objets restent parallèles à eux-mêmes. L'exemple qui suit montre la procédure pour déplacer un cercle sur un carré.

La procédure de déplacement est la suivante:

1 Exécuter la commande de déplacement à l'aide de l'une des méthodes suivantes (fig. 6.13):

Choisir le menu déroulant MODIFY (Modifier) puis l'option Move (Déplacer).

Choisir l'icône Move (Déplacer) de la barre d'outils Modify (Modifier).

Taper la commande Move (Déplacer).

2 Sélectionner l'objet à déplacer, dans notre exemple le cercle.

3 Sélectionner le point de base du déplacement P1 par l'option d'accrochage Center (Centre).

4 Désigner le point de destination P2 par l'option d'accrochage Midpoint (Milieu).

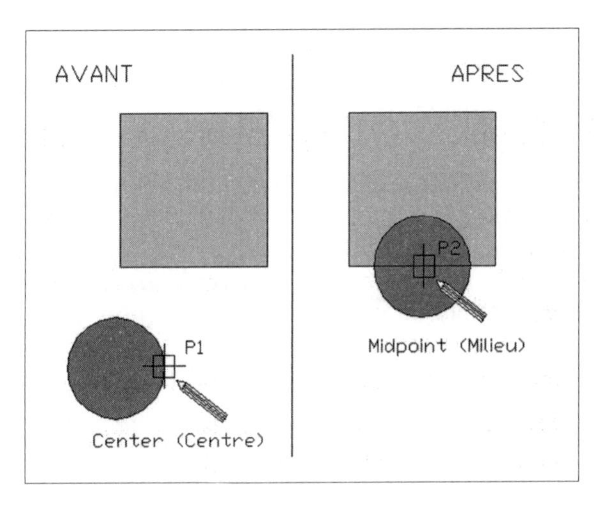

Fig. 6.13

9. Effectuer la rotation d'un objet

Il est possible de faire pivoter un objet autour d'un point de base en spécifiant un angle de rotation relatif ou absolu. Le sens de rotation des objets (trigonométrique ou horaire) dépend du paramètre Direction défini dans la boîte de dialogue Units Control (Contrôle des unités) accessible à partir du menu Format..

La procédure de rotation est la suivante:

1. Exécuter la commande de rotation à l'aide de l'une des méthodes suivantes (fig. 6.14):

   Choisir le menu déroulant MODIFY (Modifier) puis l'option Rotate (Rotation).

   Choisir l'icône Rotate (Rotation) de la barre d'outils Modify (Modifier).

   Taper la commande Rotate (Rotation).

2. Sélectionner l'(es) objet(s) à faire pivoter.
3. Déterminer un point de base (P1).
4. Définir l'angle de rotation (ex.: 45°).

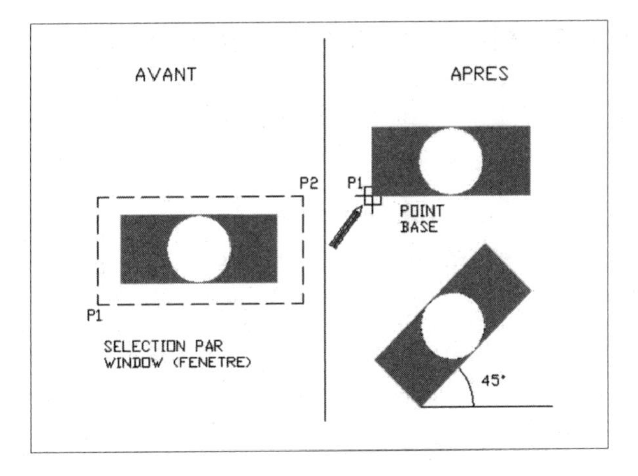

Fig. 6.14

La procédure pour faire pivoter un objet par rapport à une référence est la suivante:

[1] Exécuter la commande de rotation à l'aide de l'une des méthodes suivantes (fig. 6.15):

Choisir le menu déroulant MODIFY (Modifier) puis l'option Rotate (Rotation).

Choisir l'icône Rotate (Rotation) de la barre d'outils Modify (Modifier).

Taper la commande Rotate (Rotation).

[2] Sélectionner l'(es) objet(s) à faire pivoter.

[3] Déterminer un point de base (P1).

4 Entrer “r” pour activer l’option Reference.

5 Définir l’angle de référence par une valeur ou en pointant par exemple deux points (P2, P3) à l’aide du mode d’accrochage “int”.

6 Déterminer le nouvel angle de rotation par une valeur ou en pointant un point (P4).

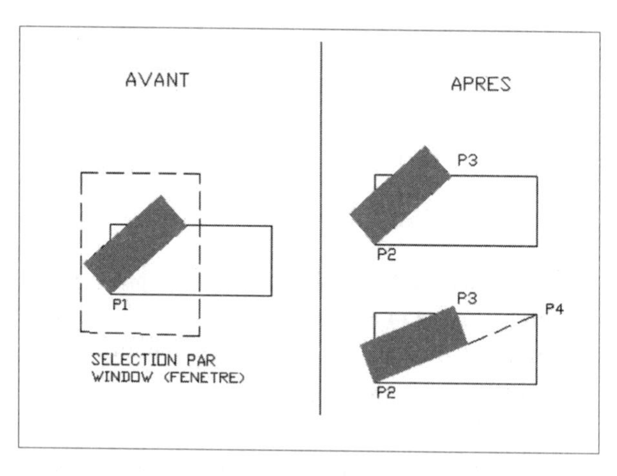

Fig. 6.15

10. Utiliser les poignées (grips)

En sélectionnant un objet avant de choisir une commande particulière, une série de poignées (ou grips) apparaissent sur l’objet (par défaut en couleur bleue). Ces poignées permettent d’effectuer rapidement certaines modifications (fig. 6.16). Pour déplacer les objets à l'aide des poignées, il suffit de cliquer sur celle qui servira de point de base et de sélectionner le type de modification voulu (translation ou rotation). Les remarques suivantes sont à prendre en compte :

- sélection du point de base
  - pour le point de base situé au centre de l'objet (c'est le cas pour la ligne, le cercle, l'ellipse, etc.): cliquer une fois sur la poignée centrale.
  - pour le point de base situé ailleurs qu'au centre (c'est le cas du rectangle, du polygone, etc.): cliquer une fois avec la touche gauche de la souris sur la poignée désirée, puis une fois avec la touche droite sur la même poignée.
- sélection de la commande
  - pour la translation : la commande est active directement après la sélection du point de base central. Dans les autres cas, il convient de choisir Move (Déplacer) dans le menu qui s'affiche.
  - pour la rotation : cliquer une fois de plus sur la touche droite de la souris après avoir sélectionné le point de base.

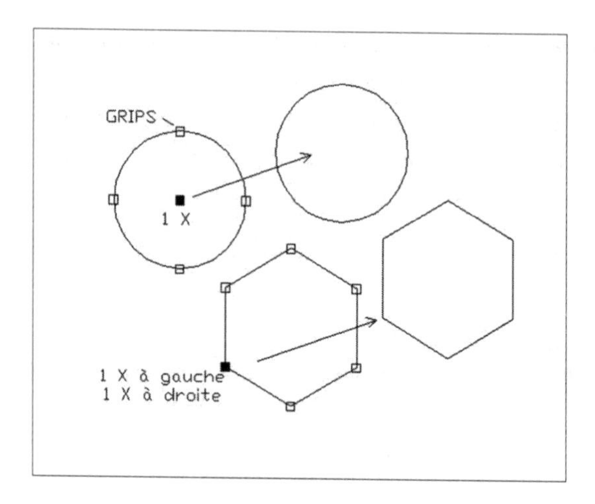

Fig. 6.16

11. Modifier la couleur des objets

AutoCAD offre la possibilité de changer la couleur d'un objet, existant dans le dessin, de plusieurs manières:

- Par l'option Properties (Propriétés) du menu Modify (Modifier)
- Par l'option Layer (Calque) du menu Format
- Par la liste déroulante Contrôle de la couleur de la barre d'outils Standard
- Par l'outil Match Properties (Copier les propriétés) de la barre d'outil principale pour transférer les propriétés d'un objet vers un autre.

La procédure pour changer la couleur d'un objet par les propriétés est la suivante:

1 Exécuter la commande de modification de couleur à l'aide de l'une des méthodes suivantes (fig. 6.17):

Choisir le menu déroulant MODIFY (Modifier) puis l'option Properties (Propriétés).

Choisir l'icône Properties (Propriétés) dans la barre d'outils Standard.

Taper la commande PROPERTIES (Proprietes).

2 Sélectionner le ou les objets à modifier.

3 Cliquer sur le texte Color (Couleur), qui fait apparaître une liste déroulante à droite sur la ligne. Choisir une couleur ou cliquer sur Other (Suite) pour afficher la boîte de dialogue "Select Color" (Sélectionner la couleur).

4 Cliquer sur OK pour refermer la dernière boîte de dialogue.

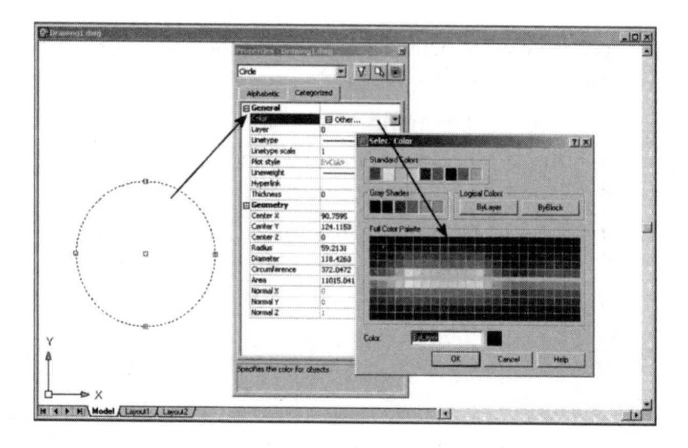

Fig. 6.17

Conseil

Une autre méthode plus rapide consiste à cliquer sur l'objet puis à sélectionner une couleur dans la liste Contrôle de la couleur située sur la barre d'outils Propriétés des objets.

12. Définir le type de ligne des objets

AutoCAD offre la possibilité d'attribuer un type de ligne aux différents objets créés. Un type de ligne est une succession de motifs composés de tirets, de points et d'espaces. De même, un type de ligne complexe est une suite de combinaisons de symboles. Il est possible d'associer un type de ligne aux différents objets du dessin et aux layers (calques). Lorsque l'on attribue un type de ligne à un objet, celui-ci remplace le type de ligne associé au layer (calque) auquel l'objet appartient.

Pour pouvoir utiliser les différents types de ligne, il faut avant tout que le fichier qui les contient soit chargé en mémoire.

La procédure pour charger les types de ligne est la suivante:

1. Exécuter la commande de sélection de type de ligne à l'aide de l'une des méthodes suivantes:

Choisir le menu déroulant FORMAT puis l'option Linetype (Type de ligne).

Choisir la liste déroulante Linetype Control (Contrôle des Types de ligne) dans la barre d'outils Object Properties (Propriétés objet).

Taper la commande DDLTYPE.

2. Si les types de ligne n'ont pas encore été chargés en mémoire, il convient de le faire en cliquant sur le bouton Load (Charger) dans la boîte de dialogue "Linetype Properties Manager" (Gestionnaire des types de ligne). La boîte de dialogue "Load or Reload Linetypes" (Charger ou recharger un type de ligne) s'affiche à l'écran (fig. 6.18).

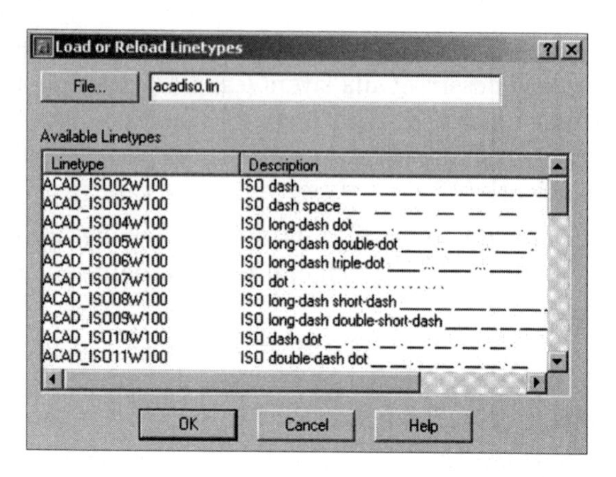

Fig. 6.18

3 Sélectionner un ou plusieurs types de ligne dans la liste affichée ou cliquer sur File (fichier) pour charger un autre fichier de bibliothèque de types de ligne. Deux bibliothèques sont fournies en standard avec AutoCAD : acad.lin et acadiso.lin.

Pour charger tous les types de ligne, il suffit de cliquer dans la fenêtre de sélection puis d'activer les touches Ctrl-A.

4 Cliquer sur OK après avoir sélectionné les types de ligne. AutoCAD les charge en mémoire. La liste disponible s'affiche dans la boîte de dialogue "Linetype Properties Manager" (Gestionnaire des type de ligne).

5 Cliquer sur le type de ligne souhaité. En choisissant Bylayer (Ducalque), l'objet prend le type de ligne défini dans le layer (calque). En choisissant

un autre type de ligne, l'objet prend les caractéristiques du type de ligne sélectionné et ne tient plus compte de celui défini lors de la création du layer (calque).

6 Entrer l'échelle désirée dans le champ Linetype Scale (Echelle de l'objet courant) situé dans la zone Details (Détails). Plus l'échelle est réduite, plus les motifs sont nombreux par unité de dessin. L'échelle par défaut est 1.

7 Cliquer sur OK pour refermer la boîte de dialogue.

13. Modifier le type de ligne des objets

AutoCAD offre la possibilité de changer le type de ligne d'un objet, existant dans le dessin, de plusieurs manières:

- Par l'option Properties (Propriétés) du menu Modify (Modifier)
- Par l'option Layer (Calque) du menu Format
- Par la liste déroulante Contrôle des types de ligne de la barre d'outils Propriétés des objets
- Par l'outil Match Properties (Copier les propriétés) de la barre d'outil principale pour transférer les propriétés d'un objet vers un autre

La procédure pour modifier le type de ligne d'un objet par les propriétés est la suivante:

1. Exécuter la commande de modification de type de ligne à l'aide de l'une des méthodes suivantes (fig. 6.19):

Choisir le menu déroulant MODIFY (Modifier) puis l'option Properties (Propriétés).

Choisir l'icône Properties (Propriétés) dans la barre d'outils standard.

Taper la commande PROPERTIES (Propriétés).

2. Sélectionner le ou les objets à modifier.
3. Cliquer sur le texte Linetype (Type de ligne), ce qui fait apparaître un bouton permettant l'affichage de la liste des types de ligne.
4. Sélectionner un type de ligne.
5. Refermer la boîte de dialogue Properties (Propriétés).

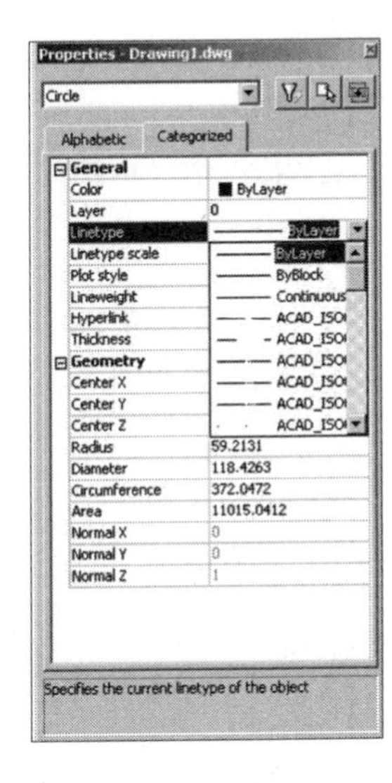

Fig. 6.19

Conseil

Une autre méthode consiste à cliquer sur l'objet à modifier puis à sélectionner le type de ligne dans la liste déroulante Linetype Control (Contrôle des types de ligne) de la barre d'outils Object Properties Toolbar (Propriétés des objets) (fig. 6.20).

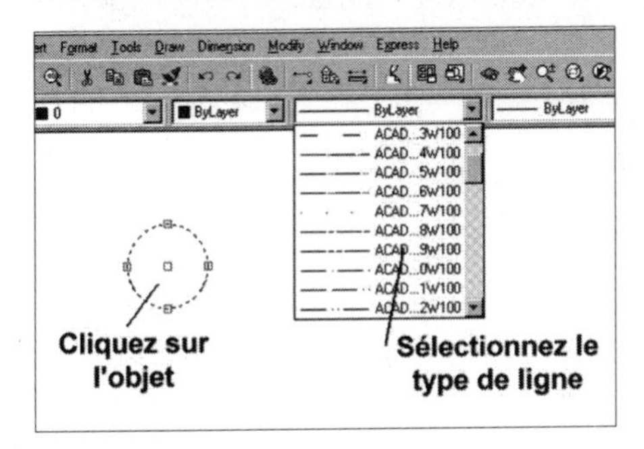

Fig. 6.20

7. Créer des symboles

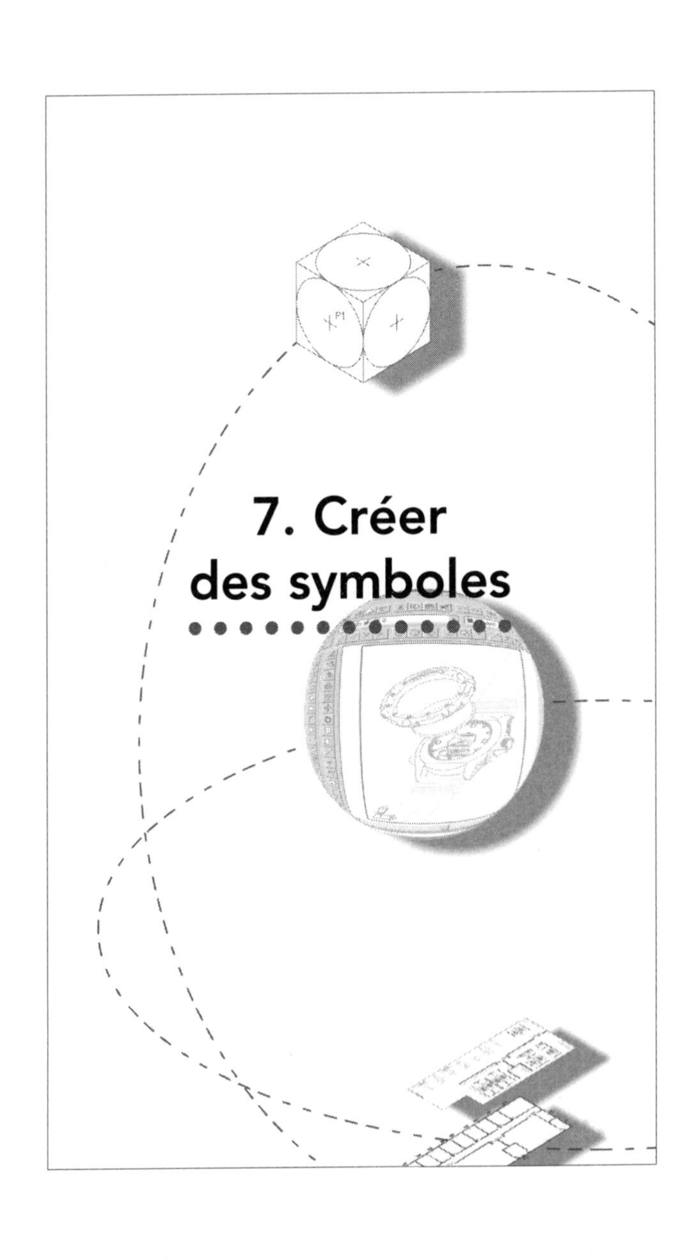

A voir dans ce chapitre

- La création de symboles internes au dessin en cours (les Blocs).
- La création de symboles externes sauvegardés sur disque (les Wblocs).
- L'insertion de (W)blocs dans le dessin
- La modification et la mise à jour des (W)blocs.
- La création d'une bibliothèque de symboles

1. Le concept de Block (Bloc)

Un bloc (ou symbole dans le langage courant) est un ensemble d'entités (lignes, cercles, arcs, etc.) regroupées en un objet complexe et identifié par un nom spécifique. Tous les éléments du bloc sont traités comme un objet unique.

Le bloc permet ainsi de concevoir des symboles électriques, de tuyauterie, de mobilier... qu'il conviendra ensuite d'insérer dans le dessin en les appelant par leur nom.

A chaque insertion d'un bloc, il est possible de modifier l'échelle originale et l'angle de rotation.

En fonction du type d'application, il est possible d'envisager les sortes de blocs suivantes:

- blocs du plan (ou blocs internes): il s'agit de blocs qui sont sauvés uniquement dans le dessin en cours, et donc utilisables dans ce seul dessin ou via le DesignCenter.
- blocs sur disque (ou blocs externes): il s'agit de blocs sauvés comme objets séparés sur disque et qui sont disponibles pour tous les dessins d'AutoCAD.

2. La création d'un bloc

Un bloc est donc un ensemble d'entités regroupées en un seul objet et caractérisé par un nom qui lui est propre. Il peut être sauvegardé uniquement dans le dessin en cours ou séparément sur disque. Dans ce dernier cas, il est possible d'insérer le bloc dans n'importe quel dessin. Avant de créer un bloc, il convient de le dessiner avant tout à l'écran comme un dessin normal.

La procédure pour créer un bloc et l'associer au dessin courant est la suivante:

1. Dessiner le bloc, par exemple une chaise (fig. 7.1).
2. Exécuter la commande de création de bloc à l'aide de l'une des méthodes suivantes :

Choisir le menu déroulant DRAW (Dessin) puis l'option Block (Bloc) et enfin la commande Make (Créer).

Choisir l'icône Make Block (Créer Bloc) de la barre d'outils Draw (Dessiner).

Taper la commande Block (Bloc) ou Bmake

[3] La boîte de dialogue Block Definition (Définition de bloc) s'affiche à l'écran.

Entrer le nom du Bloc (par exemple Chaise) dans le champ Name (Nom).

[4] Cliquer sur Select Point (Choisir un point) pour désigner le point d'insertion à l'écran P1. Il s'agit du point par lequel le Bloc « Chaise » sera inséré par la suite dans le dessin.

[5] Cliquer sur Select Object (Choix des objets) pour sélectionner les objets qui constitueront le bloc. Par exemple par l'option Window (Fenêtre) : points P2, P3. AutoCAD les transfère en mémoire vive dans la table des symboles. Les objets sélectionnés disparaissent ou non de l'écran graphique en fonction des options suivantes :

- Retain (conserver) : conserve les objets sélectionnés (en tant qu'objets distincts) dans le dessin, une fois le bloc créé.
- Convert to block (convertir en bloc) : convertit les objets sélectionnés en occurrence de bloc dans le dessin, une fois le bloc créé.

- Delete (supprimer) : supprime les objets sélectionnés du dessin, une fois le bloc créé.

Quelle que soit l'option sélectionnée le bloc est créé en mémoire.

6 Dans le champ Insert Unit (Unités d'insertion) sélectionner l'unité à prendre en compte pour une insertion du bloc via le DesignCenter.

7 Cliquer sur OK. Le bloc « Chaise » est créé.

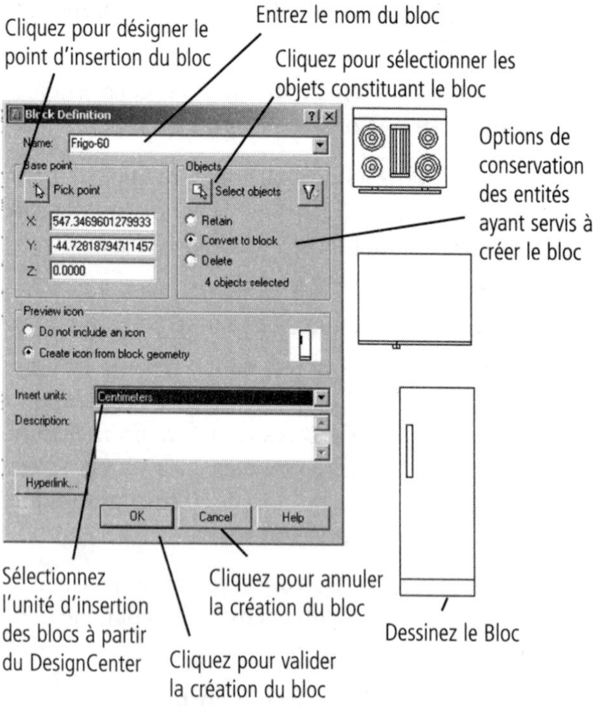

Cliquez pour désigner le point d'insertion du bloc

Entrez le nom du bloc

Cliquez pour sélectionner les objets constituant le bloc

Options de conservation des entités ayant servis à créer le bloc

Sélectionnez l'unité d'insertion des blocs à partir du DesignCenter

Cliquez pour annuler la création du bloc

Dessinez le Bloc

Cliquez pour valider la création du bloc

Fig. 7.1

La procédure pour créer un bloc dans un fichier de dessin séparé est la suivante:

1. Dessiner le bloc, par exemple une chaise.

2. Sur la ligne de commande, entrer WBLOC(K).

3. Dans la boîte de dialogue Write Block (Créer un fichier bloc), désigner l'élément à enregistrer dans un fichier sous la forme d'un Wbloc. Par exemple Objects (Objets) s'il s'agit d'un nouvel objet (fig. 7.2). Un Wbloc peut être créé à partir des entités suivantes :

   - Block (Bloc): pour enregistrer un bloc interne, existant déjà dans le dessin, sous la forme d'un Wbloc.

   - Entire drawing (Dessin entier) : pour enregistrer le dessin courant en tant que Wbloc.

   - Objects (Objet) : pour enregistrer un objet (autre qu'un bloc) du dessin (exemple, une chaise) en tant que Wbloc.

4. Sous Base point (Point de base), cliquer sur le bouton Pick point (Spécifier un point) pour définir le point de base.

5. Sous Objects (Objets), cliquer sur le bouton Select objects (Choix des objets) pour sélectionner l'objet à enregistrer dans un fichier bloc.

6. Sélectionner le type de traitement souhaité pour les objets ayant servi à créer le Wbloc : Retain (conserver) , Convert to block (convertir en bloc) ou Delete (supprimer) .

[7] Entrer le nom du nouveau fichier : exemple CHAISE.

[8] Sélectionner l'emplacement sur le disque dur.

[9] Définir les unités d'insertion pour le DesignCenter.

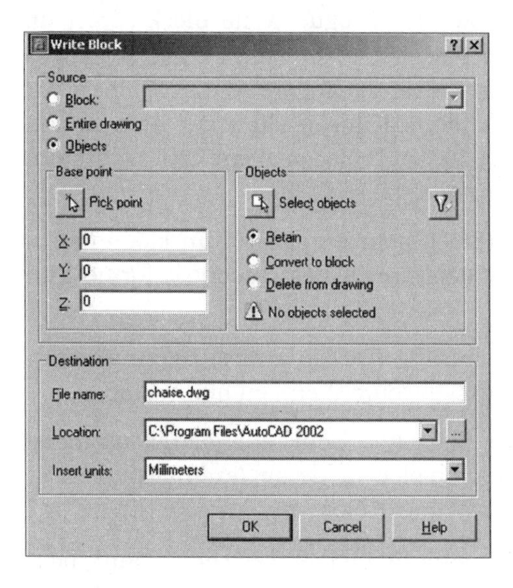

Fig. 7.2

Conseil

La fonction Wbloc(k) permet également de sauvegarder séparément sur disque le contenu d'un calque particulier. Il suffit pour cela de geler tous les calques sauf celui à sauvegarder, d'exécuter la commande Wbloc(k) et finalement de sélectionner le contenu du calque.

3. Insérer un bloc ou un Wbloc dans un dessin

Tout bloc créé dans le dessin en cours ou sauvegardé en Wbloc sur le disque peut être inséré n'importe où dans le dessin avec un facteur d'échelle différent et un angle de rotation déterminé. Ainsi, une fois le bloc appelé, il faut spécifier le point d'insertion, les facteurs d'échelle et l'angle de rotation du bloc. Les valeurs par défaut sont: échelle X=1, échelle Y=X et angle de rotation=0.

La procédure pour insérer un bloc dans le dessin est la suivante:

1. Exécuter la commande d'insertion de bloc à l'aide de l'une des méthodes suivantes (fig. 7.3):

   Choisir le menu déroulant INSERT (Insérer) puis l'option Block (Bloc).

   Choisir l'icône Insert Block (Insérer Bloc) de la barre d'outils Draw (Dessiner).

   Taper la commande Insert (Inserer).

2. Dans la boîte de dialogue Insert (Insérer), sélectionner le bloc interne dans la liste Name (Nom) ou cliquer sur Browse (Parcourir) pour spécifier l'emplacement d'un Wbloc(k). Exemple le bloc(k) CHAISE.

3 Pour spécifier à l'écran les caractéristiques d'insertion du bloc (Point d'insertion, Echelle, Rotation) activer le champ Specify Parameters on Screen (Spécifier les paramètres à l'écran). Dans le cas contraire, il faut spécifier les paramètres dans la boîte de dialogue.

4 Appuyer ensuite sur OK.

5 Indiquer à l'écran le point d'insertion P1 et spécifier l'échelle (appuyer sur Entrée pour accepter les valeurs par défaut) et l'angle de rotation.

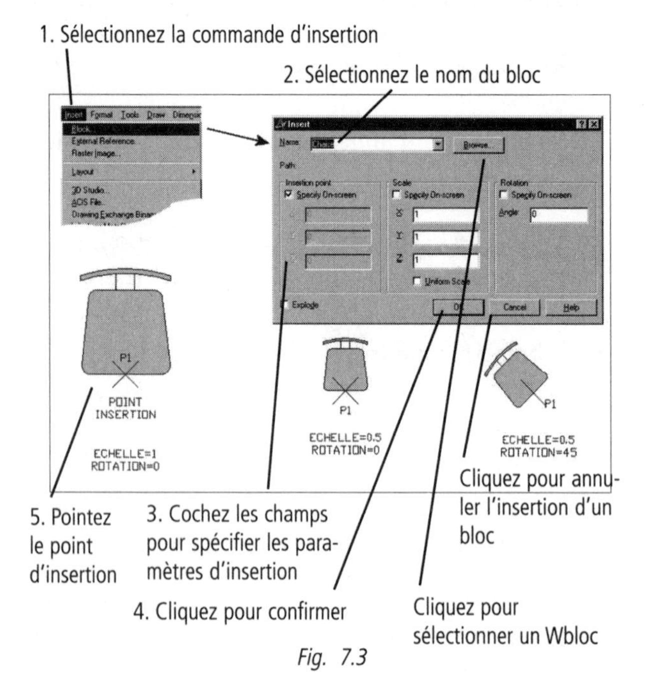

Fig. 7.3

4. Modifier et mettre à jour des blocs

Il arrive que le dessin d'un bloc (ou Wbloc) soit modifié et qu'il faille mettre à jour les dessins dans lesquels ce bloc est inséré. En fonction du type de bloc, les options suivantes sont disponibles :

- Bloc interne : la modification et la mise à jour doivent se faire dans le dessin courant
- Wbloc : la modification peut se faire dans le fichier source du Wbloc ou dans le dessin courant où le Wbloc est inséré.

La procédure pour modifier et mettre à jour un bloc ou un Wbloc à l'intérieur du dessin courant est la suivante :

1. Dans le menu Modify (Modifier) sélectionner la commande In-place Xref and Block Edit (Editer les Xréfs et les blocs dans le dessin) puis Edit Reference (Edition des références).
2. Sélectionner le bloc ou le Wbloc dans le dessin (Exemple : la chaise). La boîte de dialogue Reference Edit (Edition des références) s'affiche à l'écran (fig. 7.4).
3. Cliquer sur OK.
4. Sélectionner les éléments du bloc à modifier et appuyer sur Entrée. La barre d'outils Refedit (Editref) s'affiche.

5 Effectuer les modifications.

6 Cliquer sur l'icône Save (Enregistrer) pour enregistrer les modifications dans la définition du bloc. Toutes les occurrences du bloc modifié se mettent à jour.

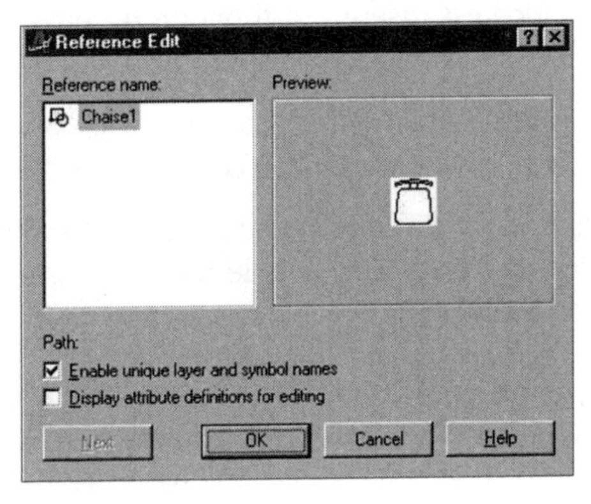

Fig. 7.4

La barre d'outils Refedit (Editref) comprend les options suivantes (fig. 7.5):

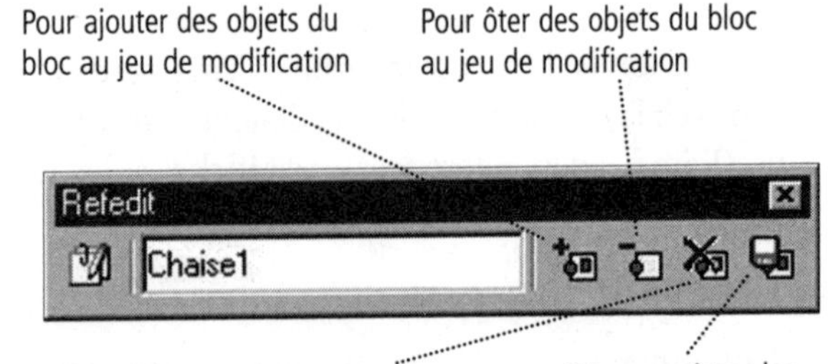

Fig. 7.5

La procédure pour modifier le fichier source d'un Wbloc est la suivante :

1. Ouvrir le fichier du Wbloc par la commande Open (Ouvrir) du menu Files (Fichier).

2. Modifier le contenu du dessin en ne changeant pas l'origine du fichier.

3. Sauvegarder le dessin du Wbloc par la commande Save (Enregistrer) du menu Files (Fichier).

La procédure pour mettre le Wbloc modifié à jour dans le dessin courant est la suivante:

1. Taper la commande –INSERT (-INSERER) sur la ligne de commande.

   (Mettre le signe " - " avant la commande)

2. Entrer le nom du bloc (Block name) : CHAISE=

   (Mettre le signe " = " après le nom du bloc). Le bloc est redéfini et le dessin est régénéré à l'écran

3. Spécifier le point d'insertion (Insertion point) : appuyer sur la touche Echap (Esc) pour sortir de la commande. La procédure d'insertion est interrompue, les blocs étant déjà insérés dans le dessin.

5. Utiliser les bibliothèques de symboles

AutoCAD 2002 est livré avec une série de bibliothèques de symboles pour l'architecture, l'équipement électrique, l'HVAC, etc. Trois opérations sont disponibles :

- Utiliser les bibliothèques existantes
- Compléter les bibliothèques existantes
- Créer une nouvelle bibliothèque

La procédure pour utiliser une bibliothèque existante est la suivante :

1. Exécuter la commande d'accès aux bibliothèques à l'aide de l'une des méthodes suivantes:

   Choisir le menu déroulant TOOLS (Outils) puis l'option Today (Actualités).

   Choisir l'icône Today (Actualités) de la barre d'outils principale.

   Taper la commande Today.

2. Dans la boîte de dialogue AutoCAD 2002 Today (Actualités AutoCAD 2002) sélectionner l'onglet Symbol Libraries (Bibliothèques de symboles).

3. Sélectionner la bibliothèque souhaitée. Par exemple : Home Space Planner (fig. 7.6). AutoCAD affiche le contenu de la bibliothèque à l'aide du DesignCenter (voir chapitre 11).

4. Sélectionner le symbole souhaité et insérer celui-ci dans le dessin. Deux méthodes sont disponibles pour cela :

- Cliquer sur le symbole et le glisser directement dans le dessin (fig. 7.7). La taille du symbole dépend dans ce cas d'une part de l'unité choisie lors de la création du symbole et d'autre part de l'unité d'insertion choisie dans le dessin en cours (fig. 7.8)
- Cliquer avec la touche droite de la souris sur le symbole, puis sélectionner Insert Block (Insérer). La procédure est dans ce cas identique à celle décrite dans le paragraphe 3.

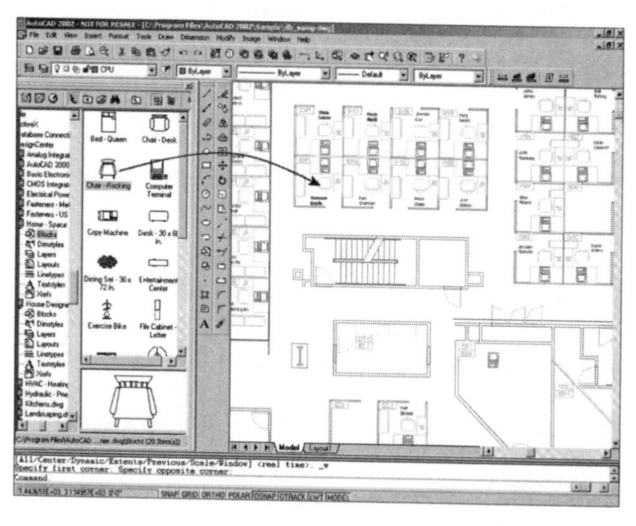

Fig. 7.7

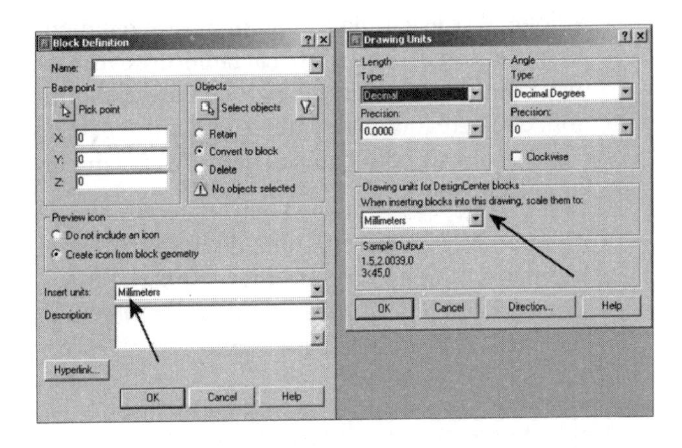

Fig. 7.8

Compléter une bibliothèque existante

Les bibliothèques livrées avec AutoCAD 2002 sont stockées dans des fichiers de dessin dwg qui se trouvent par défaut dans le sous-répertoire DesignCenter du répertoire Sample d'AutoCAD.

La procédure pour compléter une bibliothèque est la suivante :

1. Ouvrir le fichier de la bibliothèque souhaitée. Par exemple Kitchens (fig. 7.9).

2. Vérifier l'unité utilisée en mesurant la taille d'un symbole connu. Par exemple la cuisinière. Si elle mesure 24 unités, l'unité en cours est donc le Inch. Pour adapter l'unité de travail (en cm par

exemple), il convient de modifier la taille des symboles via la commande Scale (Echelle) avec un facteur d'échelle de 2,5 (fig. 7.10).

3 Créer un nouveau symbole et l'insérer dans le dessin. Sélectionner Centimeters (Centimètres) dans le champ Insert Unit (Unités d'insertion) (fig. 7.11).

4 Sauver le dessin. Le fichier de la bibliothèque est ainsi complété.

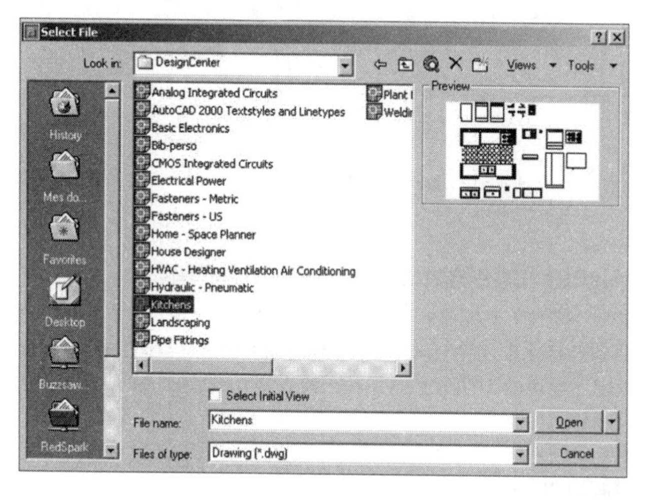

Fig. 7.9

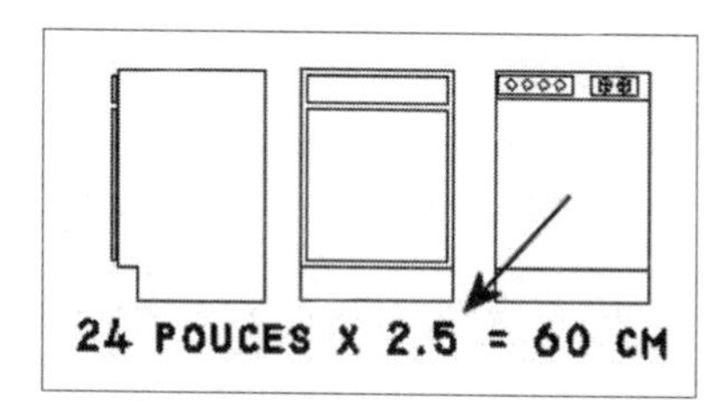

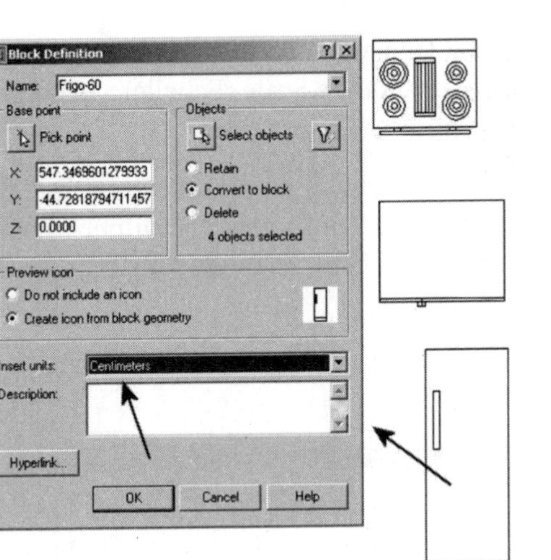

Fig. 7.10

Fig. 7.11

Créer une nouvelle bibliothèque

Pour créer une nouvelle bibliothèque, il suffit d'ouvrir un nouveau fichier vierge et d'y insérer les symboles souhaités.

La procédure est la suivante :

1. Créer un nouveau fichier de dessin par la commande New (Nouveau).
2. Créer les symboles souhaités en mentionnant l'unité d'insertion pour le DesignCenter.
3. Insérer les symboles dans le dessin.

4 Sauvegarder le dessin sous un nom significatif. Par exemple : Voitures. Le répertoire de destination pour être DesignCenter comme pour les autres fichiers de bibliothèque, ou un autre répertoire.

5 Cliquer sur l'icône Today (Actualités) de la barre d'outils principale.

6 Sélectionner l'onglet Symbol Libraries (Bibliothèques de symboles).

7 Cliquer sur le lien Edit (Modifier) qui ouvre la boîte de dialogue Edit DesignCenter Symbol Libraries (Modifier les bibliothèques de symboles DesignCenter) (fig. 7.12).

8 Cliquer sur le bouton Add Link (Ajouter un lien) pour sélectionner le fichier de la nouvelle bibliothèque. Par exemple : Voitures (fig. 7.13).

9 Cliquer sur OK pour confirmer. La bibliothèque " Voitures " est à présent disponible dans la liste

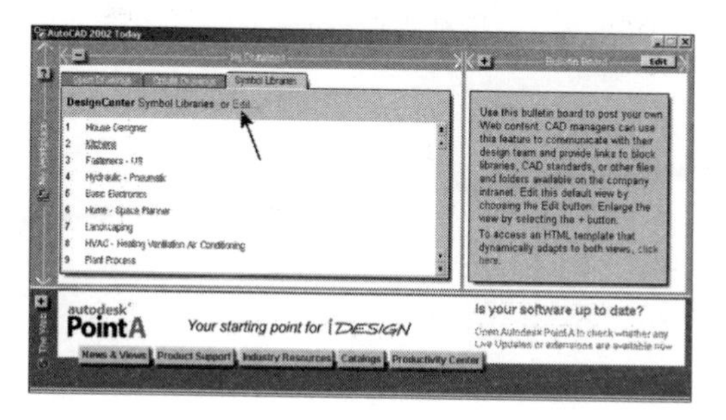

Fig. 7.12

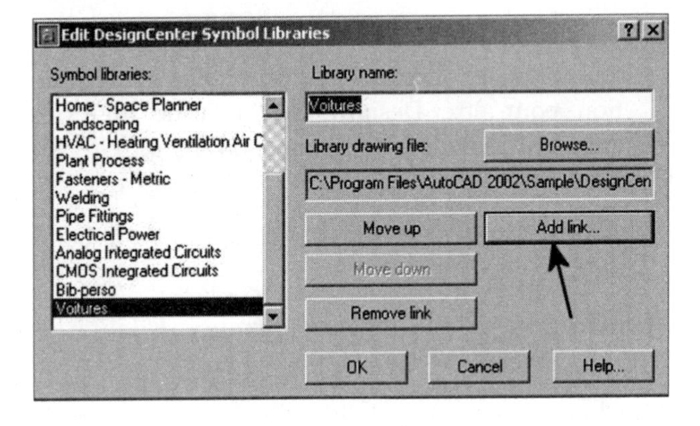
Edit DesignCenter Symbol Libraries
Symbol libraries:
Home - Space Planner
Landscaping
HVAC - Heating Ventilation Air C
Plant Process
Fasteners - Metric
Welding
Pipe Fittings
Electrical Power
Analog Integrated Circuits
CMOS Integrated Circuits
Bib-perso
Voitures
Library name:
Voitures
Library drawing file:
Browse...
C:\Program Files\AutoCAD 2002\Sample\DesignCen
Move up
Add link...
Move down
Remove link
OK
Cancel
Help...

Fig. 7.13

8. Habiller un dessin

A voir dans ce chapitre

- L'habillage du dessin avec des hachures
- La modification des hachures
- La création et la modification de styles de texte
- L'écriture des textes
- La modification des textes

1. L'habillage du plan

Après la réalisation du dessin au niveau des formes géométriques, il est essentiel, pour des raisons de compréhension, d'habiller celui-ci en y ajoutant des hachures, des textes, des cotes (voir chapitre 9), des lignes d'axe, etc. Le présent chapitre traite en particulier des techniques de hachurage des surfaces et d'ajout de textes.

AutoCAD est fourni en standard avec une collection de 53 motifs de hachures standard et 14 motifs conformes à la norme ISO. Il est également fourni avec une collection de 30 polices de type Shape (extension .SHX), une collection de 16 polices PostScript Type 1 (extension .PBF) et une collection de 38 polices de type TrueType (extension .TTF).

2. Hachurer une surface

Il existe plusieurs méthodes pour hachurer une surface:

- hachurage automatique d'une surface avec désignation d'un point interne à la surface;
- hachurage manuel d'une surface avec désignation des différentes frontières de la surface en question;

La procédure pour hachurer automatiquement une surface est la suivante:
Pour hachurer une surface, AutoCAD dispose d'une fonction spécifique BHATCH (FHACH) qui détermine automatiquement la frontière. La détermination d'un seul point à l'intérieur d'un contour fermé est suffisante pour déterminer la frontière.

1 Exécuter la commande de hachurage à l'aide de l'une des méthodes suivantes (fig. 8.1):

Choisir le menu déroulant DRAW (Dessin) puis l'option Hatch (Hachurage).

Choisir l'icône Hatch (Hachurage) de la barre d'outils Draw (Dessin).

Taper la commande BHATCH (Fhach).

2 Dans la boîte de dialogue Boundary Hatch (Hachurage), choisir le motif de la hachure dans la

liste déroulante Pattern (Motif) ou la boîte de dialogue Hatch Pattern Palette (Hachures de contour) accessible en cliquant sur l'icône composée de trois points. Cette dernière comprend quatre onglets:

- ANSI: comprend les modèles ANSI
- ISO: comprend les modèles ISO
- Other Predefined (Autres Prédéfinis): comprend les autres modèles d'AutoCAD
- Custom (Personnalisation): comprend les modèles définis par l'utilisateur.

3 Cliquer sur le bouton Pick Points (Choix des points). AutoCAD revient à la feuille de dessin.

4 Désigner un point dans la zone à hachurer (P1) et appuyer sur Entrée pour revenir à la boîte de dialogue.

5 Cliquer sur le bouton Preview (Aperçu) pour contrôler le hachurage. AutoCAD affiche la zone hachurée. Appuyer sur Entrée pour revenir à la boîte de dialogue.

6 Modifier éventuellement l'échelle (Scale) si le hachurage est trop dense.

7 Cliquer sur OK pour valider l'opération de hachurage.

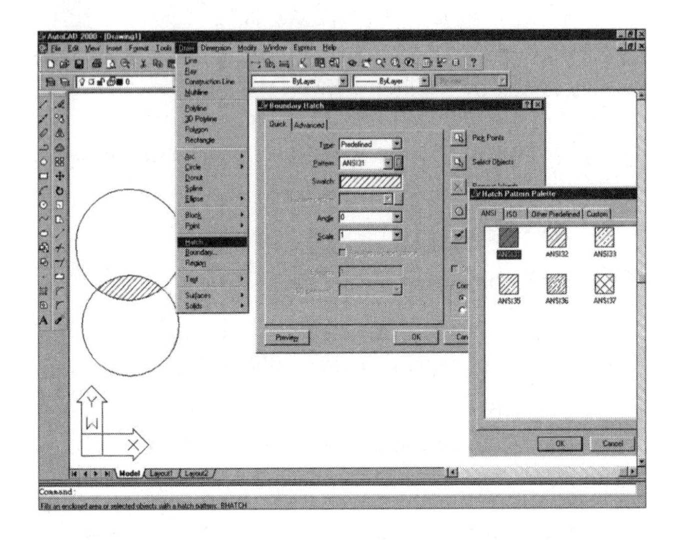

Fig. 8.1

La procédure pour hachurer manuellement une surface délimitée par des frontières est la suivante:

Pour hachurer une surface, il est également possible de sélectionner manuellement les différentes frontières délimitant la zone à hachurer. Dans ce cas, le hachurage d'une zone impose que les limites de celle-ci se rejoignent à leur extrémité. Ainsi le hachurage de la partie ABED d'un rectangle ACFD ne peut se faire correctement que si le côté AC est composé des droites AB et BC et le côté DF des droites DE et EF. De même le hachurage de la zone d'intersection des cercles A et B ne peut se faire correctement qu'après coupure des deux cercles en leurs points d'intersection P1 et P2 (fig. 8.2).

1 Exécuter la commande de hachurage à l'aide de l'une des méthodes suivantes:

Choisir le menu déroulant DRAW (Dessin) puis l'option Hatch (Hachurage).

Choisir l'icône Hatch (Hachurage) de la barre d'outils Draw (Dessin).

Taper la commande HATCH (Hachures).

2 Dans la boîte de dialogue Boundary Hatch (Hachurage), choisir le motif de la hachure.

3 Cliquer sur le bouton Select Objects (Choix des objets). AutoCAD revient à la feuille de dessin.

4 Sélectionner les différentes frontières délimitant la zone à hachurer. Appuyer ensuite sur Entrée.

5 Cliquer sur le bouton Preview (Aperçu) pour contrôler le hachurage. AutoCAD affiche la zone hachurée. Appuyer sur Entrée pour revenir à la boîte de dialogue.

6 Modifier éventuellement l'échelle (Scale) si le hachurage est trop dense.

7 Cliquer sur OK pour valider l'opération de hachurage.

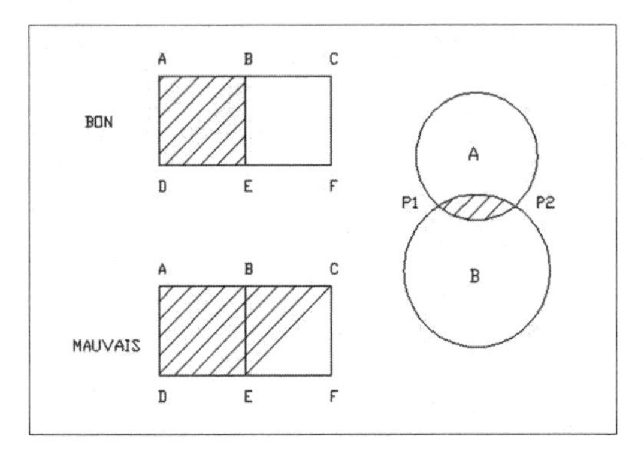

Fig. 8.2

Conseils

Le calcul du hachurage s'effectue toujours à partir du point de base du dessin, qui est par défaut le point "0,0". Ce qui signifie que le motif du hachurage d'une zone ne commence pas à l'origine de celle-ci. Ce qui n'est pas toujours satisfaisant. En effet, dans le cas du hachurage d'un mur par le motif Brick, par exemple, il semble normal que le dessin de la brique commence à l'origine du mur. Pour faire démarrer le calcul du hachurage avec l'origine de la zone, il convient de déplacer l'origine, par défaut, en tapant la commande SNAPBASE au clavier et ensuite pointer la nouvelle origine. Il suffit ensuite d'effectuer le hachurage correct (fig. 8.3).

Pour rendre une surface quelconque opaque, AutoCAD dispose d'un motif de hachure approprié : le type solide (fig. 8.4).

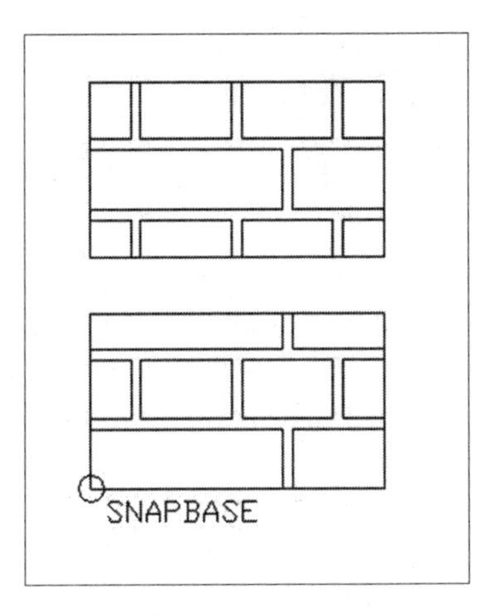

Fig. 8.3

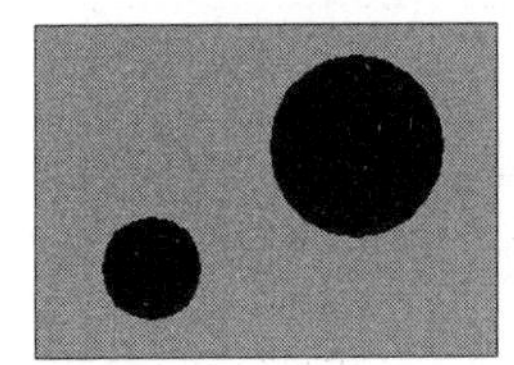

Fig. 8.4

3. Modifier le hachurage d'une surface

Le hachurage d'une surface peut être modifié tant au niveau de son contour que du motif. En effet, grâce à sa propriété d'associativité, toute modification du contour d'une zone hachurée entraîne automatiquement un ajustement de la hachure au nouveau contour. De même, tout déplacement d'une figure située à l'intérieur de la zone hachurée entraîne un ajustement des hachures (fig. 8.5). En ce qui concerne la modification de la hachure en elle-même, la procédure est la suivante:

La procédure de modification d'une hachure est la suivante:

1. Exécuter la commande de modification à l'aide de l'une des méthodes suivantes:

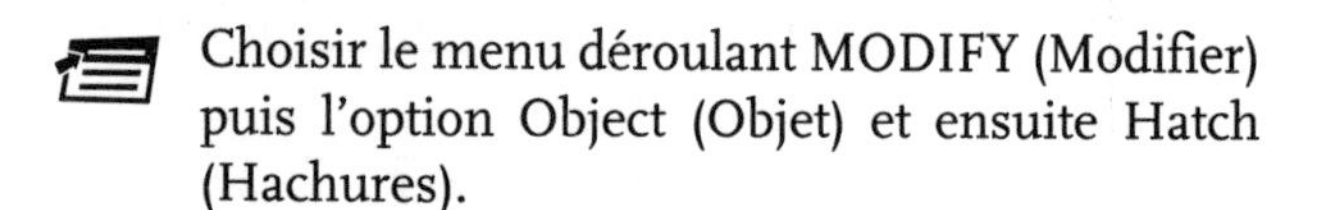

Choisir le menu déroulant MODIFY (Modifier) puis l'option Object (Objet) et ensuite Hatch (Hachures).

Choisir l'icône Edit Hatch (Editer motif de hachurage) de la barre d'outils Modify II (Modifier II).

Taper la commande HATCHEDIT (Edithach).

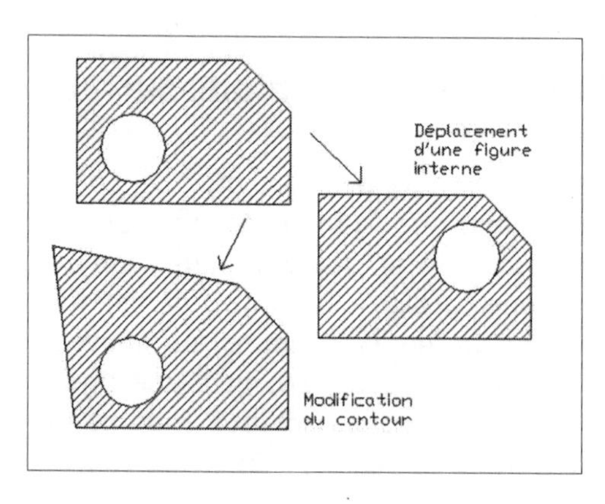

Fig. 8.5

2 Sélectionner la hachure à modifier. La boîte à outils Hatch edit (Editer un motif de hachurage) s'affiche à l'écran.

3 Modifier les différents paramètres souhaités.

4 Cliquer sur OK.

4. Créer et modifier un style de texte

Avant de créer un texte dans un dessin, il peut être intéressant pour des raisons de lisibilité de créer des styles de textes différents. Un style de texte comprend les caractéristiques suivantes (fig. 8.6 et tableau):

MARABOUT	STYLE STANDARD FONT (POLICE) = TXT
MARABOUT	FONT (POLICE) = ARIAL
MARABOUT	OBLIQUING ANGLE = 15 ANGLE D'INCLINAISON
MARABOUT	BACKWARDS RENVERSE
MARABOUT	UPSIDE-DOWN REFLETE
MARABOUT	WIDTH FACTOR = 2 FACTEUR EXT./COMPR.

Fig. 8.6

Paramètre	Valeur	Description
Style Name (Nom du style)	Standard	Nom du style avec maximum 31 caractères.
Font Name (Nom de police)	txt.shx	Nom du fichier associé à la police (graphisme du caractère).
Font Style (Style de police)	Regular	Aspect de la police: régulier, gras, italique...
Height (Hauteur)	0	Hauteur des caractères. Une valeur différente de 0 ne permettra plus de modifier la hauteur lors de l'écriture d'un texte avec ce style.
Upside down (Reflété)	N	Texte écrit à l'envers.
Backwards (Renversé)	N	Texte inversé par rapport à la ligne de base.
Vertical	Off	Affichage vertical ou horizontal des caractères.
Width Factor (Facteur d'extension/ compression)	1	Expansion ou compression des caractères.
Oblique Angle (Angle d'inclinaison)	0	Angle d'inclinaison des caractères par rapport à la verticale.

La procédure pour créer un style de texte est la suivante:

1. Exécuter la commande de création de style à l'aide de l'une des méthodes suivantes (fig. 8.7):

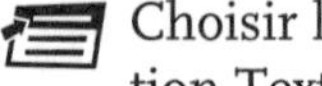

Choisir le menu déroulant FORMAT puis l'option Text Style (Style de texte).

Choisir l'icône Text style (Style de texte) de la barre d'outils Text (Texte).

Taper la commande STYLE.

[2] Dans la boîte de dialogue "Text Style" (Style de texte) cliquer sur New (Nouveau) et entrer le nom du nouveau style dans le champ Style Name (31 caractères au maximum) de la boîte New Text Style (Nouveau style de texte). Par exemple : STYLE1.

[3] Dans le champ Font Name (Fichier de police) sélectionner le nom de la police souhaitée : Arial.

[4] Choisir l'aspect de la police dans le champ Font Style (Style de Police) : Gras.

[5] Dans le champ Height (Hauteur) entrer la hauteur du texte souhaité (voir conseil).

[6] Modifier les paramètres de la section Effects (Effets) suivant le tableau descriptif précédent.

[7] Cliquer sur Apply (Appliquer). Le style ainsi défini devient le style courant.

[8] Cliquer sur Close (Fermer) pour sortir de la boîte de dialogue.

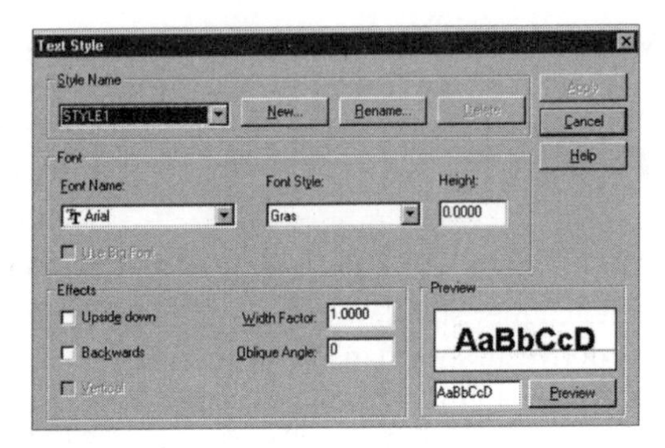

Fig. 8.7

Conseil

Dans le cas où une valeur de hauteur de texte a été entrée dans le champ Height (Hauteur), il ne sera plus possible de spécifier une autre hauteur lors de l'écriture d'un texte par la commande Text(e). Il y a donc intérêt de rentrer une valeur 0 pour pouvoir rentrer une hauteur au moment voulu.

La procédure pour modifier un style de texte est la suivante:

- Pour modifier les caractéristiques d'un style, il suffit de modifier les paramètres définis ci-dessus et de sauver la modification sous le même nom de style. Tous les textes écris avec ce style seront modifiés automatiquement.
- Pour modifier le style courant, il suffit de sélectionner un autre nom de style dans la boîte de dialogue "Text Style" (Style de texte) du menu Format.

- Pour renommer le nom d'un style de texte, il convient de sélectionner l'option Rename (Renommer) du menu Format puis de choisir Text Styles dans la zone Named Objects (Types). Sélectionner ensuite le nom du style à modifier dans la zone Items (Eléments) et entrer le nouveau nom dans le champ Rename To (Renommer en).

5. Créer un nouveau texte

Le texte est un élément important du dessin car il contribue à la lisibilité de ce dernier. Il peut être utilisé pour un libellé, pour un cartouche, pour une légende ou pour une description. Il est possible d'écrire une ligne de texte ou un paragraphe de texte.

La procédure pour créer une ligne de texte est la suivante:

1. Exécuter la commande de création de texte à l'aide de l'une des méthodes suivantes:

Choisir le menu déroulant DRAW (Dessin) puis l'option Text (Texte) et ensuite Single-Line Text (Texte sur une ligne).

Choisir l'icône Single Line Text (Texte sur une seule ligne) de la barre d'outils Text (Texte).

Taper la commande TEXT (Texte) ou DTEXT (Txtdyn).

2. Désigner le point d'insertion du texte dans le dessin (P1). Le texte s'écrira par défaut à droite de ce point. Pour définir une autre caractéristique d'insertion, il convient de faire appel à l'option Justify (Justifier), qui permet d'aligner le texte à droite, au centre...(fig. 8.8).

3. Préciser la hauteur du texte. Taper par exemple 25. Cette option n'est disponible que si la hauteur associée au style de texte courant est égale à zéro.

4. Définir l'angle de rotation du texte de manière interactive à l'écran ou via une valeur au clavier. Par exemple : 0.

5. Entrer le texte sur la ligne de commande et appuyer sur Entrée. Dans le cas du texte dynamique, il est possible d'écrire plusieurs lignes de texte en appuyant chaque fois sur Entrée. Pour terminer le texte dans ce cas, il suffit d'appuyer deux fois sur Entrée.

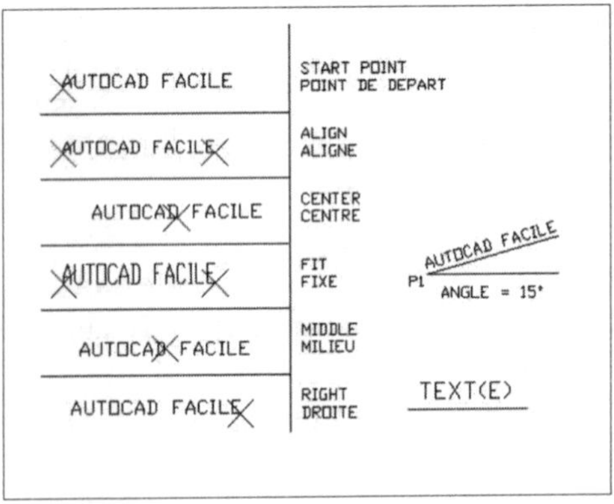

AUTOCAD FACILE — START POINT / POINT DE DEPART
AUTOCAD FACILE — ALIGN / ALIGNE
AUTOCAD FACILE — CENTER / CENTRE
AUTOCAD FACILE — FIT / FIXE — P1 AUTOCAD FACILE ANGLE = 15°
AUTOCAD FACILE — MIDDLE / MILIEU
AUTOCAD FACILE — RIGHT / DROITE — TEXT(E)

Fig. 8.8

La procédure pour créer un paragraphe de texte est la suivante:

1. Exécuter la commande de création de paragraphe à l'aide de l'une des méthodes suivantes (fig. 8.9):

Choisir le menu déroulant DRAW (Dessin) puis l'option Text (Texte) et ensuite Multiline Text (Texte Multiligne).

Choisir l'icône Multiline Text (Texte Multiligne) de la barre d'outils Draw (Dessin) ou de la barre d'outils Text(e).

Taper la commande MTEXT (Textmult).

2. Désigner l'emplacement du paragraphe de texte en spécifiant un point d'insertion (P1).

3. Définir les dimensions du cadre réservé au paragraphe de texte en spécifiant un deuxième point (P2) correspondant au coin opposé du cadre. La grandeur du cadre peut aussi être déterminée en spécifiant une largeur (width). Le rectangle ainsi établi définit les marges verticales du texte. Les marges horizontales quant à elles n'empêchent pas le texte de se prolonger au-delà des limites du rectangle.

4. Entrer le texte sur plusieurs lignes dans la fenêtre de la boîte de dialogue "Multiline Text Editor" (Editeur de texte multilignes). Il est également

possible d'importer un fichier texte externe via l'option Import Text (Importer texte).

5 Modifier les paramètres souhaités (Police, Hauteur, Couleur, Style, Justification...) via les options des onglets Character (Caractère), Properties (Propriétés) et Line Spacing (Espacement des lignes).

6 Cliquer sur OK.

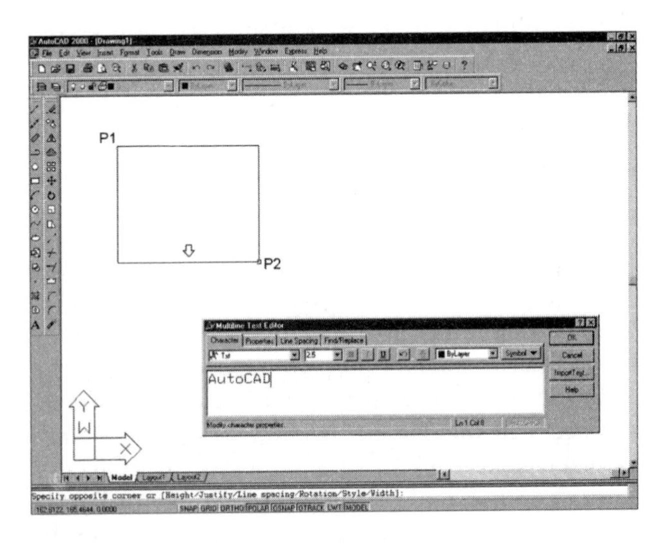

Fig. 8.9

6. Modifier un texte

Les textes peuvent subir les mêmes modifications que tous les autres objets d'AutoCAD. Il est en effet possible de déplacer un texte, de le faire tourner, d'en faire des copies, etc. A part ces fonctions générales, il est également possible de modifier le contenu et l'aspect d'un texte.

La procédure pour modifier le contenu et l'aspect d'une ligne de texte est la suivante:

1 Exécuter la commande de modification à l'aide de l'une des méthodes suivantes (fig. 8.10):

Choisir le menu déroulant MODIFY (Modifier) puis l'option Properties (Propriétés).

Choisir l'icône Properties (Propriétés) de la barre d'outils principale.

Taper la commande PROPERTIES (Propriétés).

2 Sélectionner la ligne de texte à modifier.

3 Dans la boîte de dialogue Properties (Propriétés), modifier les paramètres souhaités (contenu, hauteur, style, etc.) dans la section Text(e)..

4 Cliquer sur OK.

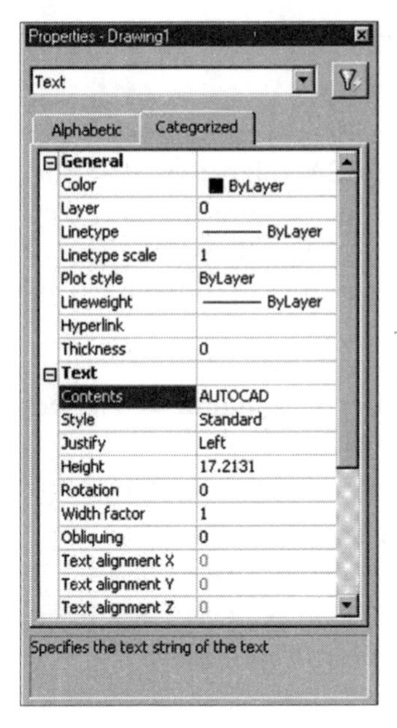

Fig. 8.10

Il est aussi possible de modifier uniquement le contenu du texte en cliquant sur l'icône Edit Text (Editer Texte) de la barre d'outils Text(e).

La procédure pour modifier un paragraphe de texte est la suivante:

[1] Exécuter la commande de modification à l'aide de l'une des méthodes suivantes:

Choisir le menu déroulant MODIFY (Modifier) puis l'option Object (Objet) et ensuite Text (Texte) et Edit (Modifier).

Choisir l'icône Edit Text (Editer Texte) de la barre d'outils Modify II (Modifier II).

Taper la commande DDEDIT.

[2] Sélectionner le paragraphe de texte à modifier.

[3] Dans la boîte de dialogue Multiline Text Editor (Editeur texte multiple), apporter les modifications nécessaires au niveau du contenu et des propriétés.

[4] Cliquer sur OK.

7. Modifier l'échelle des textes

Certains dessins peuvent contenir des centaines de textes à mettre à l'échelle. Cette opération serait longue s'il fallait l'appliquer à chaque objet séparément. La fonction SCALETEXT (Echelletexte) permet de mettre chaque texte à l'échelle à l'aide du même facteur d'échelle, tout en conservant sa position. Cette fonction est donc différente de la commande SCALE (Echelle) qui utilise un point unique pour tous les textes.

La procédure de mise à l'échelle est la suivante :

[1] Exécuter la commande de mise à l'échelle à l'aide de l'une des méthodes suivantes:

Choisir le menu déroulant MODIFY (Modifier) puis l'option Object (Objet) et ensuite Text (Texte) et Scale (Echelle).

Choisir l'icône Scale Text (Mettre le texte à l'échelle) de la barre d'outils Text(e).

Taper la commande SCALETEXT (Echelletexte).

[2] Sélectionner le(s) texte(s) à modifier.

[3] Sélectionner le point de base pour le changement d'échelle. Dans le cas présent, il s'agit du point de justification du texte : la justification en cours ou une autre (droite, milieu, etc.). Chaque texte va être modifié par rapport à son propre point de justification.

[4] Donner une nouvelle hauteur pour les textes ou rentrer un facteur d'échelle (fig. 8.11).

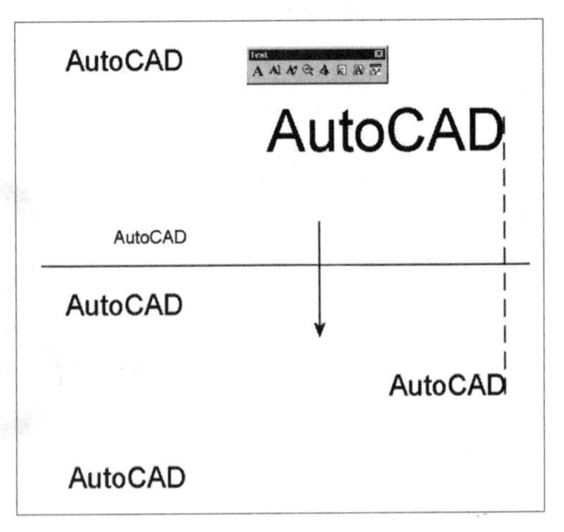

Fig. 8.11

8. Modifier la justification des textes

Il est parfois utile de pouvoir redéfinir le point d'insertion d'un texte dans un tableau ou une légende, sans déplacer le texte en lui-même. Par exemple, justifier un texte à droite et non plus à gauche.

La procédure pour modifier la justification est la suivante :

1. Exécuter la commande de modification de justification à l'aide de l'une des méthodes suivantes:

   Choisir le menu déroulant MODIFY (Modifier) puis l'option Object (Objet) et ensuite Text (Texte) et Justify (Justifier).

   Choisir l'icône Justify Text (Justifier texte) de la barre d'outils Text(e).

   Taper la commande JUSTIFYTEXT (Justifiertexte).

2. Sélectionner les textes à justifier et appuyer sur Entrée.

3. Sélectionner le nouveau mode de justification : droite, milieu, centre...

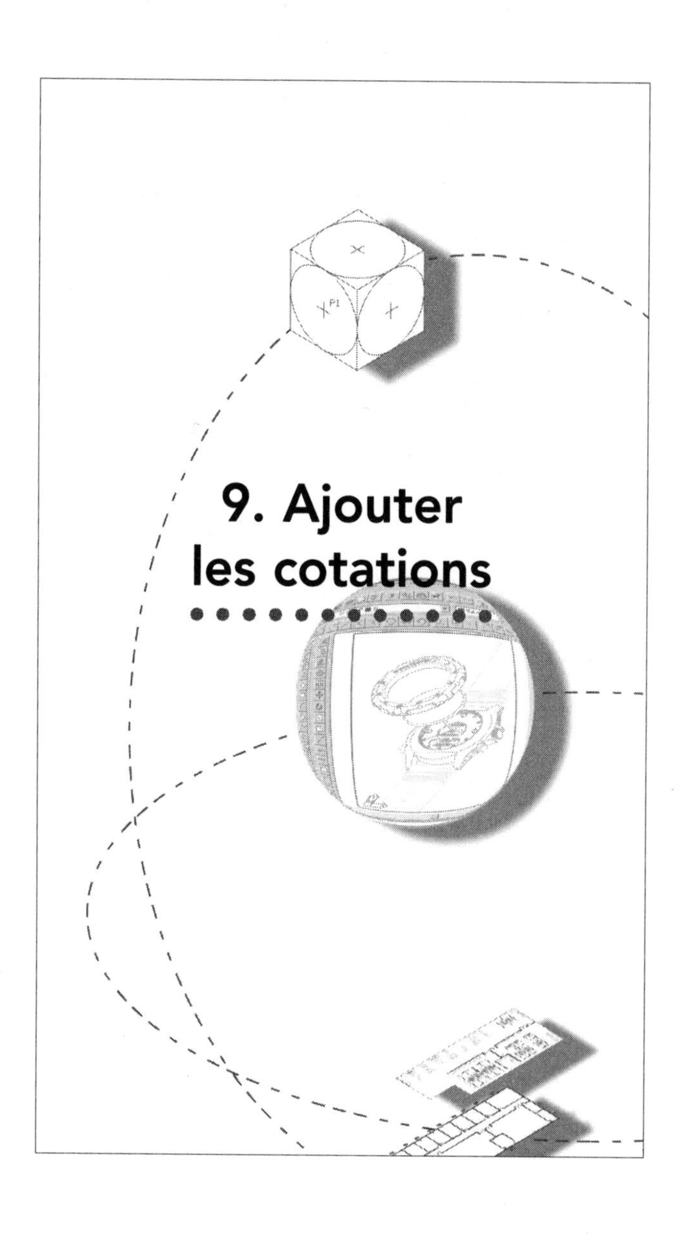

9. Ajouter les cotations

A voir dans ce chapitre

- La définition de styles de cotation
- La cotation d'un dessin
- La modification des cotes
- La cotation associative
- La cotation dans l'espace de présentation

1. Les types de cotation

Ce chapitre porte sur les possibilités de cotation des longueurs et des angles des différentes entités comprises dans le dessin.

Trois types de cotations sont disponibles (fig. 9.1):

- **la cotation linéaire** : horizontale, verticale, alignée, en coordonnées cartésiennes (ordinate), en parallèle (baseline), en série (continue)
- **la cotation radiale** : rayon, diamètre
- **la cotation angulaire**

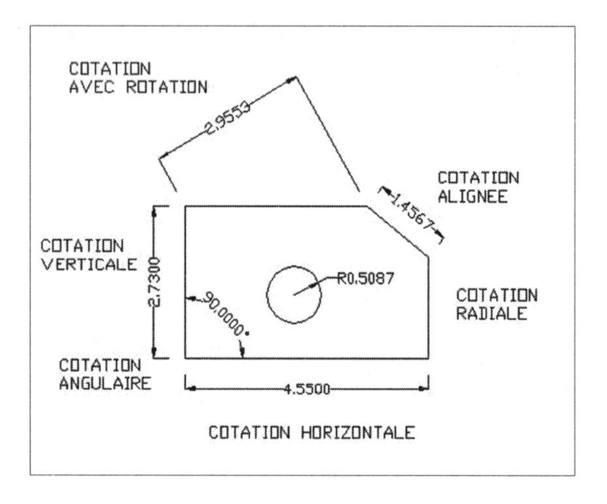

Fig. 9.1

AutoCAD insère les cotes sur le calque (layer) courant. Chaque cote peut avoir un style de cote différent. Celui-ci définit les différentes caractéristiques (couleur, style de texte, type de flèche, etc.) de la cote.

Une cote est composée de quatre éléments qui peuvent être paramétrés séparément dans la définition du style de cote. Ces éléments sont (fig. 9.2):

- la ligne de cote (dimension line): indique la dimension prise en compte;
- les lignes d'attache (extension lines): relient l'élément mesuré à la ligne de cote;
- les symboles d'extrémités: matérialisent le début et la fin de la ligne de cote;

- le texte de cote: indique la dimension de l'objet mesuré.

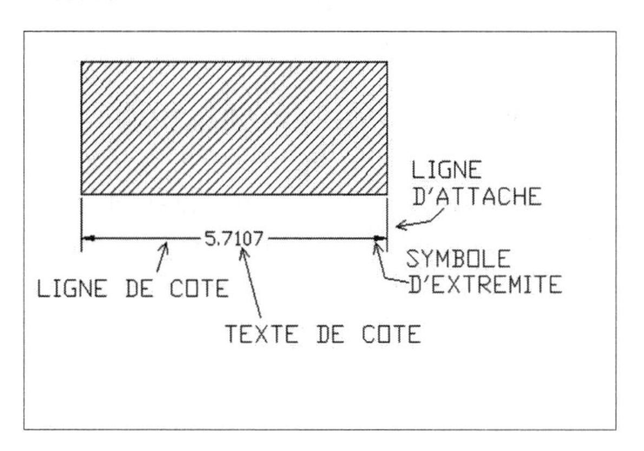

Fig. 9.2

La réalisation des cotations s'effectue à travers trois outils distincts:

- la définition du style de la cote, c'est-à-dire son aspect à l'aide de la boîte de dialogue Dimension Style Manager (Gestionnaire des styles des cotes);
- la création de cotes à l'aide du menu Dimension (Cotation);
- la modification des cotes à l'aide des commandes d'édition d'AutoCAD ou des poignées (grips).

La cotation peut s'effectuer dans l'espace objet ou dans l'espace papier. Comme les objets sont créés dans l'espace objet, il est conseillé d'effectuer la cotation au même endroit et de réserver l'espace papier pour les annotations et le cartouche (voir aussi le point 6).

2. Définir un style de cotation

Un "style de cote" correspond à un ensemble de paramètres définissant l'aspect d'une cote. Lors de la création d'une cote dans le dessin, elle adopte automatiquement le style courant. Si aucun style particulier n'est défini par l'utilisateur, AutoCAD applique le style par défaut (Standard). La définition d'un style de cote s'effectue à l'aide de la boîte de dialogue Dimension Style Manager (Gestionnaire des styles des cotes). Les différents paramètres permettant de définir le style de la cote y sont regroupés en six catégories:

- Lines and Arrows (Lignes et flèches): pour définir l'aspect de la ligne de cote, des lignes d'attache, des extrémités, des axes et marques centrales;
- Text(e): pour définir l'aspect et la position du texte de la cote;
- Fit (Ajuster) : pour définir plus finement la position des lignes de cote, des lignes d'attache et du texte. En particulier quand il manque de la place pour placer l'ensemble.
- Primary Units (Unités principales): pour définir le format et la précision des unités de cotation linéaires et angulaires.

- Alternate Units (Unités alternatives) : pour définir le format et la précision des unités alternatives.
- Tolerances (Tolérances) : pour définir les valeurs et la précision des écarts de tolérance.

La procédure pour définir un nouveau style de cote est la suivante:

1. Ouvrir la boîte de dialogue permettant de définir les styles de cotes à l'aide de l'une des méthodes suivantes:

Choisir le menu déroulant FORMAT ou DIMENSION (Cotation) puis l'option Dimension Style (Style de cotes).

Choisir l'icône Dimension Styles (Styles des cotes) de la barre d'outils Dimension (Cotation).

Taper la commande DDIM.

2. Cliquer sur New (Nouveau) pour définir un nouveau style. Dans la boîte Create New Dimension Style (Nouveau style de cote), taper le nom dans le champ New Style Name (Nouveau style), sélectionner le style de départ et indiquer la cible pour le nouveau style (toutes les catégories de dimensions ou une en particulier). Cliquer sur Continue (Continuer) pour confirmer les choix.

3 Définir les différents paramètres dans la boîte de dialogue New Dimension Style (Nouveau style de cote)

4 Cliquer sur OK pour fermer la boîte.

5 Cliquer sur Set Current (Définir courant) pour mettre le style courant, puis sur Close (Fermer) pour fermer la boîte de dialogue.

Les principales modification sont les suivantes :

1 Changer la couleur de la ligne de cote :

- Cliquer sur l'onglet Lines and Arrows (Lignes et flèches) (fig. 9.3) .
- Dans la section Dimension Line (Ligne de cote), sélectionner la couleur via le champ Color (Couleur)

2 Changer la couleur des lignes d'extension :

- Cliquer sur l'onglet Lines and Arrows (Lignes et flèches) .
- Dans la section Extension Line (Ligne d'attache), sélectionner la couleur via le champ Color (Couleur):

3 Déterminer la distance de dépassement de la ligne d'attache par rapport à la ligne de cote :

- Cliquer sur l'onglet Lines and Arrows (Lignes et flèches).

- Dans la section Extension Line (Ligne d'attache), déterminer la distance dans le champ Extend beyond dim lines (Etendre au-delà des lignes de cote):

4 Contrôler la distance entre la ligne d'attache et l'objet à coter :

- Cliquer sur l'onglet Lines and Arrows (Lignes et flèches) .
- Dans la section Extension Line (Ligne d'attache), déterminer la distance dans le champ Offset from origin (Décalage de l'origine)

5 Choisir le type de symbole pour les extrémités de la ligne de cote :

- Cliquer sur l'onglet Lines and Arrows (Lignes et flèches) .
- Dans la section Arrowheads (Pointes de flèche), sélectionner le type de symbole dans le champ 1st, 2nd (1ère, 2ème) et la taille du symbole dans le Arrow size (Taille).

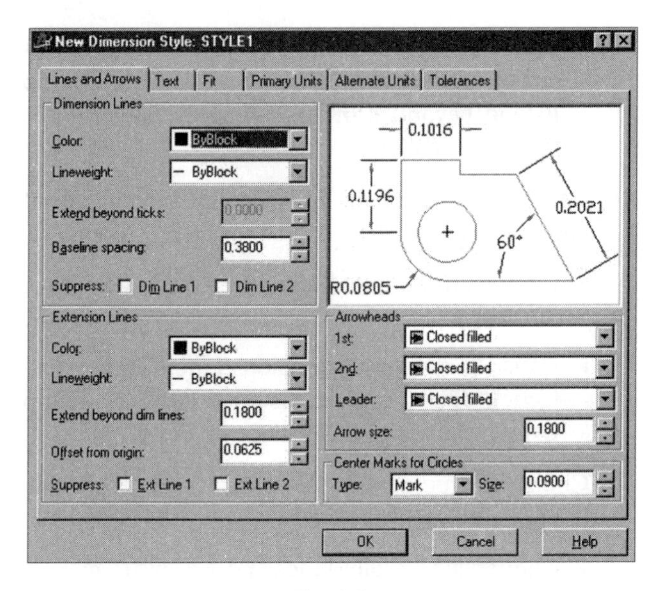

Fig. 9.3

6 Déterminer l'aspect et l'alignement du texte des cotes

- Cliquer sur l'onglet Text (Texte) (fig. 9.4).
- Dans la section Text Appearance (Aspect du texte), sélectionner le style du texte de la cote via le champ Text Style (Style), la couleur via le champ Text Color (Couleur) et la hauteur via le champ Text Height (Hauteur).
- Dans la section Text Placement (Position du texte), contrôler la position du texte de la cote le long de la ligne de cote via les champs Vertical et Horizontal.

- Dans la section Text Alignment (Alignement du texte), contrôler l'alignement du texte de la cote via les champs Horizontal, Aligned with dimension line (Aligné par rapport à la ligne de cote) et ISO Standard (Norme ISO).

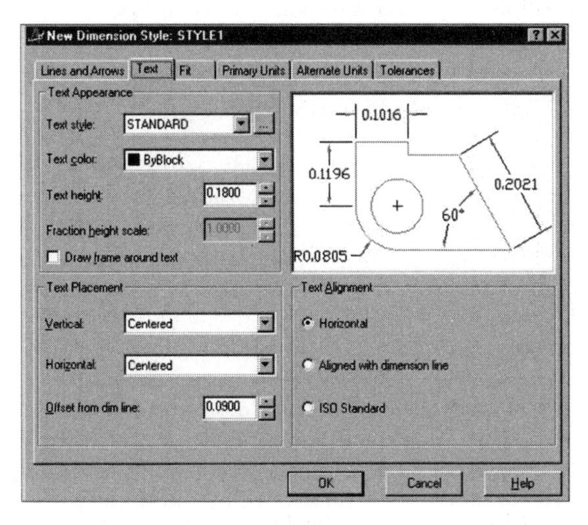

Fig. 9.4

7 Définir un facteur d'échelle globale pour tous les composants de la cote :

- Cliquer sur l'onglet Fit (Ajuster)
- Dans la section Scale for Dimension Features (Echelle des objets de cotation), rentrer le facteur d'échelle dans le champ Use overall scale of (Utiliser l'échelle générale de). Une valeur 2, par exemple, va doubler la grandeur de la cotation.

8 Déterminer le format et la précision des unités de cotation

- Cliquer sur l'onglet Primary Units (Unités principales.
- Dans la section Linear Dimensions (Cotes linéaires), définir le format et la précision des unités via les champs Unit format (Format d'unités) et Precision (Précision).
- Dans la section Angular Dimensions (Cotes angulaires), définir le format et la précision des cotes angulaires via les champs Units format (Format des unités) et Precision (Précision).

Conseil

Lors de la première cotation d'un dessin sans définition particulière d'un style, il arrive couramment que la cote est illisible ou beaucoup trop grande. Pour obtenir rapidement une cotation acceptable, il suffit de modifier l'échelle globale de la cotation via le champ Use overall scale of (Utiliser l'échelle générale de) de l'onglet Fit (Ajuster).

3. Réaliser la cotation d'un dessin

Pour réaliser la cotation d'un dessin, il convient de choisir le style de la cote via la boîte de dialogue Dimension Style Manager (Gestionnaire des styles de cote), de choisir le type de cotation via le menu

Dimension (Cotation) ou la barre d'outils correspondante, puis de sélectionner l'objet à coter et enfin de définir l'emplacement de la ligne de cote.

La sélection de l'objet à coter peut s'effectuer de deux manières différentes (fig. 9.5):

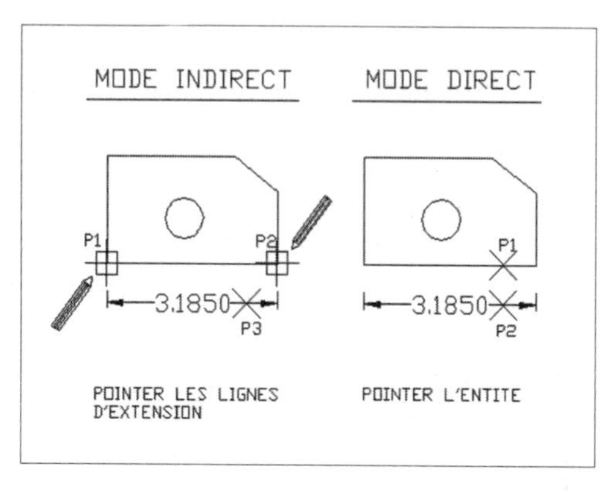

Fig. 9.5

- **en mode direct**: appuyer sur Entrée et sélectionner l'objet (une ligne, un segment de polyligne, ...) à coter. Cette méthode n'est pas utilisable pour la cotation de la distance entre deux points non relié par une entité de dessin.
- **en mode indirect**: pointer le point de départ de chacune des deux lignes d'attache (c'est-à-dire l'origine et l'extrémité de la distance à coter). Il est conseillé dans ce cas d'utiliser les options d'accrochage aux objets (OSNAP) pour une cote exacte.

Il est également conseillé d'effectuer la cotation sur un calque spécifique.

Pour coter plus facilement un dessin, il est conseillé d'afficher la barre d'outils correspondante. Le détail est illustré à la figure 9.6

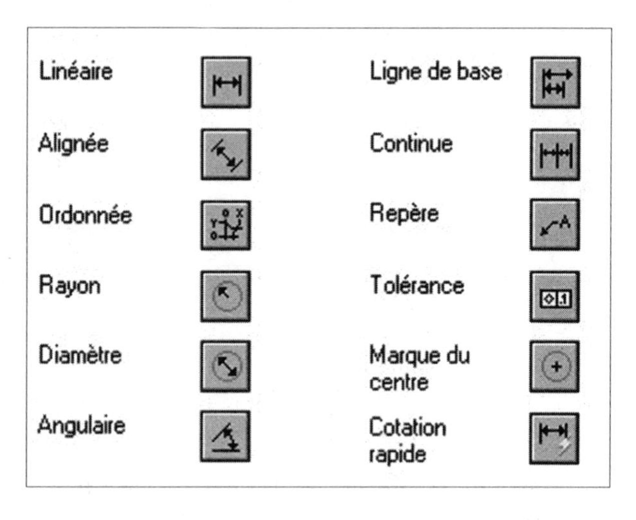

Fig. 9.6

La procédure pour créer une cote linéaire (horizontale ou verticale) ou alignée est la suivante:
Ce type de cotation permet de définir des cotes horizontales, verticales ou alignées par rapport à l'objet à mesurer.

1. Exécuter la commande cotation à l'aide de l'une des méthodes suivantes (fig. 9.7):

Choisir le menu déroulant DIMENSION (Cotation) puis l'option Linear (Linéaire) ou Aligned (Alignée).

Choisir l'icône Linear Dimension (Cotation linéaire) ou Aligned Dimension (Cotation alignée) de la barre d'outils Dimension (Cotation).

Taper la commande DIMLINEAR (Cotlin) ou DIMALIGNED (Cotali).

2 Appuyer sur Entrée pour sélectionner l'objet à coter ou désigner le point de départ des deux lignes d'attache.

3 Editer éventuellement le texte de la cote en entrant “t” (TE) au clavier. Taper le nouveau texte et cliquer sur OK.

4 Changer éventuellement l'angle d'orientation du texte en entrant “a” au clavier. Spécifier l'angle d'orientation voulu.

5 Définir l'emplacement de la ligne de cote.

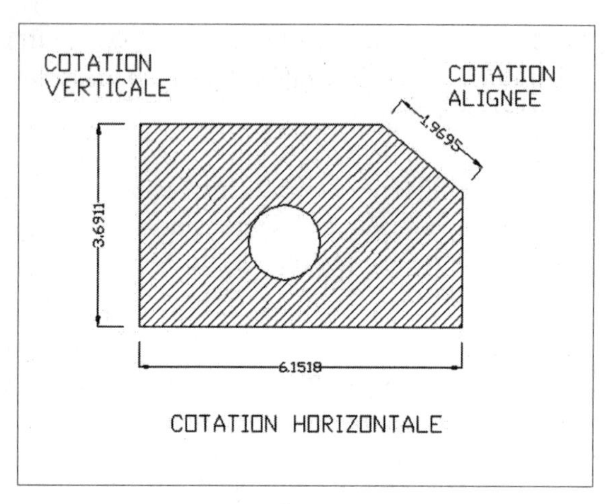

Fig. 9.7

La procédure pour réaliser une cotation en parallèle ou en série est la suivante:

Ce type de cotation permet d'afficher les cotes en parallèle à partir d'une ligne de base commune ou les cotes en série sans chevauchement.

1. Exécuter la commande COTATION à l'aide de l'une des méthodes suivantes:

Choisir le menu déroulant DIMENSION (Cotation) puis l'option Baseline (Ligne de base) ou Continue (Continue).

Choisir l'icône Baseline (Cotation de ligne de base) ou Continue Dimension (Cotation continue) de la barre d'outils Dimension (Cotation).

Taper la commande DIMBASELINE (Cotlign) ou DIMCONTINUE (Cotcont).

2 Dans le cas d'une cotation linéaire en parallèle, à partir d'une même ligne de base, AutoCAD commence automatiquement la nouvelle cote à partir de l'origine de la première ligne d'attache de la dernière cote effectuée ou d'une autre cote à sélectionner.

Dans le cas des cotes en série, AutoCAD commence automatiquement la nouvelle cote à partir de l'extrémité de la dernière ligne de cote effectuée ou d'une autre cote à sélectionner.

3 Activer le mode d'accrochage aux extrémités (OSNAP END) pour sélectionner le point P3 comme origine de la seconde ligne d'attache de la deuxième cote. AutoCAD affiche automatiquement la deuxième cote au-dessous (cote parallèle) ou à côté de la première ligne de cote (fig. 9.8).

4 Utiliser à nouveau le mode d'accrochage aux extrémités pour sélectionner l'origine de la ligne d'attache suivante (P4).

5 Appuyer deux fois sur Entrée pour quitter la commande.

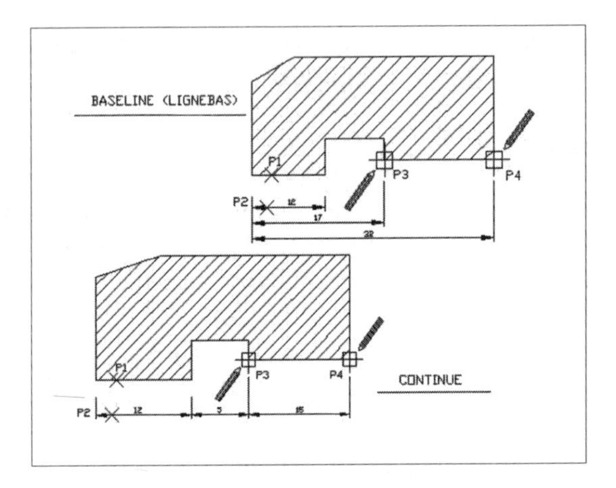

Fig. 9.8

La procédure pour réaliser une cotation radiale (rayon ou diamètre) est la suivante:

Ce type de cotation permet d'indiquer les dimensions des rayons et des diamètres des arcs et des cercles.

[1] Exécuter la commande cotation radiale à l'aide de l'une des méthodes suivantes (fig. 9.9):

Choisir le menu déroulant DIMENSION (Cotation) puis l'option Radius (Rayon) ou Diameter (Diamètre).

Choisir l'icône Radius Dimension (Cote de rayon) ou Diameter Dimension (Cote de diamètre) de la barre d'outils Dimension (Cotation).

Taper la commande DIMRADIUS (Cotrayon) ou DIMDIAMETER (Cotdia).

[2] Sélectionner l'arc ou le cercle à coter.

[3] Editer éventuellement le texte de la cote en entrant "t" (TE) au clavier. Taper le nouveau texte et cliquer sur OK.

[4] Changer éventuellement l'angle d'orientation du texte en entrant "a" au clavier. Spécifier l'angle d'orientation voulu.

[5] Définir l'emplacement de la ligne de cote.

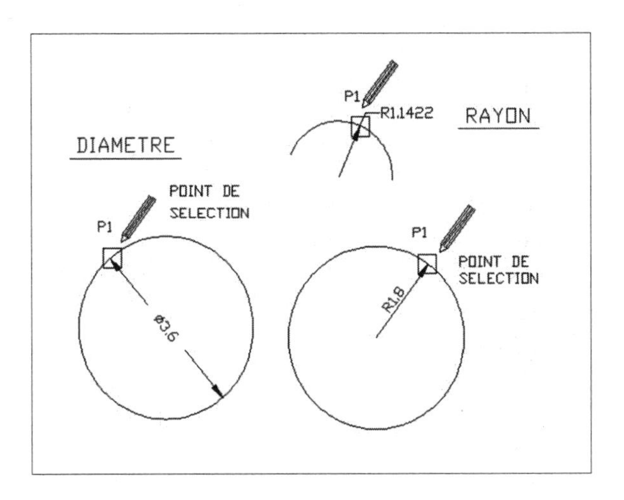

Fig. 9.9

La procédure pour réaliser une cotation angulaire est la suivante:
Ce type de cotation permet de mesurer l'angle formé par deux lignes (deux rayons d'un cercle ou d'un arc, ou deux lignes) ou défini par trois points.

1. Exécuter la commande cotation angulaire à l'aide de l'une des méthodes suivantes (fig. 9.10):

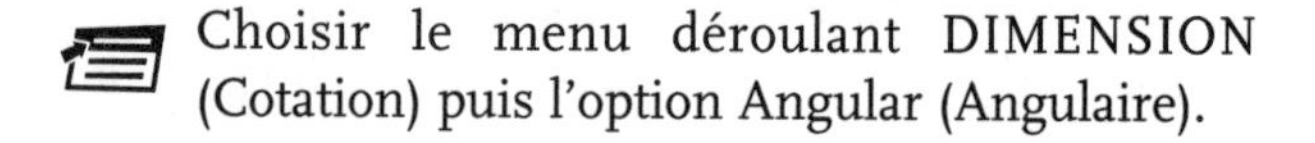

Choisir le menu déroulant DIMENSION (Cotation) puis l'option Angular (Angulaire).

Choisir l'icône Angular Dimension (Cotation angulaire) de la barre d'outils Dimension (Cotation).

Taper la commande DIMANGULAR (Cotang).

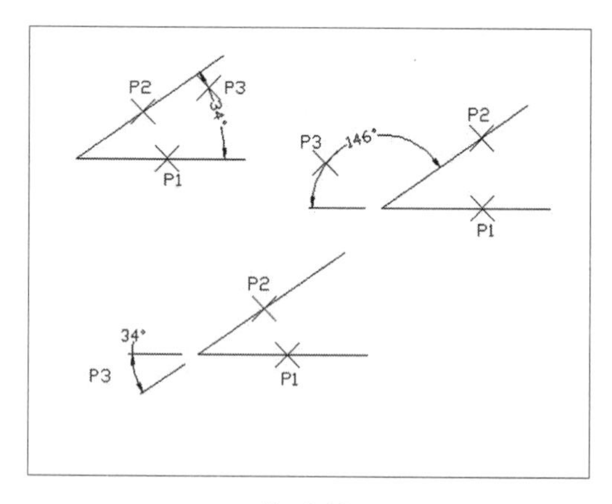

Fig. 9.10

2 Dans le cas d'un cercle ou d'un arc, sélectionner un premier point puis un deuxième point sur le cercle ou l'arc. Dans le cas de deux droites, sélectionner la première puis la deuxième droite. Dans le cas de trois points, appuyer sur Entrée. Déterminer ensuite le sommet de l'angle, puis deux points pour les extrémités de l'angle (fig. 9.11).

3 Editer éventuellement le texte de la cote en entrant "t" (TE) au clavier. Taper le nouveau texte et cliquer sur OK.

4 Changer éventuellement l'angle d'orientation du texte en entrant "a" au clavier. Spécifier l'angle d'orientation voulu.

5 Définir l'emplacement de la ligne de cote qui, dans ce cas, a la forme d'un arc.

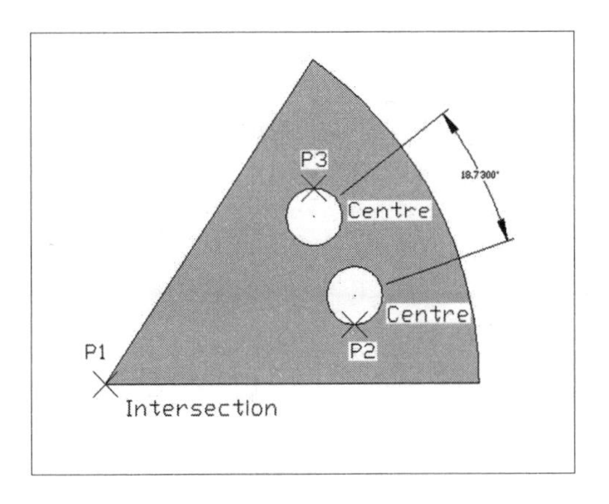

Fig. 9.11

La procédure pour effectuer une cotation rapide est la suivante :

La cotation rapide est particulièrement utile pour créer une série de cotes de ligne de base ou continues ou pour coter une série de cercles et d'arcs.

1 Exécuter la commande de cotation rapide à l'aide de l'une des méthodes suivantes (fig. 9.12):

Choisir le menu déroulant DIMENSION (Cotation) puis l'option QDIM (Cotation rapide).

Choisir l'icône Quick Dimension (Cotation rapide) de la barre d'outils Dimension (Cotation).

Taper la commande QDIM (cotrap).

2 Sélectionner les objets à coter et appuyer sur Entrée (P1 à P2)

3 Spécifier la position de la ligne de cote (P3) ou sélectionner une option.

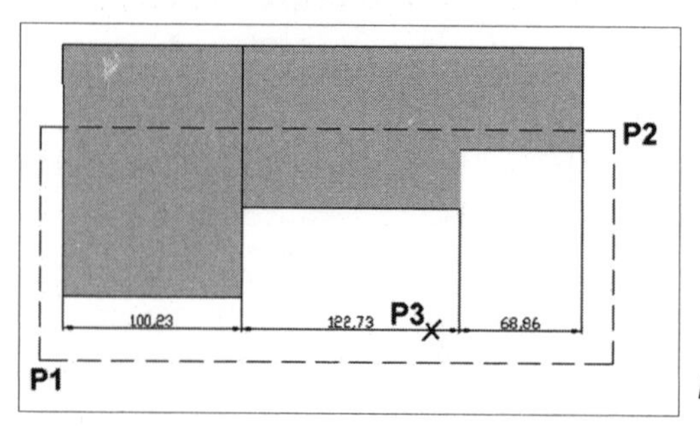

Fig. 9.12

Ajouter une annotation à l'aide d'une ligne de renvoi (Leader)

Les lignes de renvoi permettent d'ajouter des notes spécifiques à un dessin. Une ligne de renvoi est composée d'une ou plusieurs lignes, d'une flèche et d'un texte. La taille de la flèche et la position du texte sont établies par la valeur des variables de cotation actives. La forme de la flèche et le style des annotations sont établis à l'aide des options de la commande LEADER.

La procédure est la suivante:

1. Exécuter la commande de ligne de renvoi (Leader) à l'aide de l'une des méthodes suivantes (fig. 9.13):

   Choisir le menu déroulant DIMENSION (Cotation) puis l'option Leader (Repère).

   Choisir l'icône Quick Leader (Repère rapide) de la barre d'outils Dimension (Cotation).

   Taper la commande Qleader (Lrepererap).

2. Sélectionner le début de la ligne de renvoi (P1)
3. Sélectionner le deuxième point de la ligne de renvoi (P2)
4. Sélectionner le point suivant ou appuyer sur Entrée.

5 Taper le texte de l'annotation. Exemple: POUTRE 8x23.

6 Appuyer encore sur Entrée pour terminer.

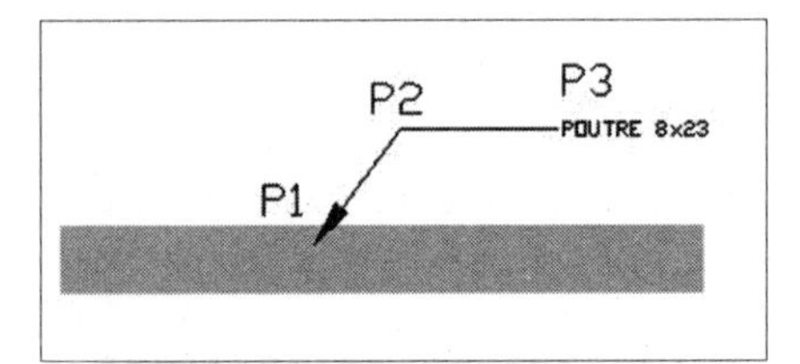

Fig. 9.13

4. Modifier les cotes

Il est possible de modifier les cotes de plusieurs manières dans AutoCAD:

- à l'aide des commandes d'édition: changer l'échelle (scale), étirer (stretch), ajuster (trim), prolonger (extend), etc. Il est important dans ce cas de sélectionner les points de définition des cotes concernées.
- à l'aide de commandes spécifiques aux cotations: incliner les lignes d'attache, faire pivoter le texte de la cote, remplacer le texte de la cote, etc.
- en modifiant le style général de la cotation: permet de modifier tous les paramètres définis lors de la création d'un style.
- en modifiant les propriétés d'une cotation : permet de modifier le style pour une cotation en particulier.

La procédure pour modifier la position du texte de la cote est la suivante:

1. Sélectionner le texte de la cote à déplacer.
2. Placer le curseur sur la poignée (grips) correspondant au texte. Elle devient rouge.
3. Déplacer la poignée (fig. 9.14).

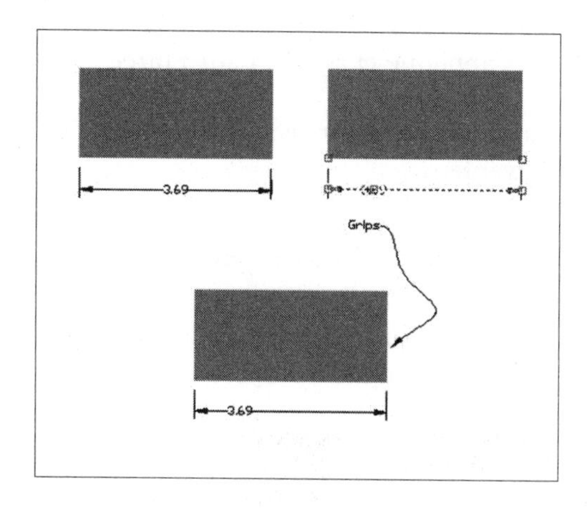

Fig. 9.14

La procédure pour remplacer le texte de la cote est la suivante:

1. Exécuter la commande DIMEDIT (Cotedit) au clavier (ligne de commande) ou sélectionner l'icône Dimension Edit (Modifier la cote) de la barre d'outils Dimension (Cotation).
2. Entrer "n" (New) pour définir le nouveau texte.

3 Taper le texte dans la boîte de dialogue Edit MText (Editeur de texte multilignes). Les signes <> représentent le texte de la cote. Pour rentrer un préfixe, il suffit de taper le texte avant les signes et pour rentrer un suffixe il suffit de taper le texte après. Pour remplacer le texte de la cote, il suffit de supprimer les signes et de taper la nouvelle valeur. Appuyer ensuite sur OK.

4 Sélectionner les cotes auxquelles le nouveau texte s'applique et appuyer sur Entrée.

La procédure pour redéfinir le style d'une cote est la suivante:

1 Exécuter la commande de modification à l'aide de l'une des méthodes suivantes (fig. 9.15):

Choisir le menu déroulant MODIFY (Modifier) puis l'option Properties (Propriétés).

Choisir l'icône Properties (Propriétés) de la barre d'outils principale.

Taper la commande DDMODIFY.

2 Sélectionner la cote à modifier.

3 Sélectionner les options à modifier dans la boîte de dialogue Properties (Propriétés).

4 Cliquer sur OK. La modification du style n'aura un effet que sur la cote sélectionnée.

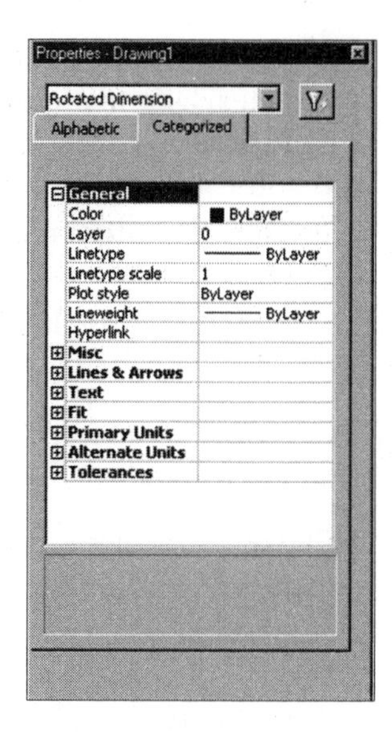

Fig. 9.15

La procédure pour modifier le style de toutes les cotes est la suivante:

La technique la plus simple pour modifier le style de toutes les cotes est de modifier le style en lui-même et de sauvegarder les modifications ainsi réalisées sous le même nom de style. L'ensemble des cotes correspondant à ce style sont automatiquement mises à jour dans le dessin. La procédure est la suivante:

1. Exécuter la commande de modification de style à l'aide de l'une des méthodes suivantes:

Choisir le menu déroulant DIMENSION (Cotation) puis l'option Styles.

Choisir l'icône Dimension Styles (Styles des cotes) de la barre d'outils Dimension (Cotation).

Taper la commande DDIM

2 Sélectionner, dans la liste Styles, le style à redéfinir puis cliquer sur Modify (Modifier).

3 Effectuer les modifications nécessaires dans les différents onglets.

4 Cliquer sur Close (Fermer) pour appliquer les modifications et sortir du gestionnaire des styles de cote.

5. La cotation associative

A partir d'AutoCAD 2002, la relation entre les objets géométriques et les cotes qui indiquent leurs dimensions devient complètement associative. Cela signifie qu'elles ajustent automatiquement leur position, leur orientation et la dimension indiquée lorsque les objets géométriques auxquels elles sont associées sont modifiés (fig. 9.16).

Le type d'association est réglée par la variable DIMASSOC qui peut prendre trois valeurs :

- 2 : la cotation est associative (valeur par défaut)
- 1 : la cotation n'est pas associative. Cela signifie qu'elle ne s'adapte pas automatiquement à toute modification des objets géométriques.

- o : la cotation est décomposée. Chaque composant d'une cote devient un objet distinct.

Les cotes créées par la commande de cotation rapide ne sont pas associatives mais peuvent être associées individuellement à l'aide de la commande DIMREASSOCIATE (COTREASSOCIER).

Pour réassocier une cote non associative la procédure est la suivante (fig. 9.16):

1. Exécuter la commande à l'aide de l'une des méthodes suivantes:

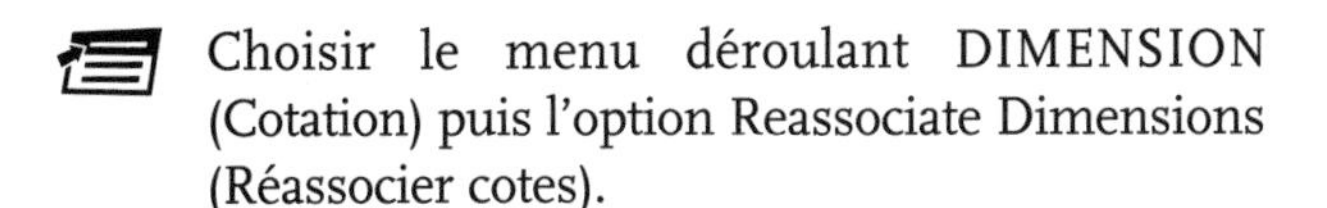

Choisir le menu déroulant DIMENSION (Cotation) puis l'option Reassociate Dimensions (Réassocier cotes).

Taper la commande DIMREASSOCIATE (Cotreassocier)

2. Sélectionner la cotation (pt A).
3. Sélectionner la première ligne d'attache (pt. B).
4. Sélectionner la seconde ligne d'attache (pt. C).

Lors de l'opération d'association, une croix indique que l'attache n'est pas associée et un carré indique que l'attache est associée.

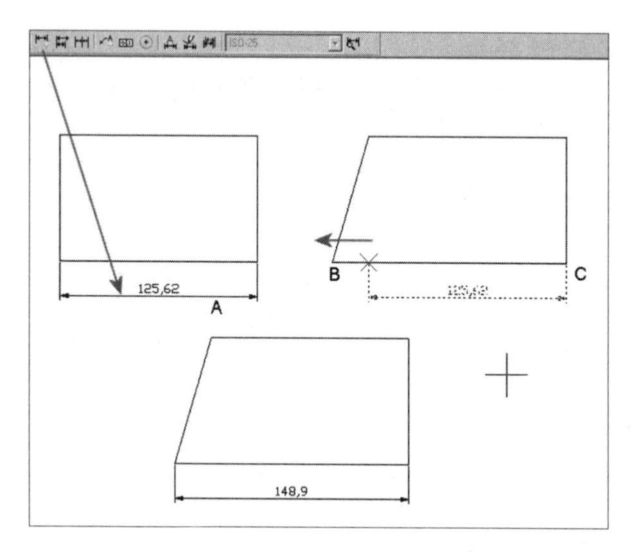

Fig. 9.16

6. La cotation dans l'espace papier

Si jusqu'à la version AutoCAD 2000i, le lieu idéal pour la cotation était l'espace objet, il n'en est plus de même à partir d'AutoCAD 2002 où l'espace de présentation peut également recevoir facilement les cotations. En effet, la nouvelle version offre les nouveautés suivantes :

- la cotation dans l'espace de présentation d'une entité située dans l'espace objet a la même valeur que la cotation dans l'espace objet de la même entité ;
- la taille de la cotation est identique quelle que soit l'échelle de la fenêtre dans laquelle se situe l'entité à coter (fig. 9.17) ;

- si on déplace ou modifie une entité dans l'espace objet, la cotation s'adapte automatiquement dans l'espace de présentation.

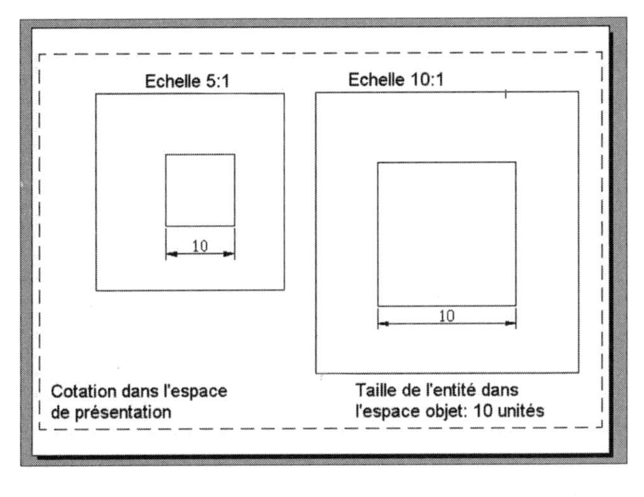

Fig. 9.17

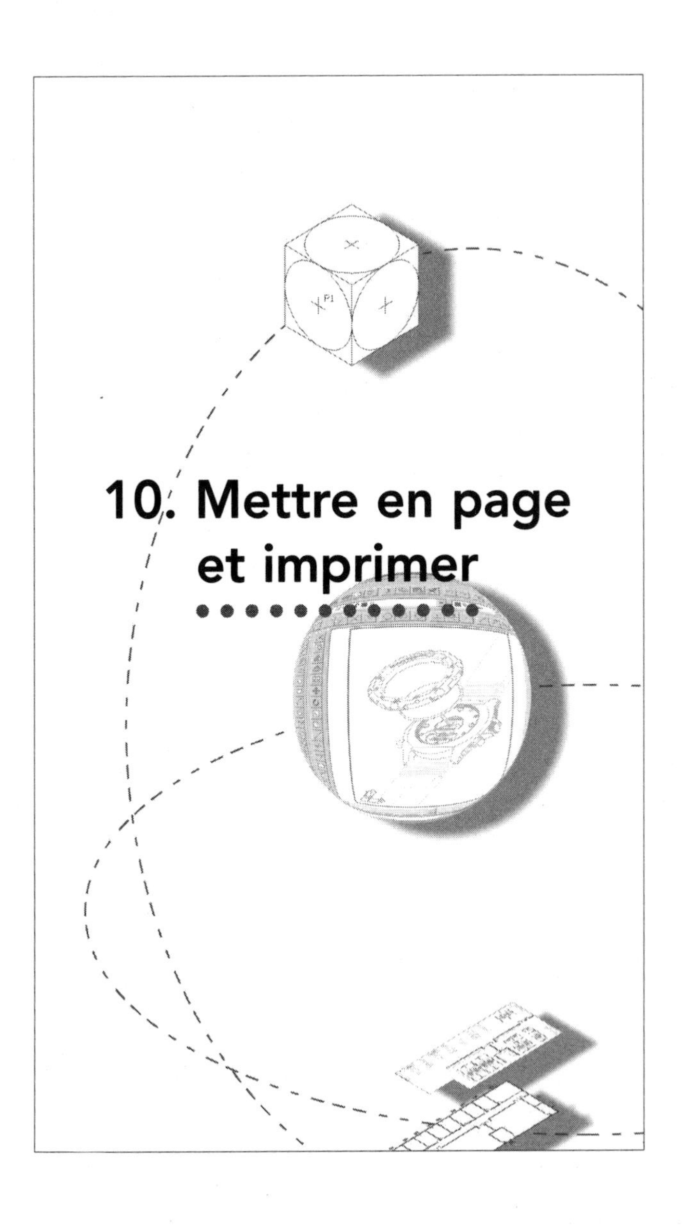

10. Mettre en page et imprimer

A voir dans ce chapitre

- L'espace objet et l'espace papier
- La configuration des traceurs et imprimantes
- La création des styles de tracé
- La mise en page dans l'espace objet et papier
- L'impression des documents

1. La mise en page et l'impression

Introduction

La mise en page et l'impression constituent les phases finales du travail avec AutoCAD. Il s'agit de deux étapes importantes car elles permettent de communiquer les projets réalisés à l'ensemble des personnes concernées. La clarté de la présentation et la justesse des échelles prises en compte sont essentielles pour une bonne compréhension des documents transmis.

La mise en page d'une feuille de dessin peut s'effectuer très facilement dans AutoCAD grâce à l'existence d'un environnement particulier dénommé "l'espace de présentation" (ou espace papier). Celui-ci permet de placer un cadre et un cartouche et de définir des fenêtres flottantes pouvant afficher n'importe quelle partie du dessin créé dans l'espace objet (fig. 10.1).

L'opération d'impression permet de définir la configuration du tracé (échelle de traçage, épaisseur des traits, choix du périphérique, etc.) et d'envoyer le dessin vers un fichier d'impression ou un périphérique d'impression.

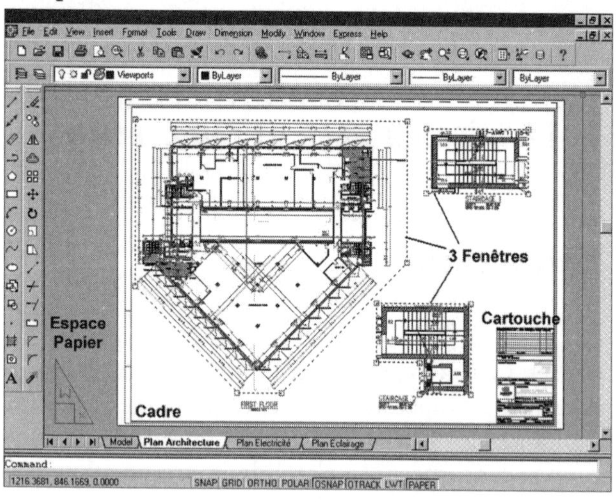

Fig. 10.1

Utilisation de l'espace papier et l'espace objet dans AutoCAD 2000-2002

Pour créer un modèle de dessin et configurer le tracé, il est toujours possible dans AutoCAD 2000-2002 d'utiliser, comme dans les versions antérieures, l'espace objet et l'espace papier. Toutefois, sous AutoCAD 2000-2002, l'environnement dont on se sert pour présenter et préparer un dessin à tracer est beaucoup plus visuel que dans les versions précédentes. Des onglets figurent au bas de la fenêtre de dessin : l'onglet Objet (Model) et au moins un onglet de présentation (layout). Pour accéder à l'espace objet, il convient de choisir l'onglet Objet ou d'activer une fenêtre flottante dans une présentation. C'est à l'onglet Objet que l'on fera le plus souvent appel pour créer et modifier le dessin. Il est aussi toujours possible de tracer le dessin à partir de l'onglet Objet.

Lorsque le dessin est prêt à être configuré pour le traçage, il convient de basculer vers un onglet de présentation (layout). Chaque onglet de présentation est associé à un espace papier dans lequel on peut créer des fenêtres et définir une mise en page pour chaque présentation à tracer. La mise en page n'est en fait qu'un ensemble de paramètres de tracé enregistrés avec la présentation. La configuration des paramètres de mise en page d'une présentation peut être enregistrée sous un nom, puis appliquée à une autre présentation. Il est également possible de créer une nouvelle présentation à partir d'un fichier gabarit de présentation déjà défini (.dwt ou .dwg).

En principe, le tracé d'une présentation se déroule en plusieurs étapes:

- Création d'un modèle de dessin
- Configuration d'un périphérique de traçage
- Création de styles de tracé
- Activation ou création d'une présentation
- Définition de la mise en page de la présentation (périphérique de traçage, style du tracé, format de papier, aire de tracé, échelle du tracé et orientation du dessin)
- Insertion d'un cadre et d'un cartouche
- Création de fenêtres flottantes et positionnement dans la présentation
- Définition de l'échelle des fenêtres flottantes
- Au besoin, annotation, cotation ou création d'un élément de géométrie dans la présentation
- Traçage de la présentation

2. La configuration des traceurs et imprimantes

Outre l'utilisation d'une imprimante système configurée dans Windows, AutoCAD est aussi fourni avec plusieurs pilotes de traceur non système spécialisés. Pour réaliser une impression à l'aide de l'un de ces pilotes de traceur, il convient de configurer le traceur non système, qu'il soit local ou en réseau, à l'aide du Gestionnaire de traçage d'Autodesk®.

Le Gestionnaire de traçage d'Autodesk permet de configurer trois catégories d'imprimantes :

- l'imprimante (ou traceur) locale (ordinateur individuel) non système (c'est-à-dire non configurée dans Windows).
- l'imprimante (ou traceur) réseau non système.
- l'imprimante (ou traceur) système (pour modifier certains paramètres déjà définis dans Windows).

Dans le cas particulier d'une imprimante système Windows, la configuration se fait de la manière suivante :

1. Dans le menu File (Fichier) choisir Plotter Manager (Gestionnaire de traçage).
2. Cliquer deux fois sur l'icône Add-A-Plotter Wizard (Assistant Ajouter un traceur) dans la fenêtre Plotters (Traceurs) (fig. 10.2)
3. Une fois dans l'assistant Add Plotter (Ajouter un traceur) , il convient de lire la présentation puis de cliquer sur Next (Suivant) pour ouvrir la page de début de configuration.
4. Dans la page de début (Begin) de l'assistant Ajouter un traceur, cliquer sur System Printer (Imprimante système). Cliquez sur Next (Suivant).
5. Dans la page System Printer (Imprimante systè-

me) de l'assistant Ajouter un traceur, sélectionnez l'imprimante système à configurer.

Cette liste présente toutes les imprimantes système définies sur le système. Si l'on souhaite connecter une imprimante absente de la liste, il faut préalablement l'ajouter par le biais de l'assistant Ajout d'imprimante du Panneau de configuration de Windows.

6 Cliquer sur Next (Suivant) pour aboutir à l'écran Import Pcp or Pc2 (Importer fichier PCP ou PC2). Il permet d'utiliser les données de configuration d'un fichier PCP ou PC2 créé sous une version antérieure à AutoCAD 2000. Cliquer sur Next (Suivant), si cette option ne présente pas d'intérêt.

7 Dans la page de définition du nom du traceur (Plotter Name), entrer un nom identifiant le traceur en cours de configuration. Cliquer sur Next (Suivant).

8 Dans la page Finish (Fin), on peut modifier les paramètres par défaut du traceur en sélectionnant Edit Plotter Configuration (Modifier la configuration du traceur). Il est également possible de tester l'étalonnage du nouveau traceur configuré en sélectionnant Calibrate Plotter (Calibrer le traceur).

9 Cliquer sur Terminer pour quitter cet assistant.

Fig. 10.2

3. La création d'un style de tracé

Jusqu'à la version 14 d'AutoCAD, la seule façon d'assigner une épaisseur de trait à un objet était d'utiliser la couleur via la rubrique Pen assignments (Choix des plumes) de la commande PLOT (Imprimer). Avec AutoCAD 2000 est apparue une nouvelle propriété, appelée style de tracé (Plot Style), qui permet de modifier l'apparence d'un dessin imprimé de manière beaucoup plus élaborée. En modifiant le style de tracé d'un objet, il est possible d'intervenir sur sa couleur, ainsi que sur le type et l'épaisseur de ses lignes. On peut à présent également définir des styles d'extrémité, de jointure ou de remplissage, ou encore des effets de sortie comme le panachage, les nuances de gris, le choix des plumes ou le tramage. Les styles de tracé permettent par ailleurs d'imprimer le même dessin de plusieurs manières.

Les caractéristiques des styles de tracé sont définies dans des tables de styles de tracé que l'on peut associer à l'onglet Objet (c'est-à-dire aux éléments de l'espace Objet), aux présentations et aux fenêtres des présentations (c'est-à-dire aux éléments de l'espace papier). Il est également possible d'associer un style à un calque ou à un objet en particulier.

Les modes de styles de tracé

Il existe deux modes de styles de tracé : le mode Dépendant de la couleur (Color-dependent Plot Style) et le mode Nommé (Named Plot Style). Chaque dessin ouvert dans AutoCAD 2000 est soit dans un mode soit dans l'autre.

Mode de style de tracé dépendant de la couleur

Les styles de tracé dépendants de la couleur sont basés sur la couleur de l'objet. Il existe 255 styles de tracé dépendants de la couleur. Chaque couleur représente ainsi un style de couleur différent. Dans une table de styles de tracé dépendants de la couleur, il n'est pas possible d'ajouter, supprimer ni renommer des styles de tracé. On peut y contrôler la manière dont tous les objets de la même couleur s'impriment en mode dépendant de la couleur en adaptant le style de tracé correspondant à cette couleur d'objet. Dans un modèle dépendant de la couleur, on peut modifier le style de tracé utilisé par un objet en modifiant la couleur de l'objet. Les tables de styles de tracé dépendants de la couleur sont enregistrées dans des fichiers ayant l'extension .ctb.

Mode de style de tracé nommé

Les styles de tracé nommés sont indépendants de la couleur de l'objet. Il est ainsi possible d'attribuer n'importe quel style de tracé à un objet, quelle que soit sa couleur. En effet, en associant une couleur à une plume spécifique, on perd la possibilité de travailler avec cette couleur indépendamment de l'épaisseur et du type de ligne. Les styles de tracé nommés permettent d'utiliser la propriété de couleur de l'objet comme toute autre propriété. Les tables de styles de tracé nommés sont enregistrées dans des fichiers ayant l'extension .stb.

Par exemple, si l'on a un projet de construction à réaliser par étapes, on peut utiliser la procédure suivante :

- Créer une table de styles de tracé qui définit des styles de tracé, par exemple, Phase 1 et Phase 2 pour les objets concernés par les différentes phases du projet.
- Utiliser le rouge pour les objets de la Phase 1 et la gamme de gris pour ceux de la Phase 2.

- Dans la fenêtre des propriétés, affecter le style de tracé Phase 1 aux objets de la phase 1 et le style de tracé Phase 2 aux objets de la Phase 2.

Comment définir le mode de style de tracé pour les nouveaux dessins

Il est possible de modifier le mode des nouveaux dessins ou des dessins créés dans des versions antérieures d'AutoCAD qui n'ont pas encore été sauvegardés dans AutoCAD 2000 (ou 2002). Le mode du style de tracé est spécifié sur l'onglet Plotting (Traçage) de la boîte de dialogue OPTIONS.

Procédure

1. Dans le menu Tools (Outils), choisir Options puis l'onglet Plotting (Traçage).
2. Sous Default Plot Style Behavior for New Drawings (Style de tracé par défaut des nouveaux dessins), indiquer le mode de style de tracé à utiliser en sélectionnant l'une des options suivantes (fig. 10.3):
   - Use Color Dependent Plot Styles (Utiliser les styles de tracé dépendants des couleurs)
   - Use Named Plot Styles (Utiliser styles de tracé nommés)

3 Sélectionner le style de tracé par défaut dans la liste Default plot style table (Table des styles de tracé par défaut).

4 Cliquer sur OK.

Conseils

Pour visualiser les effets de cette modification, il faut commencer un nouveau dessin ou ouvrir un dessin qui n'a pas encore été sauvegardé dans AutoCAD 2000-2002. Cette modification n'a donc pas d'incidence sur le dessin courant. En d'autres mots, il n'est pas possible de passer d'un type de style à un autre pour le dessin en cours.

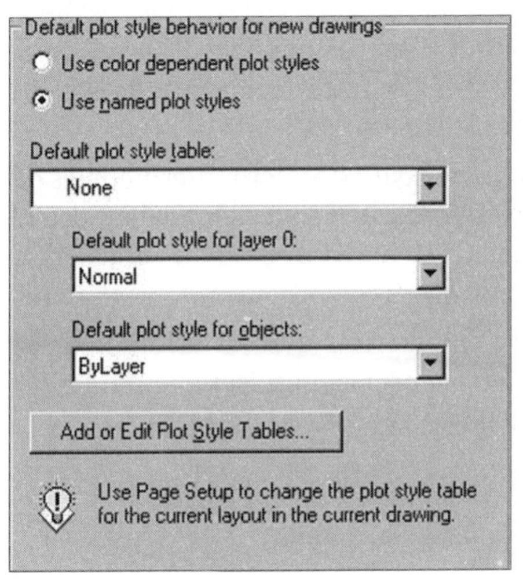

Fig. 10.3

Comment créer une table de styles de tracé

La création d'un style de tracé s'effectue à l'aide de tables de styles de tracé, qui sont de deux types : les tables de styles de tracé nommés et les tables de styles de tracé dépendants de la couleur.

Les tables de styles de tracé nommés contiennent des définitions de style de tracé nommées STYLE1, STYLE2, etc. On peut ajouter de nouveaux styles et au besoin, modifier leur nom pour en choisir un plus descriptif : par exemple, PHASE CONSTRUCTION 1, PHASE PAYSAGE, ou CANALISATIONS EAU. Les tables de styles de tracé dépendants de la couleur contiennent 255 styles de tracé nommés COLOR_1, COLOR_2, etc. Chaque style de tracé est lié à une couleur ACI. Il n'est pas possible d'ajouter ou de supprimer des styles de tracé dépendants de la couleur, ni de modifier leur nom.

Les tables de styles de tracé renferment les définitions des styles de tracé et sont mémorisées sous forme de fichiers CTB et STB dans le dossier AutoCAD 2002\plot styles.

Pour se familiariser avec la création d'un style de tracé, il est conseillé d'utiliser en premier lieu le style dépendant de la couleur.

Procédure pour créer une table de styles de tracé dépendants de la couleur:

1. Dans le menu Tools (Outils), choisir Wizards (Assistants) puis Add Color-Dependent Plot Style Table (Ajouter des tables de styles de tracé dépendants des couleurs).

2. Dans la page Begin (Début) de l'assistant Add Color-Dependent Plot Style Table (Ajouter des tables de style de tracé dépendants des couleurs), choisir l'une des options suivantes, puis cliquer sur Next (Suivant).

   - Start from scratch (Commencer avec un brouillon) : crée une nouvelle table de styles de tracé.
   - Use a CFG file (Utiliser un fichier CFG) : crée une table de styles de tracé en utilisant les choix de plumes enregistrés dans le fichier CFG. Il convient de choisir cette option pour importer des paramètres si l'on n'a pas de fichier PCP ou PC2.
   - Use a PCP or PC2 file (Utiliser un fichier PCP ou PC2) : crée une table de styles de tracé en utilisant les choix de plumes enregistrés dans un fichier PCP ou PC2.

3. Si l'on importe les informations d'un fichier PCP ou PC2 (version antérieure à AutoCAD 2000), il faut indiquer dans la page Browse File Name (Rechercher nom de fichier), le chemin d'accès complet au fichier à utiliser, ou choisissez Browse (Parcourir) pour localiser le fichier.

Si l'on importe les informations d'un fichier CFG, il faut également préciser le traceur dont on souhaite utiliser les paramètres. Il est possible que le fichier CFG comporte des informations relatives à plusieurs traceurs.

[4] Dans la page File Name (Nom de fichier), indiquer le nom destiné à la table de styles de tracé dépendants des couleurs. Cliquer ensuite sur Next (Suivant).

[5] Dans la page Finish (Fin), si l'on veut lier cette table de styles de tracé par défaut à tous les nouveaux dessins et aux dessins créés dans des versions antérieures à AutoCAD 2000, il faut sélectionner Use this plot style table for new and pre-AutoCAD 2000 drawings (Utiliser cette table pour les nouveaux dessins).

[6] Pour modifier la table par défaut, cliquer sur Plot Style Table Editor (Editeur de la table des styles de tracé) (fig. 10.4). Les principaux paramètres à modifier sont : Color (Couleur), pour imprimer tous les traits en N/B par exemple, et Lineweight (Epaisseur de ligne) pour donner une épaisseur de trait à chaque définition de couleur.

[7] Cliquez sur Finish (Terminer) pour créer la table de styles de tracé dépendants de la couleur et quitter l'Assistant.

Le fichier CTB résultant apparaît dans le Gestionnaire des styles du tracé. La table des styles de tracé contient 255 styles, un pour chaque couleur AutoCAD. Il n'est pas possible d'ajouter, supprimer ni renommer les styles d'une table de styles de tracé dépendants de la couleur.

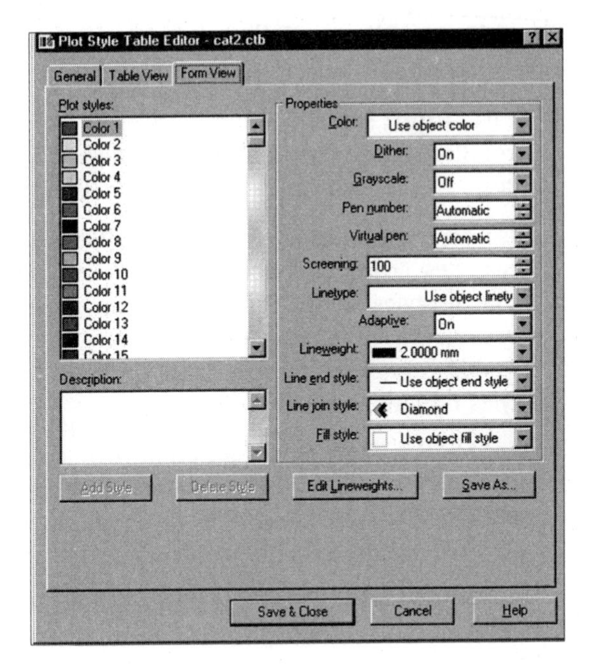

Fig. 10.4

Procédure pour créer une table de styles de tracé nommés (named plot style)

[1] Dans le menu Tools (Outils), choisir Wizards (Assistants) puis Add Plot Style Table (Ajouter des tables de style de tracé).

2. Dans l'assistant Add Plot Style Table (Ajouter des tables de style de tracé), il convient de lire le texte d'introduction puis de cliquer sur Next (Suivant).

3. Dans la page Begin (Début), choisir l'une des options suivantes, puis cliquer sur Next (Suivant).

   - Start from scratch (Commencer avec un brouillon) : crée une nouvelle table de styles de tracé.

   - Use an existing plot style table (Utiliser une table des styles de tracé existante): crée une table de styles de tracé en utilisant une table de styles de tracé nommés existante. Cette nouvelle table comprend tous les styles de la table de styles nommés originale.

   - Use My R14 Plotter Configuration (Utiliser ma configuration du traceur R14): crée une table de styles de tracé en utilisant les choix de plumes enregistrés dans le fichier acadr14.cfg.

   - Use a PCP or PC2 file (Utiliser un fichier PCP ou PC2) : crée une table de styles de tracé en utilisant les choix de plumes enregistrés dans un fichier PCP ou PC2.

4. Dans la page Pick Plot Style Table (Choisir une table des styles de tracé), sélectionner Named Plot Style Table (Table des styles de tracé nommés). Cliquer sur Suivant.

5. Dans le cas d'une importation d'informations d'un fichier CFG, PCP ou PC2, il convient d'indiquer

dans la page Browse File name (Rechercher nom de fichier), le chemin d'accès complet au fichier à utiliser, ou choisir Browse (Parcourir) pour localiser le fichier.

Dans le cas d'une importation d'informations d'un fichier CFG, il faut également préciser le traceur dont on souhaite utiliser les paramètres. Il est possible que le fichier CFG comporte des informations relatives à plusieurs traceurs.

6 Dans la page File Name (Nom de fichier), entrer le nom destiné à la table de styles de tracé, puis cliquez sur Next (Suivant).

7 Dans la page Finish (Fin), si l'on souhaite lier cette table de styles de tracé par défaut à tous les nouveaux dessins et aux dessins créés dans des versions antérieures à AutoCAD 2000, il faut activer Use this plot style table for new and pre-AutoCAD 2000 drawings (Utiliser cette table pour les nouveaux dessins). Ce champ n'est accessible que si l'on a choisi Use named plot styles (Utiliser les styles de tracé nommés) dans l'onglet Plotting (Traçage) de la boîte de dialogue Options.

8 Pour ajouter des styles à la table des styles, il faut cliquer sur Plot Style Table Editor (Editeur de la table des styles de tracé). Les options sont illustrées à la figure 10.5.

9 Cliquer sur Finish (Terminer) pour créer la table de styles de tracé nommés et quitter l'Assistant.

Le fichier STB résultant apparaît dans le Gestionnaire des styles du tracé. Selon l'option choisie à l'étape 3, la table de styles de tracé contient soit le style par défaut, NORMAL, soit un certain nombre de styles issus d'une table existante ou d'un fichier acadr14.cfg, PCP ou PC2.

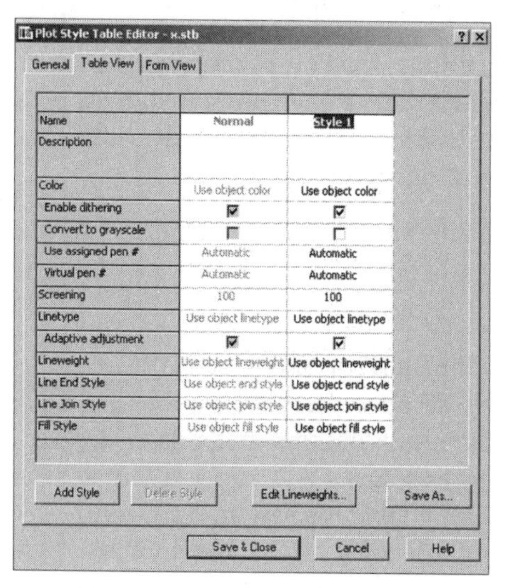

Fig. 10.5

Comment utiliser des styles de tracé

Les styles de tracé peuvent être utilisés à plusieurs niveaux dans AutoCAD, à savoir :

- Pour un objet particulier
- Pour un calque
- Pour la globalité de l'espace objet

- Pour une présentation (layout) dans l'espace papier.

Association d'une table de styles de tracé à l'espace objet ou aux présentations de l'espace papier

Les styles de tracé sont définis dans des tables, qui peuvent être associées à l'onglet Objet, ou aux présentations. Pour associer une table de styles de tracé à une présentation, il convient d'utiliser la boîte de dialogue Page Setup (Configurations de tracés).

Si l'on insère une référence externe dans le dessin, toutes les tables de styles de tracé définies sont également insérées. On peut modifier l'aspect des objets en modifiant les tables de styles de tracé associées à l'aide de l'Editeur de la table de styles de tracé.

Pour associer une table de styles de tracé à l'onglet Objet ou à une présentation, la procédure est la suivante :

1. Choisir l'onglet Objet ou l'onglet de la présentation à laquelle on souhaite associer la table de styles de tracé.
2. Dans le menu File (Fichier), choisir Page Setup (Mise en page).
3. Dans la boîte de dialogue correspondante, choisir Plot Device (Périphérique de traçage) pour

afficher l'onglet correspondant s'il n'est pas déjà à l'écran.

4 Sous Plot style table (Table des styles de tracé), sélectionner une table de styles de tracé dans la liste proposée.

5 Cliquer sur OK.

Modification de la propriété Style du tracé pour un objet ou un calque

Tout objet AutoCAD possède un style de tracé, comparable à une propriété, par exemple la propriété de couleur. De même que chaque calque possède une valeur de couleur, chaque calque possède une propriété de style de tracé. Pour définir le style de tracé courant des nouveaux objets et calques, il convient d'utiliser la commande OPTIONS du menu Tools (Outils). Le style de tracé des objets peut être l'un des suivants :

- Normal : utilise les propriétés par défaut de l'objet.
- Bylayer (Ducalque) : utilise les propriétés du calque contenant l'objet.
- Bybloc (Dubloc) : utilise les propriétés du bloc contenant l'objet.
- Other (autre): utilise les propriétés indiquées dans le style de tracé.

Le paramètre de style de tracé par défaut d'un objet est Bylayer (Ducalque). Le paramètre de style de tracé initial d'un calque est NORMAL. Lorsque l'objet est tracé, il conserve ses propriétés d'origine.

A mesure que l'on crée des objets et des calques, AutoCAD leur attribue le style de tracé courant. Si l'on insére un bloc, les objets arrivent avec le style de tracé qui leur a été attribué.

Si le style de tracé est défini dans une table de styles de tracé associée à une présentation ou à l'onglet Objet, le style de tracé est appliqué à l'objet au moment du traçage. Si le style de tracé n'existe pas dans la table des styles de tracé ou si aucune table de styles de tracé n'a été associée à la présentation, à la fenêtre ou à l'onglet Objet, aucune modification n'est apportée à l'objet lors du traçage.

Dans le cas du travail en mode de style de tracé nommé, il est possible de modifier le style de tracé d'un objet ou d'un calque à tout moment. En revanche, si l'on travaille en mode dépendant de la couleur, on ne peut pas modifier le style de tracé car celui-ci est déterminé par la couleur de l'objet ou du calque.

Pour modifier le style de tracé nommé d'un objet, la procédure est la suivante :

1. Dans le menu Modify (Modifier), choisir Properties (Propriétés).
2. Sélectionner l'objet à modifier.

3 Dans la fenêtre Properties (Propriétés), sélectionner Plot Style (Style de tracé).

4 Dans la liste des styles de tracé de la table des styles de tracé, sélectionner celui qui convient .

Pour modifier le style de tracé nommé d'un calque, la procédure est la suivante :

1 Choisir Layer (Calque) dans le menu Format ou dans la barre d'outils Propriétés des objets.

2 Dans la boîte de dialogue Layer Properties Manager (Gestionnaire des propriétés des calques), sélectionnez le calque à modifier (fig. 10.6).

3 Dans la colonne Plot Style (Style de tracé), sélectionner un style de tracé pour le calque.

4 Cliquer sur OK.

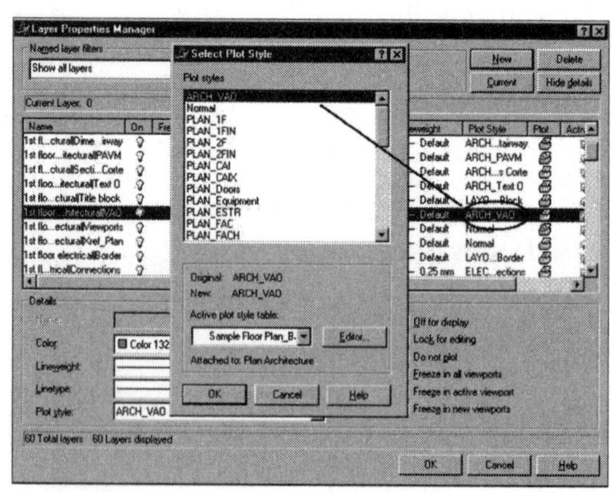

Fig. 10.6

Comment afficher des styles de tracé dans un dessin

Lorsque l'on fait appel à des styles de tracé, on a la possibilité d'afficher les modifications apportées aux propriétés d'objet au moment où l'on régénère le dessin. Il n'est donc pas indispensable d'imprimer le dessin pour voir le résultat. L'affichage des styles de tracé peut cependant ralentir les performances. Si l'on choisit de ne pas afficher les styles de tracé dans le dessin, on peut néanmoins les visualiser à l'aide de l'option Full Preview (Aperçu total) de la boîte de dialogue Plot (Tracer).

Pour afficher des styles de tracé dans un dessin, la procédure est la suivante :

1 Cliquer sur l'onglet de présentation à l'endroit où l'on souhaite afficher des styles de tracé.

2 Dans le menu File (Fichier), choisir Page Setup (Mise en page).

4 Sur l'onglet Plot Device (Périphérique de traçage), sous Plot style table (Table des styles de tracé), sélectionner Display plot styles (Afficher style de tracé).

4 Cliquer sur OK.

Conseils

> Dans certains cas, il convient d'utiliser la commande Regenall (Regntout) pour afficher des styles de tracé dans une présentation.

4. La mise en page dans l'espace objet

Le cadre et le cartouche

Si l'environnement idéal pour réaliser une mise en page est l'espace papier, il est cependant possible de rester dans l'espace objet et d'imprimer son projet à partir de cet environnement. Dans ce cas, il convient de se rappeler des notions abordées dans le chapitre 2 portant sur la préparation de sa feuille de travail. Pour rappel, il faut savoir que le travail dans cet environnement s'effectue en vraie grandeur et donc que le dessin du cadre et du cartouche doivent tenir compte de cette propriété. Ainsi, si le plan a été réalisé par exemple avec le mètre comme unité et si l'impression devra se faire à l'échelle 1/50 sur une feuille A3, il convient de créer un cadre de 21 x 14,85 unités (ou m pour l'utilisateur). En effet, 21 m imprimés à l'échelle 1/50 donnent bien 42 cm qui est la dimension d'un A3.

Effectuer la mise en page dans cet environnement demande donc de créer un cadre et un cartouche distinct par format de papier (A0, A1, A2...), par unité de travail (m, cm, mm) et par échelle de sortie (1/100,

1/50, 1/20...). Cela peut facilement représenter plus de 60 configurations différentes, alors que dans l'espace papier seul le format du papier exige une configuration distincte.

Le style de tracé

Il est possible d'attacher un style de tracé à l'onglet Model (Objet) selon la procédure suivante:

1. Cliquer avec la touche droite de la souris sur l'onglet Model (Objet).
2. Sélectionner Page Setup (Configuration de tracé).
3. Dans l'onglet Plot Device (Périphérique de traçage) de la boîte de dialogue Page Setup - Model (Configuration de tracé - Objet), sélectionner un style de tracé dans la liste déroulante Name (Nom).
4. Répondre éventuellement Non à la question Assign this plot style table to all layouts ? (Voulez-vous appliquer cette table des styles de tracé à toutes les présentations), afin de limiter ce style à l'onglet Model (Objet).
5. Cliquer sur OK.
6. Pour visualiser l'effet du style sélectionné, cliquer sur l'icône Print Preview (Aperçu avant l'impression) de la barre d'outils standard.

5. La mise en page dans l'espace papier

Lorsque le dessin est terminé dans l'espace objet, il est temps de configurer celui-ci pour le traçage. Pour cela, il convient de basculer vers un onglet de présentation (Layout). Chaque onglet de présentation est associé à un espace papier dans lequel on peut créer des fenêtres et définir une mise en page pour chaque présentation à tracer. La mise en page n'est en fait qu'un ensemble de paramètres de tracé enregistrés avec la présentation. La configuration des paramètres de mise en page d'une présentation peut être enregistrée sous un nom, puis appliquée à une autre présentation. Il est également possible de créer une nouvelle présentation à partir d'un fichier gabarit de présentation déjà défini (.dwt ou .dwg).

En principe, la mise en page se déroule en plusieurs étapes :

- Activation ou création d'une présentation
- Définition de la mise en page de la présentation (périphérique de traçage, format de papier, aire de tracé, échelle du tracé et orientation du dessin)
- Insertion d'un cadre et d'un cartouche
- Création de fenêtres flottantes et positionnement dans la présentation
- Définition de l'échelle des fenêtres flottantes

- Au besoin, annotation, cotation ou création d'un élément de géométrie dans la présentation

Utilisation de l'espace papier

L'espace papier représente la zone graphique ou le " papier " sur lequel on organise le dessin avant le traçage. Avec AutoCAD 2002, la conception et la manipulation des environnements d'espace papier, simples ou multiples, s'articulent autour d'onglets de présentation (layout). Pour accéder aux présentations, il suffit de cliquer sur un onglet situé dans la partie inférieure de la zone de dessin. Chaque présentation est une feuille de tracé ou une feuille d'un projet de dessin distincte. Lorsque l'on crée une présentation, on peut ajouter des fenêtres flottantes. Une fois que des fenêtres flottantes ont été créées dans une présentation, on peut définir une échelle pour chacune des vues de la fenêtre et appliquer différentes visibilités aux calques qu'elle contient. Il est également possible d'associer une table de styles de tracé à une présentation ou à une fenêtre.

Première activation d'un onglet de présentation

La première fois qu'une présentation est activée, en cliquant par exemple sur l'onglet Layout1 (Présentation1), la boîte de dialogue Page Setup (Configuration de tracé) s'affiche à l'écran. Cette dernière permet de configurer les points suivants :

- Le nom de la présentation
- Le choix de l'imprimante qui sera utilisée pour l'impression
- Le style de tracé à utiliser dans le cadre de la présentation
- Le format du papier et son orientation
- La zone du dessin à imprimer et l'échelle utilisée
- Le centrage du dessin

L'ensemble de ces paramètres peut être sauvegardé sous un nom pour une utilisation ultérieure.

La configuration d'une Présentation s'effectue de la manière suivante :

1. Cliquer sur l'onglet Layout 1 (Présentation 1), en bas de l'écran.
2. La boîte de dialogue Page Setup (Configuration de tracé s'affiche à l'écran (fig. 10.7).
3. Cliquer sur l'onglet Plot Device (Périphérique de traçage).
4. Dans la zone Plotter Configuration (Configuration du traceur), sélectionner l'imprimante à utiliser dans la liste déroulant Name (Nom). Par exemple : DesignJet 750C.
5. Cliquer éventuellement sur Properties (Propriétés) pour modifier la configuration courante du traceur.

[6] Dans la zone Plot Style Table (Editeur de la table des styles de tracé), sélectionner la table de style à utiliser, dans la liste déroulant Name (Nom). Par exemple : Style 1.

[7] Cliquer éventuellement sur New (Nouveau) si le style n'a pas encore été créé.

[8] Cocher éventuellement le champ Display plot style (Afficher styles de tracé) pour visualiser à l'écran l'effet du style de tracé.

[9] Cliquer sur l'onglet Layout settings (Mise en page).

[10] Sélectionner le format du papier dans la liste déroulante Paper Size (Format de papier). Par exemple : ISO A1.

[11] Sélectionner l'unité. Par exemple : mm.

[12] Sélectionner l'orientation du papier. Par exemple : Landscape (Paysage).

[13] Dans la zone Plot Area (Aire de tracé) sélectionner l'aire du dessin à tracer. Par exemple : Layout (Présentation), pour tracer le contenu de la présentation.

[14] Sélectionner l'échelle du tracé dans la liste déroulante Plot scale (Echelle du tracé). Par défaut, les présentations sont tracées à l'échelle 1 : 1.

[15] Sauver éventuellement l'ensemble des paramètres sous un nom, en cliquant sur le bouton Add (Ajouter) situé dans la zone Page setup name (Nom de configuration de tracés).

[16] Cliquer sur OK pour confirmer la configuration et retourner à l'écran AutoCAD. La fenêtre de présentation comprend à présent 3 cadres (fig. 10.8):

- Un cadre blanc : la feuille de dessin selon le format sélectionné
- Un cadre pointillé : la zone imprimable tenant compte des marges du traceur.
- Un cadre en trait plein : une fenêtre par défaut permettant de visualiser le contenu de l'espace objet.

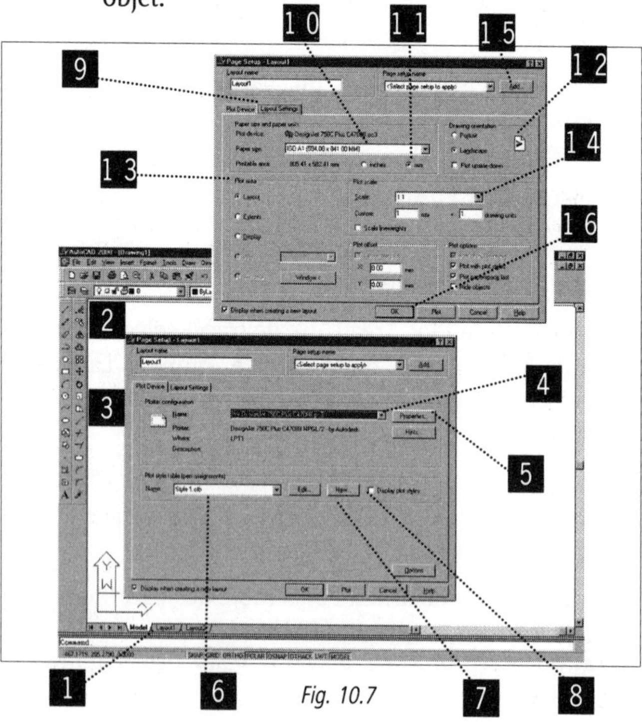

Fig. 10.7

1) Cliquez pour sélectionner l'onglet
2) La boîte de configuration s'affiche
3) Cliquez pour sélectionner l'onglet
4) Sélectionnez le traceur
5) Cliquez pour définir les paramètres
6) Sélectionnez le style de tracé
7) Cliquez pour définir un nouveau style
8) Cochez pour activer l'affichage
9) Cliquez pour sélectionner l'onglet
10) Sélectionnez le format
11) Spécifiez l'unité
12) Sélectionnez l'orientation du dessin
13) Sélectionnez la zone à imprimer
14) Sélectionnez l'échelle
15) Cliquez pour sauver la configuration
16) Cliquez pour confirmer

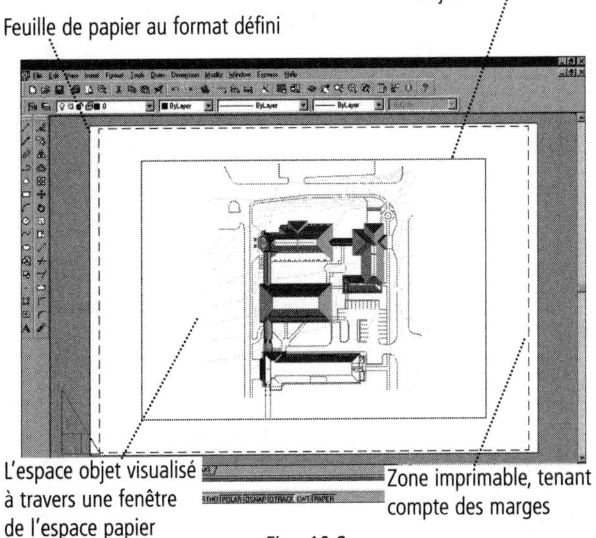

Fig. 10.8

Comment gérer les onglets de présentation

Plusieurs options de modification sont disponibles pour gérer les présentations. En effet, en cliquant avec le bouton droit de la souris sur l'onglet Layout (Présentation) on obtient un menu contextuel qui contient les options suivantes :

- New Layout (Nouvelle présentation) : pour créer une nouvelle présentation.
- From template (A partir du gabarit) : pour ajouter une nouvelle présentation à partir d'un fichier gabarit.
- Delete (Supprimer) : pour supprimer la présentation sélectionnée.
- Rename (Renommer) : pour renommer la présentation sélectionnée.
- Move or Copy (Déplacer ou Copier) : pour déplacer ou copier une présentation à la suite de la présentation courante.
- Select All Layouts (Sélectionner toutes les présentations) : pour sélectionner toutes les présentations
- Page Setup (Configuration de tracé) : pour modifier la configuration de la présentation courante.
- Plot (Imprimer) : pour imprimer la présentation courante.

Comment créer des fenêtres flottantes

Lors du passage de l'espace objet à l'espace papier, AutoCAD crée par défaut une fenêtre unique dans la présentation générée. Celle-ci occupe entièrement la zone de dessin. Il est cependant possible de créer plusieurs fenêtres et de personnaliser ainsi sa feuille de dessin en fonction des éléments à représenter.

Pour créer une ou plusieurs fenêtres flottantes, la procédure est la suivante :

1. Se placer dans la bonne présentation. Ajuster, déplacer ou supprimer la fenêtre déjà existante dans la présentation. Il est possible d'utiliser les grips (poignées) pour redimensionner la fenêtre (fig. 10.9). Par exemple, déplacer la poignée A vers B et la poignée C vers D.

2. Dans le menu View (Vue), choisir Viewports (Fenêtres) puis 1, 2, 3, 4 Viewports (Fenêtres) ou New Viewports (Nouvelles fenêtres). Par exemple 1 viewport (1 fenêtre).

3. Dans la présentation spécifier deux points (A et B) pour indiquer la position et les dimensions de la nouvelle fenêtre (fig. 10.10).

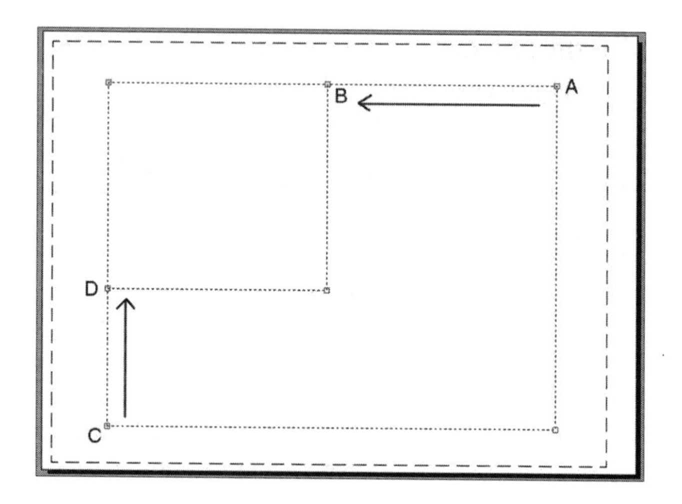

Fig. 10.9

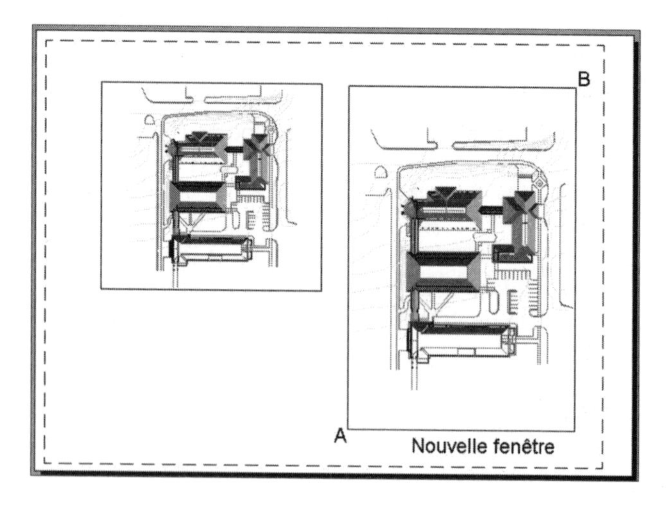

Fig. 10.10

Comment créer des fenêtres non rectangulaires

Dans les versions antérieures à AutoCAD 2000, il n'était possible que de créer des fenêtres rectangulaires dans l'espace papier pour afficher les objets dans différentes vues. Désormais, il est possible de créer des fenêtres non rectangulaires. Une fenêtre non rectangulaire est créée lorsque l'on associe un objet de délimitation (polyligne, cercle, région, spline ou ellipse) à un objet fenêtre normal. Lorsque l'on associe ces deux objets, ils restent liés tant que le contour de la fenêtre non rectangulaire existe.

Pour créer des fenêtres non rectangulaires, il convient soit de créer une fenêtre aux contours irréguliers, soit de modifier une fenêtre existante en redéfinissant son contour. Le nouveau contour peut former un polygone (ou polyligne fermée), un cercle, une spline, une ellipse, une région ou encore un segment d'arc.

Pour créer une fenêtre polygonale, la procédure est la suivante:

1. Se placer dans une présentation.
2. Choisir Viewports (Fenêtres) dans le menu View (Vue)
3. Sélectionner l'option Polygonal Viewport (Fenêtre polygonale)

4 Dessiner le contour sur la feuille de dessin. Fermer éventuellement celui-ci par l'option Close (Clore) (fig. 10.11).

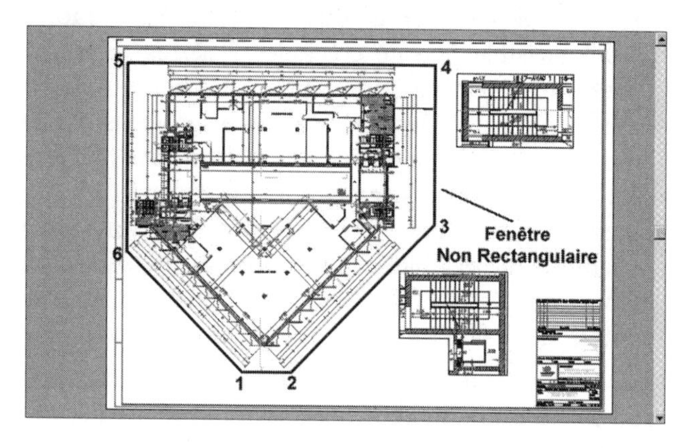

Fig. 10.11

Pour associer une fenêtre à un contour fermé existant dans la présentation, la procédure est la suivante:

1 Faire le contour dans la présentation: un cercle, une polyligne fermée...

2 Choisir l'option Viewport (Fenêtres) dans le menu View (Vue)

3 Sélectionner l'option Object (Objet), par exemple un cercle.

4 Sélectionner le contour dans le dessin (fig. 10.12).

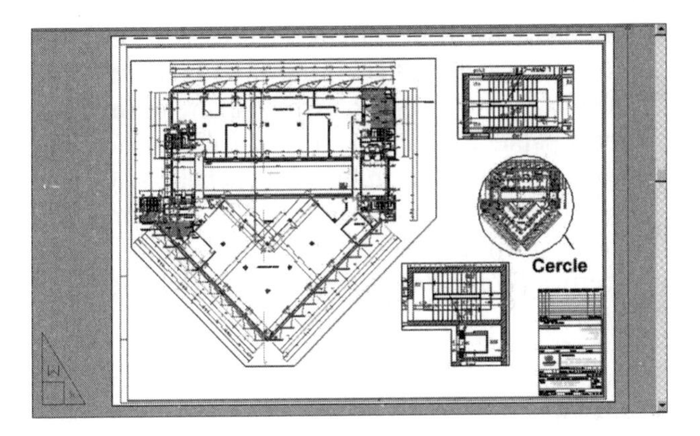

Fig. 10.12

Comment contrôler l'échelle dans l'espace papier

Mise à l'échelle des vues par rapport à l'espace papier

Pour obtenir une mise à l'échelle précise lors du traçage du dessin, il convient de définir l'échelle de chaque vue par rapport à l'espace papier. Lorsque l'on travaille dans l'espace papier, le facteur d'échelle représente le rapport entre les dimensions de la présentation (layout) et la taille réelle du modèle affiché dans les fenêtres. En règle générale, la présentation est tracée à l'échelle 1 : 1. Pour calculer ce rapport, il suffit de diviser les unités de l'espace papier par les unités de l'espace objet. Dans le cas d'un dessin réalisé en mètres et devant être imprimé à l'échelle 1/100, le rapport d'échelle sera 10 : 1, c'est-à-dire 10 unités de l'espace papier (en mm) pour 1 unité de l'espace objet (en m). En effet, 1 m imprimé à l'échelle 1/100 correspond bien à 10 mm sur la feuille. Pour modifier l'échelle de tracé de la fenêtre, utiliser la fenêtre Properties (Propriétés) ou la barre d'outils Viewports (Fenêtres).

Pour modifier l'échelle d'une fenêtre, la procédure est la suivante:

1. Sélectionnez la fenêtre dont il faut modifier l'échelle.
2. Dans le menu Tools (Outils), choisir Properties (Propriétés) ou cliquer sur l'icône correspondante.
3. Dans la fenêtre Propriétés, sélectionner Standard scale (Echelle standard), puis choisir une nouvelle valeur dans la liste.
4. Si la valeur souhaitée n'existe pas, cliquer sur Custom (Personnaliser) et taper la valeur dans le champ Custom scale (Echelle personnalisée) situé au-dessous.
5. L'échelle sélectionnée est appliquée à la fenêtre.

Verrouillage de l'échelle des fenêtres

En principe, l'échelle du tracé d'une présentation est 1 : 1. Cependant, lorsque l'on crée des fenêtres flottantes, il est possible d'appliquer d'autres échelles aux fenêtres pour afficher différents niveaux de détails. Une fois que l'on a défini les échelles des fenêtres, si l'on effectue dans la fenêtre courante un zoom sur la géométrie de l'espace objet, l'échelle de la fenêtre est modifiée parallèlement. En verrouillant l'échelle de la fenêtre, on peut effectuer un zoom pour afficher différents niveaux de détails dans la fenêtre sans modifier son échelle. Le zoom du contenu de l'espace objet est effectué dans l'espace papier, et non dans la fenêtre de l'espace objet.

L'échelle verrouillée est celle définie pour la fenêtre sélectionnée. Une fois l'échelle verrouillée, on peut continuer de modifier la géométrie dans la fenêtre sans que l'échelle de cette dernière n'en soit affectée. Si l'on active le verrouillage de l'échelle d'une fenêtre, la plupart des commandes d'affichage, comme Pointvue, Vuedyn, 3DOrbite, Repere et Vues, ne sont plus disponibles dans cette fenêtre.

Pour activer le verrouillage dans une fenêtre, la procédure est la suivante:

1. Dans la présentation, sélectionner la fenêtre dont il faut verrouiller l'échelle.

2. Cliquer sur le bouton droit de la souris.

[3] Dans le menu contextuel qui s'affiche, sélectionner l'option Display locked (Affichage verrouillé), puis Yes (Oui).

L'échelle de la fenêtre courante est verrouillée. Ainsi, si l'on modifie le facteur d'échelle dans la fenêtre, on agit uniquement sur les objets de l'espace papier.

Mise à l'échelle des types de ligne AutoCAD dans l'espace papier (présentation)

AutoCAD propose deux méthodes permettant de mettre à l'échelle n'importe quel type de ligne. D'une part, on peut définir l'échelle en fonction des unités de l'espace (papier ou objet) dans lequel on a créé l'objet (voir chapitre 4). D'autre part, une seconde méthode consiste à définir une échelle uniforme en fonction des unités de l'espace papier. La variable système PSLTSCALE permet d'appliquer la même échelle aux types de lignes des objets affichés dans différentes fenêtres et dont l'échelle de zoom varie d'une fenêtre à une autre. Cette variable redéfinit également l'affichage des lignes dans des vues 3D.

Dans l'exemple de la figure 10.13, on a utilisé la variable système PSLTSCALE pour effectuer une mise à l'échelle uniforme du type de ligne du motif dans l'espace papier. Il convient de souligner que ce type de ligne a la même échelle dans les deux fenêtres, bien que le facteur de zoom des objets soit différent.

La variable PSLTSCALE doit être entrée au clavier et il convient de lui donner la valeur 1 pour avoir une échelle uniforme. Après la modification de la variable, il est conseillé d'effectuer une régénération d'écran par la commande REGEN pour afficher correctement le résultat.

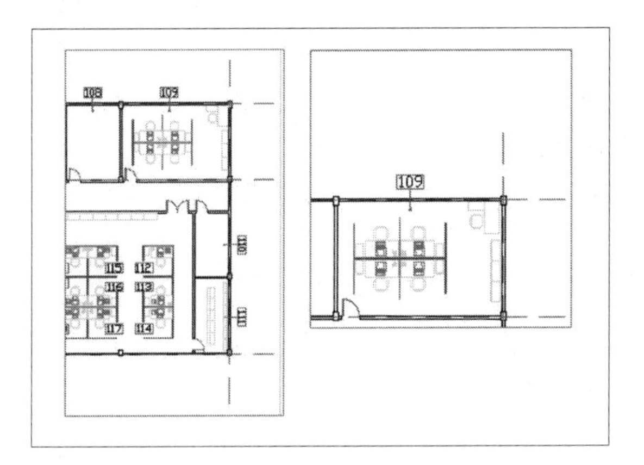

Fig. 10.13

Mise à l'échelle des cotations visualisées dans l'espace papier

Les cotations s'effectuant habituellement dans l'espace objet, il arrive fréquemment que leur aspect soit différent d'une fenêtre à l'autre dans l'espace papier. Ainsi une cotation affichée dans une fenêtre à l'échelle 1/50 apparaîtra deux fois plus grande qu'une cotation affichée dans une fenêtre à l'échelle 1/100. Pour remédier à ce problème, il suffit de créer un style de cotation pour chacune des deux échelles et d'effectuer chaque cotation sur un calque distinct. Le calque de la cotation 1/50 devra ensuite être gelé dans la fenêtre à l'échelle 1/100 et celui de la cotation 1/100 devra être gelé dans la fenêtre à l'échelle 1/50 (fig. 10.14).

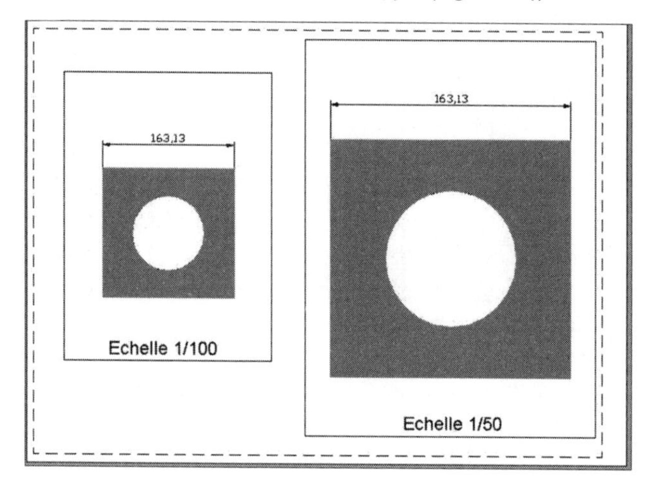

Fig. 10.14

A partir d'AutoCAD 2002, la cotation peut se faire directement dans l'espace papier (voir chapitre 9), ce qui simplifie largement les choses.

Comment passer entre l'espace objet et l'espace papier et vice versa

Après avoir créé la présentation et les fenêtres flottantes, il est bien sûr toujours possible de continuer à travailler sur son dessin à partir de l'onglet Objet (Model) ou d'un onglet de présentation (Layout). Pour activer l'onglet Objet, il suffit de cliquer dessus. Pour passer de l'onglet Objet à l'espace papier, il suffit de cliquer sur un des onglets Présentation (Layout).

Une fois dans une présentation, on peut travailler indifféremment dans l'espace papier ou dans l'espace objet en activant une fenêtre. Pour ce faire, il convient de cliquer deux fois à l'aide du périphérique de pointage alors que le curseur se trouve sur une fenêtre. Pour réactiver l'espace papier, il faut cliquer deux fois sur n'importe quelle zone de la présentation, en dehors d'une fenêtre flottante (fig. 10.15). Il est aussi possible de basculer entre l'espace objet et l'espace papier d'une présentation en choisissant PAPER (PAPIER) ou MODEL (OBJET) sur la barre d'état. Lorsque l'on bascule vers l'espace objet après avoir choisi MODEL (OBJET) sur la barre d'état, la dernière fenêtre utilisée est activée.

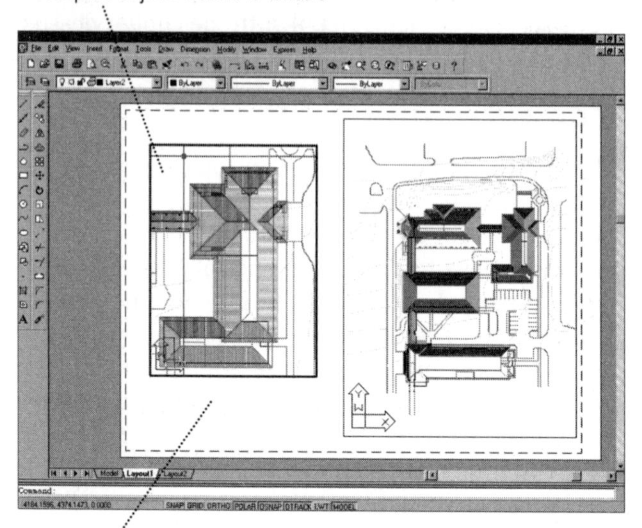

Fig. 10.15

Comment placer un cadre et un cartouche dans l'espace papier

Le cadre et le cartouche sont des éléments importants de la mise en page du dessin. Il est conseillé de les créer dans l'espace papier plutôt que dans l'espace objet et à l'échelle 1 = 1. Le cadre et le cartouche peuvent être créés sous la forme d'un bloc unique contenant des attributs pour le remplissage du cartouche. Il suffit ainsi de créer un bloc cadre-cartouche par format de papier: A4, A3, A2, A1 et A0.

Outre cette première méthode qui permet de créer des cadres et des cartouches personnalisés, AutoCAD propose également une série de cartouches standard qu'il est possible d'insérer dans le dessin par l'une des méthodes suivantes:

- à l'aide de l'assistant de création d'une présentation: Insert (Insérer) – Layout (Présentation) – Layout Wizard (Assistant de Présentation)
- à l'aide de l'utilisation d'un fichier gabarit (template) lors de l'ouverture d'un nouveau dessin.
- à l'aide de la commande MVSETUP

Procédure pour ajouter un cadre et un cartouche fournis par AutoCAD:

1. Entrer la commande MVSETUP sur la ligne de commande.
2. Entrer "t" de title block ("c" de cartouche) pour définir le cartouche.
3. Entrer "o" (origin) pour définir l'origine du cartouche. Pointer la nouvelle origine ou appuyer sur Entrée pour accepter l'origine proposée.
4. Appuyer sur Entrée pour afficher la liste des formats de papier standard.
5. Entrer le numéro correspondant au format de papier souhaité. Exemple 2 pour le format ISO A3. AutoCAD insère le cadre et le cartouche.

6 Entrer “y” (o) ou “n” pour enregistrer ou non le cadre et le cartouche dans un fichier de dessin à part.

7 Appuyer sur Entrée pour sortir de la commande.

Comment gérer l’affichage des calques dans l’espace papier

Dans chacune des fenêtres créées dans l’espace papier, il peut être utile de pouvoir gérer individuellement l’affichage des calques. Ainsi dans une fenêtre on peut afficher le plan d’un bâtiment avec le mobilier, et dans une autre fenêtre le même plan avec uniquement la structure et les cloisons (fig. 10.16).

Procédure pour contrôler l’affichage des calques dans les fenêtres:

1 Cliquer deux fois dans la fenêtre à rendre active.

2 Sélectionner l’icône Layer (Calque)

3 Dans la boîte de dialogue Layer Properties Manager (Gestionnaire des calques), cliquer sur l’icône Active VP Freeze (Geler Fenêtre Active) pour geler le calque sélectionné dans la fenêtre active. Il convient de ne pas confondre cette icône avec celle permettant de geler le calque dans toute les fenêtres (Freeze in All VP).

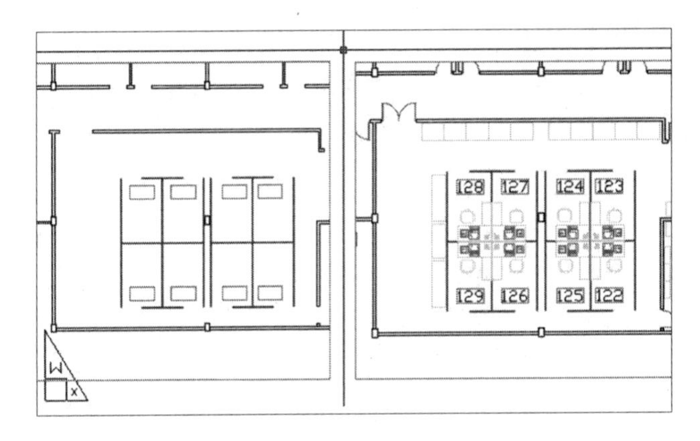

Fig. 10.16

6. L'impression des documents

Une fois le traçeur configuré, le style de tracé créé et la présentation terminée, le tracé du dessin est prêt à être lancé. La procédure est la suivante:

[1] Exécuter la commande d'impression à l'aide de l'une des méthodes suivantes:

Choisir le menu déroulant FILE (Fichier) puis l'option Plot (Imprimer).

Choisir l'icône Plot (Imprimer) de la barre d'outils standard.

Taper la commande PLOT (Traceur).

Dans la boîte de dialogue Plot (Tracer), le nom de la présentation courante apparaît sous Layout name (Nom de la présentation).

2 Dans la boîte de dialogue Plot (Tracer), si l'on a créé des mises en page nommées, il convient d'en sélectionner une dans la liste Page setup name (Nom de la mise en page).

Les paramètres de la boîte de dialogue Plot (Tracer) sont alors remplacés par la mise en page nommée.

3 Sur l'onglet Plot Device (Périphérique de traçage), sous Plotter configuration (Configuration du tracé) vérifier que l'imprimante sélectionnée sous Name (Nom) est bien celle en cours. De même sous Plot style table (Table de styles de tracé), vérifier que la table appropriée est bien celle associée.

4 Indiquer le nombre de copies dans le champ Number of copies (Nombre de copies).

5 Dans l'onglet Plot Settings (Paramètres du tracé), vérifier les points suivants:

- le format du papier dans le champ Paper size (Format de papier)
- l'orientation du dessin sous Drawing orientation (Orientation du dessin)
- la zone du dessin à imprimer sous Plot area (Aire de tracé)
- l'échelle d'impression sous Plot scale (Echelle du tracé): en général (1 : 1) pour l'espace papier

et pour l'espace objet, spécifier le nombre de mm à tracer pour une unité de dessin. Ainsi pour tracer, par exemple un dessin en m à l'échelle 1/100, il convient de rentrer 10 = 1

6 Prévisualiser l'impression en cliquant sur le bouton Full Preview (Aperçu total)

7 Cliquez sur OK pour lancer le tracé..

Conseils

Si l'on souhaite modifier les paramètres de tracé pour un seul tracé et conserver la présentation d'origine, il convient de désélectionner l'option Save changes to layout (Enregistrer modif. à présentation).

11. Intégrer du contenu existant

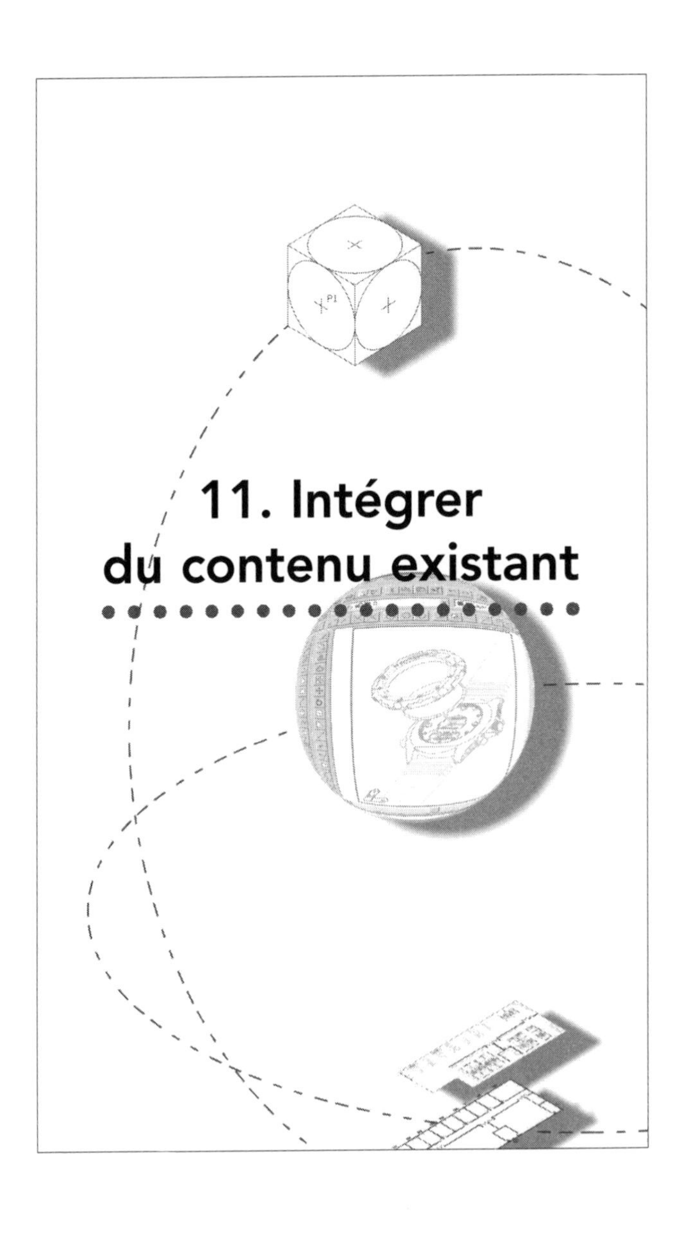

A voir dans ce chapitre

- L'utilisation des Xréfs pour créer des plans d'assemblage à partir de plusieurs fichiers de dessin existants.
- L'intégration d'images tramées pour illustrer un dessin.
- L'utilisation du DesignCenter pour afficher et réutiliser le contenu de fichiers de dessin existant.

1. Le principe et les types de références externes

Principe

Les références externes (Xrefs) sont des outils très performants pour créer des dessins composites à partir d'autres dessins. Elles sont principalement utilisées soit pour créer des plans d'assemblages de vues différentes d'un projet, soit pour superposer différentes informations d'un projet et contrôler la cohérence d'ensemble. Dans le premier cas, on peut imaginer un architecte qui dessine les différentes vues d'un projet d'habitation (plans, coupes, élévations, perspectives...) dans des fichiers séparés et qui souhaite ensuite les combiner dans un plan d'assemblage (fig. 11.1).

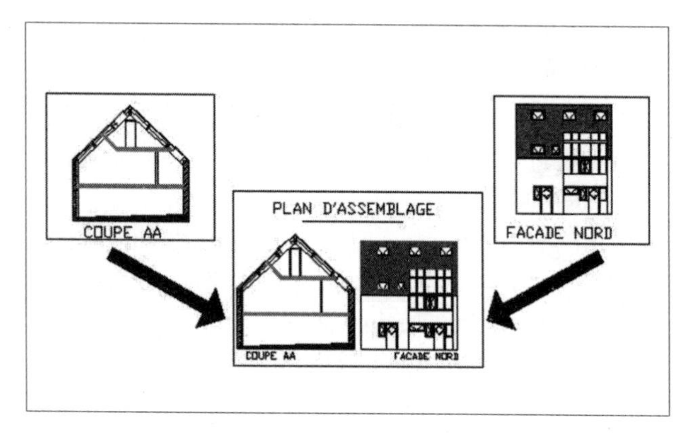

Fig. 11.1

Dans le second cas, on peut imaginer un bureau d'études multidisciplinaire dans lequel différents services (architecture, stabilité, techniques spéciales, mobilier...) travaillent sur un même projet. La superposition des différents fichiers correspondant à ces différentes disciplines permet au responsable de projet de contrôler la cohérence d'ensemble de celui-ci (fig. 11.2).

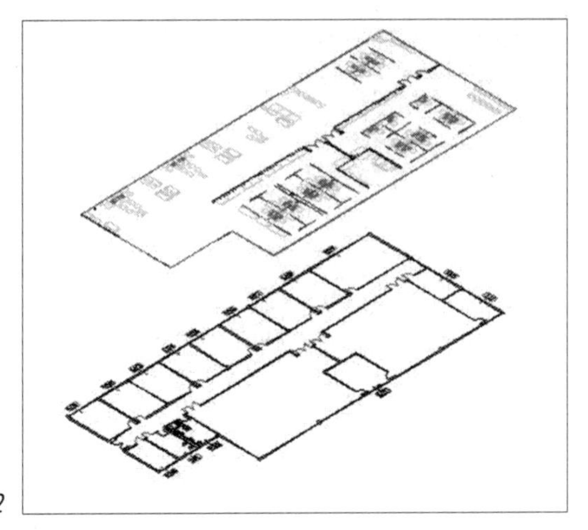

Fig. 11.2

Les références externes ressemblent beaucoup aux blocs. La différence essentielle entre les deux concepts est que les blocs sont insérés de manière permanente dans le dessin en cours, tandis que les Xrefs n'y sont qu'attachées. Ce qui signifie que les seules informations incluses dans le dessin sont le point d'insertion de la référence et le chemin d'accès du fichier correspondant. Cette caractéristique permet d'avoir des fichiers d'assemblage de très faible capacité.

Une autre caractéristique des Xrefs, est qu'elles permettent d'insérer des dessins dynamiques qui peuvent être modifiés à tout moment. Ainsi, dans l'exemple de l'architecte, lorsque celui-ci ouvrira son dessin d'assemblage, AutoCAD utilisera systématiquement la dernière version des différents fichiers insérés. Dans le cas du bureau d'études, le responsable du projet pourra à tout moment voir l'évolution du travail en cours dans les différents services. Il lui suffira de régénérer les Xrefs sur son écran pour avoir son dessin mis à jour.

Types de Xrefs

Les références externes peuvent être utilisées de deux manières différentes, d'une part comme ancrage et d'autre part comme superposition:

Ancrage d'une Xref

L'ancrage consiste à insérer des Xrefs, au dessin en cours, en tenant compte d'éventuelles autres Xrefs insérées dans les précédentes. Il est ainsi possible d'insérer des Xrefs en cascade. Dans l'exemple de la figure 11.3, le plan d'assemblage permet de visualiser toute la chaîne des Xrefs utilisés: A, A1, A2, B, B1, B2.

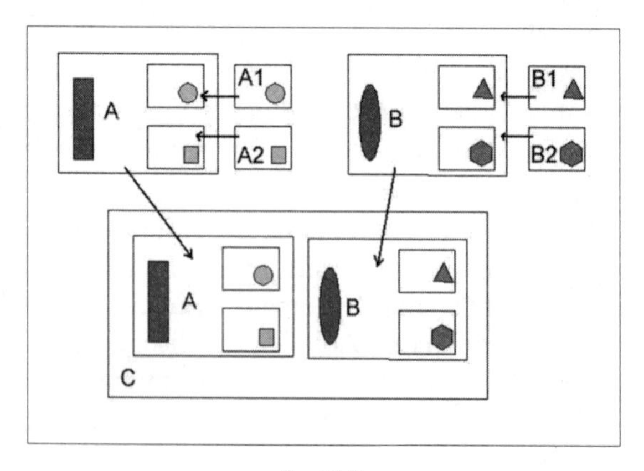

Fig. 11.3

Superposition d'une Xref

La superposition consiste à insérer des Xrefs, au dessin en cours, en ne prenant pas en compte les Xrefs imbriquées à celles-ci. Dans l'exemple de la figure 11.4, le plan d'assemblage ne permet de visualiser que le premier niveau des Xrefs utilisées, c'est-à-dire les Xrefs A et B. Les autres niveaux (A1, A2, B1, B2) imbriqués aux précédentes ne sont pas affichés. Cette technique est très utile pour permettre à chaque intervenant d'un projet d'avoir ses propres Xrefs sans que celles-ci ne s'affichent dans le plan final. Ainsi un géomètre peut, par exemple, pour réaliser le plan d'implantation d'un bâtiment, insérer par superposition dans son dessin des plans de détails du terrain existant sans que ceux-ci ne soient visibles dans le plan de l'architecte.

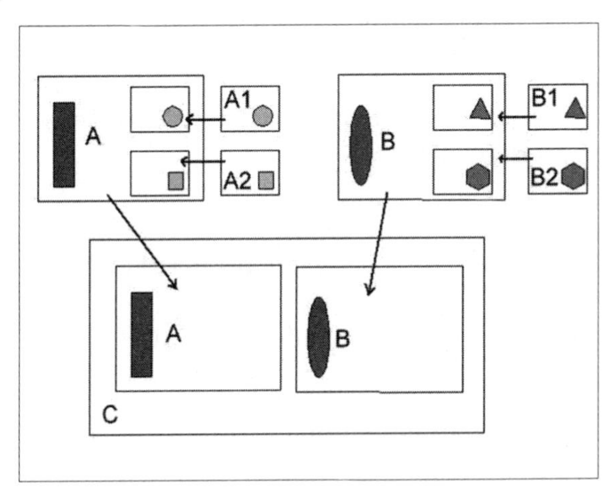

Fig. 11.4

2. Effectuer l'ancrage ou la superposition de références externes

Comme signalé plus haut dans le texte, les Xrefs attachées au dessin en cours permettent de créer des dessins à l'aide d'autres dessins. En attachant des dessins comme Xrefs, par opposition à l'insertion de fichiers dessin comme blocs, les modifications apportées au dessin de référence externe sont affichées dans le dessin hôte dès qu'il est ouvert. Le dessin hôte reflète toujours les dernières modifications apportées aux fichiers de références.

La procédure pour ancrer ou superposer une référence externe est la suivante:

1. Exécuter la commande d'ancrage à l'aide de l'une des méthodes suivantes:

   Choisir le menu déroulant INSERT (Insérer) puis l'option External References (Référence externe).

   Choisir l'icône External Reference (Référence externe) de la barre d'outils Insert (Insérer).

   Taper la commande XATTACH (XATTACHER).

2. Dans la boîte de dialogue Xref Manager (Référence externe), cliquez sur le bouton Attach (Associer).

3 Dans la boîte de dialogue Select Référence file (Sélectionner un fichier de référence), choisir un fichier puis cliquer sur Open (Ouvrir).

4 Dans la boîte de dialogue External Reference (Référence externe), sous Reference Type (Type de référence), sélectionnez l'option Attachment (Ancrage) ou l'option Overlay (Superposition) (fig. 11.5).

5 Spécifiez les paramètres, les facteurs d'échelle et l'angle de rotation.

6 Cliquez sur OK.

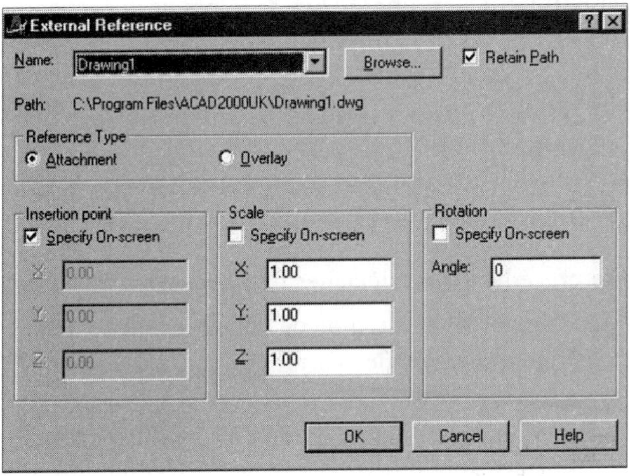

Fig. 11.5

3. Détacher ou Recharger des références externes

Détacher des Xrefs

Il est possible de supprimer les attachements des Xrefs pour les enlever complètement du dessin. Il est également possible d'effacer les occurrences des Xrefs individuelles. Il suffit de cliquer sur le bouton Detach (Détacher) pour supprimer les Xrefs et tous les symboles qui en dépendent. Si toutes les occurrences d'une Xref sont effacées du dessin, AutoCAD supprime la définition de la Xref lors de la prochaine ouverture du dessin. Lorsqu'une Xref est détachée, elle est supprimée de la liste et de l'arborescence en même temps que les Xrefs imbriquées, le cas échéant, à moins que la référence existe à un autre niveau de l'arborescence. Il n'est pas possible de détacher une Xref imbriquée.

La procédure pour détacher une Xréf est la suivante:

1 Exécuter la commande de détachement à l'aide de l'une des méthodes suivantes:

Choisir le menu déroulant INSERT (Insérer) puis l'option Xref Manager (Gestionnaire des références externes).

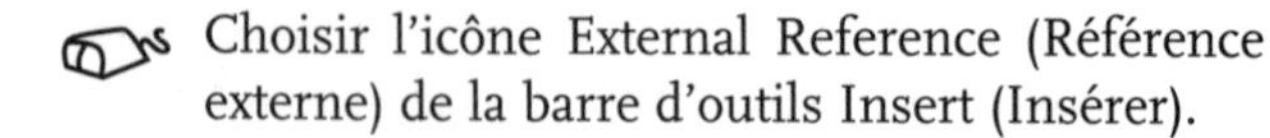

Choisir l'icône External Reference (Référence externe) de la barre d'outils Insert (Insérer).

Taper la commande XREF

2 Dans la boîte de dialogue Xref Manager (Gestionnaire des références externes), sélectionner une Xref, puis cliquer sur le bouton Detach (Détacher).

3 Cliquer sur OK.

Recharger des Xrefs

Si un utilisateur modifie un dessin de référence externe alors que l'on travaille sur un dessin hôte auquel cette Xref est attachée, il est possible de mettre à jour le dessin de référence externe à l'aide de l'option Reload (Recharger). Lorsque l'on procède au rechargement, le dessin de référence externe sélectionné est mis à jour dans le dessin hôte. En outre, si l'on a désactivé une Xref, il est possible de recharger le dessin de référence externe à tout moment.

La procédure pour recharger une Xréf est la suivante :

1 Exécuter la commande de détachement à l'aide de l'une des méthodes suivantes:

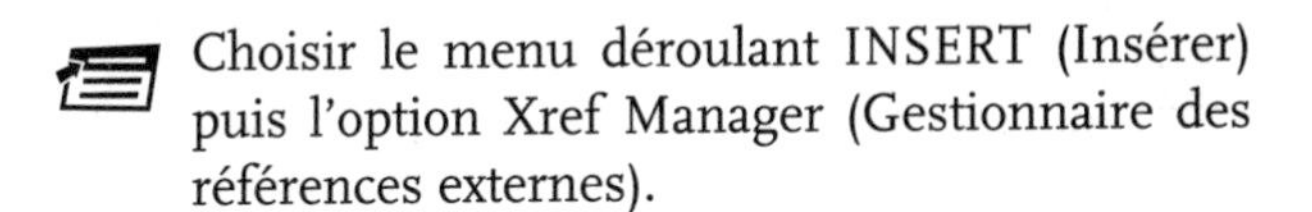

Choisir le menu déroulant INSERT (Insérer) puis l'option Xref Manager (Gestionnaire des références externes).

Choisir l'icône External Reference (Référence externe) de la barre d'outils Insert (Insérer).

Taper la commande XREF

2 Dans la boîte de dialogue Xref Manager (Gestionnaire des références externes), sélectionner une Xref, puis cliquer sur le bouton Reload (Recharger).

3 Cliquer sur OK.

4. Rendre une référence externe permanente

Il est possible de rendre une référence externe permanente dans un dessin en l'ajoutant (c'est-à-dire en la copiant) dans celui-ci. Cette fonction est très pratique lorsqu'il s'agit d'archiver les dessins, de sorte que leurs Xrefs ne puissent être modifiées. Elle permet également de transmettre plus facilement le travail réalisé au client final qui souvent ne souhaite pas s'encombrer d'un dessin décomposé en plusieurs fichiers.

La procédure pour rendre une Xréf permanente est la suivante:

1 Exécuter la commande d'ajout à l'aide de l'une des méthodes suivantes:

Choisir le menu déroulant INSERT (Insérer) puis l'option Xref Manager (Gestionnaire des références externes).

Choisir l'icône External Reference (Référence externe) de la barre d'outils Insert (Insérer).

Taper la commande XREF

2 Dans la boîte de dialogue Xref Manager (Gestionnaire des références externes), sélectionner une Xref, puis cliquer sur le bouton Bind (Ajouter) puis choisir l'option souhaitée: Bind (Ajouter) ou Insert (Insérer). La différence entre les deux porte sur la manière de nommer et d'intégrer les calques et les symboles. Par exemple, si l'on dispose d'une Xref nommée COUPE contenant un calque nommé BLEU, une fois le calque dépendant de la Xref ajouté, COUPE|BLEU devient un calque défini localement appelé COUPE0BLEU. Le numéro dans $#$ est automatiquement incrémenté si une définition de table de symboles locale possédant le même nom existe déjà. Dans le second cas, après l'ajout par insertion, le calque dépendant de la xref COUPE|BLEU devient le calque défini localement nommé BLEU. Les objets du calque COUPE|BLEU ont donc été transférés sur le calque BLEU du dessin en cours. Il y a donc superposition du contenu des 2 calques.

3 Cliquer sur OK.

5. Modifier des références externes au sein du dessin courant

A partir d'AutoCAD 2000, il est possible de modifier les références externes à partir du dessin courant, à l'aide de la fonction d'édition des références au sein du dessin. Cette possibilité est pratique pour effectuer des modifications mineures sans avoir à passer d'un dessin à un autre.

Prenons par exemple le cas de la restauration d'un bâtiment de bureaux impliquant des travaux à la fois sur ce bâtiment et sur le site contigu. La majeure partie des travaux consiste à créer une voie d'accès entre le parking et l'entrée principale du bâtiment. Les dessins du projet comprennent un plan du site qui référence le plan des sols du bâtiment. En éditant la référence dans le dessin même, il est à présent possible de la modifier dans le contexte visuel du dessin courant. Cela permet à la fois d'effectuer les modifications du site et d'apporter des changements mineurs au plan des sols à partir d'un seul dessin, rapidement et efficacement.

Procédure pour modifier une Xréf au sein du dessin :

1. Dans le menu Modify (Modifier), choisir In-place Xref and Block Edit (Editer les Xréfs et les blocs dans le dessin même) puis Edit Reference (Edition des références).

2. Dans le dessin en cours, sélectionner la référence à modifier.

Si l'objet que l'on sélectionne dans cette référence fait partie de références imbriquées, toutes les références disponibles pour la sélection sont affichées dans la boîte de dialogue Référence Edit (Edition des références).

3 Dans cette boîte de dialogue, sélectionner la référence à modifier en cliquant sur le bouton Next (Suivant) afin de faire défiler les références.

AutoCAD verrouille le fichier de référence pour empêcher son ouverture simultanée par plusieurs utilisateurs. De même il n'est pas possible de modifier une référence au sein du dessin si un autre utilisateur travaille sur le fichier de dessin.

4 Pour afficher les noms de calque et de symbole avec le préfixe $#$, sélectionner Enable unique layer and symbol names (Activer noms de calque et de symbole uniques).

5 Pour pouvoir sélectionner les définitions d'attribut des références de bloc lors de la modification de blocs comportant des attributs, sélectionner Display attribute definitions for editing (Afficher les définitions d'attribut à modifier).

6 Cliquer sur OK.

7 Sélectionner les objets a modifier au sein de la référence. La barre d'outils Refedit (Editref) s'affiche.

8 Effectuer les modifications.

[9] Cliquer sur l'icône Save (Enregistrer) pour enregistrer les modifications dans la référence.

La barre d'outils Refedit (Editref) comprend les options suivantes (fig. 11.6):

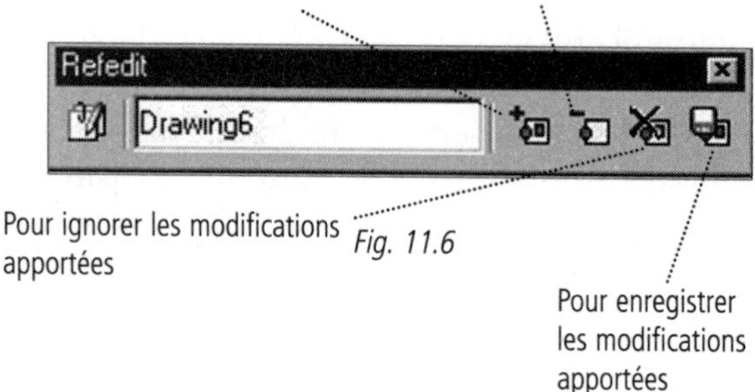

Fig. 11.6

6. Insérer des images "raster" dans le dessin

Depuis AutoCAD 14 il est possible d'insérer des images dans des fichiers de dessin. Toutefois, comme pour les Xrefs, elles ne font pas vraiment partie du fichier de dessin. L'image est liée au fichier de dessin par l'intermédiaire d'un chemin d'accès ou d'un ID de document de gestion de données. Il est possible de modifier ou supprimer ces chemins d'accès à n'importe quel moment. En attachant des images reliées à d'autres images par un chemin d'accès, il est facile d'en placer plusieurs dans le dessin, sans augmenter fortement la taille du fichier.

Dès que l'on a attaché une image, on peut la rattacher plusieurs fois en la traitant comme un bloc. Chaque image insérée possède son propre contour de délimitation et ses propres paramètres de luminosité, de contraste, d'estompe et de transparence. Chaque image peut être sectionnée en plusieurs portions que l'on peut réorganiser indépendamment dans votre dessin.

Il est possible de définir le facteur d'échelle de l'image tramée lorsque l'on l'attache. Ainsi, l'échelle des objets de l'image correspond à celle des objets créés dans le dessin AutoCAD. Le facteur d'échelle de l'image par défaut est égal à 1 et l'unité par défaut de toutes les images est "Sans unité". Quand on sélectionne une image à attacher, l'image est insérée selon un facteur d'échelle d'une unité de mesure d'image correspondant à une unité de mesure AutoCAD. Pour définir le facteur d'échelle de l'image, il faut connaître l'échelle des objets sur l'image, ainsi que l'unité de mesure que l'on souhaite utiliser pour définir une unité AutoCAD. Le fichier image doit contenir des informations sur la résolution définissant les PPP (ou nombre de points par pouce) ainsi que le nombre de pixels de l'image.

Si une image comporte des informations sur la résolution, AutoCAD les combine avec le facteur d'échelle et l'unité de mesure AutoCAD que l'on a indiquée afin de mettre à l'échelle l'image dans le dessin. Si aucune information de résolution n'est définie avec le fichier image attaché, la liste Current AutoCAD Unit (Unité AutoCAD courante) est automatiquement définie par Unitless (Sans Unité). Dans ce cas, AutoCAD calcule que la largeur initiale de l'image correspond à une unité. Après insertion, la largeur de l'image en unités AutoCAD est égale au facteur d'échelle. Pour mettre l'image à l'échelle et la placer dans le dessin de façon dynamique, sélectionner Unitless (Sans unité) dans la liste Unité AutoCAD courante.

La procédure d'insertion est la suivante:

1. Exécuter la commande d'ancrage à l'aide de l'une des méthodes suivantes (fig. 11.7):

Choisir le menu déroulant INSERT (Insérer) puis l'option Raster Image (Image tramée).

Choisir l'icône Image de la barre d'outils Insert (Insérer).

Taper la commande Image

2. Dans la boîte de dialogue Select Image File (Sélectionner un fichier image), sélectionner le fichier contenant l'image à insérer. Cliquer ensuite sur Open (Ouvrir).
3. Dans la boîte de dialogue Image spécifier la méthode d'insertion. Par exemple Specify on-screen (Spécifier à l'écran). Cliquer sur OK.
4. Spécifier un point d'insertion à l'écran.
5. Spécifier un facteur d'échelle.
6. Spécifier un angle de rotation.

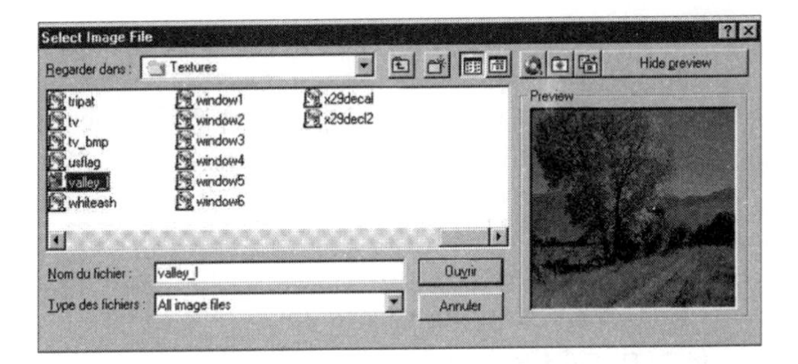

Fig. 11.7

Conseils

Pour spécifier l'emplacement de l'image, l'échelle ou l'angle de rotation en la faisant glisser, sélectionner l'option Specify on-screen (Spécifier à l'écran) correspondante. Il faut alors faire glisser l'image vers l'emplacement désiré et définir l'échelle et l'angle après que la boîte de dialogue se soit fermée.

Les options Détacher, Recharger ou Décharger sont identiques à celles des références externes.

7. La gestion des dessins avec AutoCAD DesignCenter

Introduction

La réutilisation et le partage du contenu d'un dessin sont essentiels à une gestion efficace des projets. Cette réutilisation est facilitée par la création de références de bloc et l'attachement de références externes (Xréfs). AutoCAD DesignCenter permet ainsi de gérer les références de bloc, les Xréfs et les objets issus, notamment, d'autres applications. En outre, lorsque plusieurs dessins sont ouverts, il est possible d'optimiser le processus de création en copiant et en collant des éléments d'un dessin à un autre (par exemple, des définitions de calque).

AutoCAD DesignCenter offre également des outils puissants qui permettent d'afficher et de réutiliser le contenu d'un dessin. On a ainsi la possibilité de naviguer tant sur son système local que sur des unités de réseau, voire de télécharger des données à partir d'Internet.

AutoCAD DesignCenter permet d'accéder aux types de contenu suivants :

- Dessins sous forme de références de bloc ou de Xréfs
- Références de bloc contenues dans des dessins
- Autres éléments de dessins, notamment les définitions de calque, les types de ligne, les présentations ou les styles de texte et de cote.
- Images tramées
- Contenu personnalisé créé sous d'autres applications

8. Affichage du contenu d'un dessin

Avec AutoCAD DesignCenter, il est désormais très facile de situer et d'organiser des objets afin de les faire glisser dans un dessin. Il comprend deux parties (fig. 11.8):

- La partie gauche (1) ou volet de navigation présente une arborescence d'un disque ou d'un réseau (comme l'explorateur Windows), ainsi qu'une liste hiérarchique du contenu d'une source sélectionnée (par exemple, un fichier AutoCAD).
- La partie droite (2) encore appelée palette, permet d'afficher de manière plus graphique les objets contenus dans le document source sélectionné à gauche, par exemples des blocs.

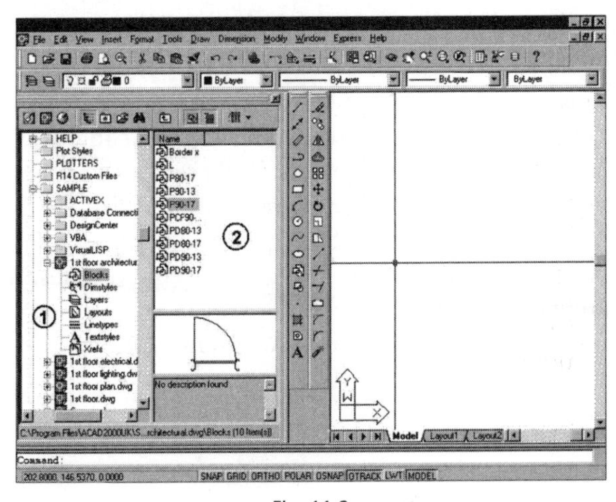

Fig. 11.8

Pour afficher AutoCAD DesignCenter, utiliser l'une des méthodes suivantes :

Choisir Tools (Outils) puis AutoCAD DesignCenter.

Sélectionner l'icône AutoCAD DesignCenter dans la barre d'outils principale.

Taper la commande ADCENTER

A sa première ouverture, AutoCAD DesignCenter apparaît par défaut ancré dans la partie gauche de la zone de dessin. La palette se compose de grandes icônes et l'arborescence, située sur la gauche, présente le bureau. Il est possible d'utiliser cette arborescence pour parcourir les différentes sources du contenu d'un dessin, puis charger ces éléments dans la palette.

Pour redimensionner la fenêtre AutoCAD DesignCenter, il suffit de cliquer sur son contour, sur la barre séparant la palette de l'arborescence ou sur la poignée de redimensionnement située dans le coin inférieur droit, puis de faire glisser le périphérique de pointage pour obtenir les dimensions voulues. La taille minimale de cette fenêtre est la largeur requise pour afficher deux colonnes de grandes icônes.

9. Utilisation de l'arborescence

L'arborescence répertorie les dessins ouverts, le contenu personnalisé, ainsi que les fichiers et les dossiers résidant sur l'ordinateur et sur les différentes unités du réseau.

Pour afficher l'arborescence, utiliser une des méthodes suivantes :

- Cliquez sur le bouton Arborescence Tree View Toggle (Arborescence) de la fenêtre AutoCAD DesignCenter.

Ou

- Cliquer à l'aide du bouton droit du périphérique de pointage sur le fond de la palette, un Menu contextuel apparaît. Choisir ensuite Tree (Arborescence).

Pour masquer l'arborescence, utiliser une des méthodes suivantes :

- Cliquez sur le bouton Tree View Toggle (Arborescence) de la fenêtre AutoCAD DesignCenter.

Ou

- Cliquer à l'aide du bouton droit du périphérique de pointage sur le fond de la palette, un Menu contextuel apparaît. Choisir ensuite Tree (Arborescence).

Pour changer la source des éléments affichés dans l'arborescence, utiliser une des méthodes suivantes:

- Cliquer sur l'un des boutons suivants de la barre d'outils AutoCAD DesignCenter (fig. 11.9):

- Desktop (Bureau) : répertorie les unités locales et du réseau.
- Open Drawings (Ouvrir les dessins) : répertorie les dessins ouverts dans AutoCAD.
- History (Historique) : présente les 20 derniers sites auxquels on a accédé via AutoCAD DesignCenter.

Ou

- ▸ Cliquez à l'aide du bouton droit du périphérique de pointage sur le fond de la palette, pour afficher le Menu contextuel, puis choisir une source de contenu (Bureau, Ouvrir les dessins, Historique).

L'arborescence répertorie les éléments sous forme hiérarchique. Il suffit de sélectionner l'un de ces éléments pour visualiser son contenu dans la palette. Pour afficher ou masquer les niveaux supplémentaires de la hiérarchie, cliquer sur le signe plus (+) ou moins (–). Il est aussi possible de cliquer deux fois sur un élément pour développer son arborescence.

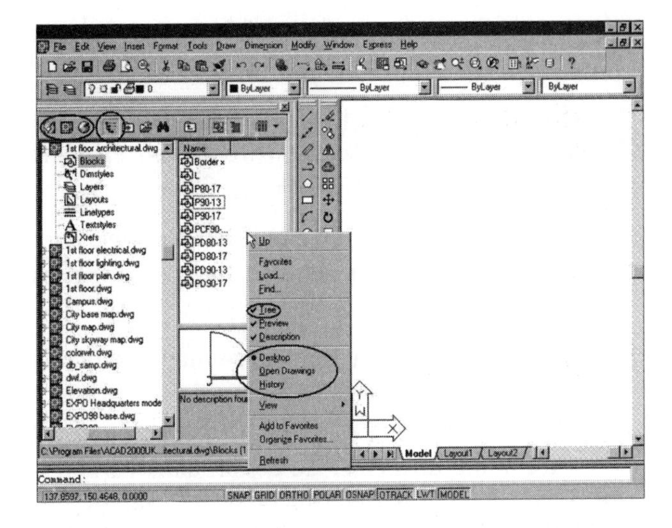

Fig. 11.9

10. Chargement de la palette

Pour charger la palette, il convient de sélectionner des sources de contenu dans l'arborescence ou dans la boîte de dialogue Load DesignCenter Palette (Charger la palette DesignCenter). Ces deux opérations permettent d'afficher le contenu de dessins ouverts, de fichiers résidant sur des unités locale ou du réseau, du dossier Favoris AutoDesk, de sites Internet ou de sources personnalisées.

Pour charger la palette à l'aide de l'arborescence, il convient de suivre la procédure suivante :

1. Si l'arborescence n'est pas affichée, cliquer sur le bouton Tree View Toggle (Arborescence) de la barre d'outils d'AutoCAD DesignCenter.

2. Cliquer sur un bouton d'AutoCAD DesignCenter pour sélectionner une source (Bureau, Ouvrir les dessins, Historique).

3. Sélectionner l'élément dont on souhaite charger le contenu dans la palette.

AutoCAD affiche alors ce contenu. Par exemple, si l'on sélectionne un fichier de dessin dans l'arborescence, la palette présente les icônes des calques, des blocs, des Xréfs et des autres objets contenus dans ce dessin. Si l'on clique sur l'icône Calques associée à un dessin dans l'arborescence, la palette affiche les icônes représentant les différents calques figurant dans ce dessin.

Pour charger la palette via la boîte de dialogue Charger la palette DesignCenter, il convient de suivre la procédure suivante:

1. Dans AutoCAD DesignCenter, cliquer sur le bouton Load (Charger).

2. Dans la boîte de dialogue Load DesignCenter Palette (Charger la palette DesignCenter), choisir l'une des options suivantes (fig. 11.10):

- Look in (Rechercher dans) : affiche les fichiers et les dossiers présents sur les unités locales et du réseau

- L'icône Look in Favorites (Chercher dans Favoris) affiche le contenu du dossier Favoris d'Autodesk.
- Search the Web (Chercher sur le Web) : permet d'ouvrir des fichiers à partir d'Internet.

3 Sélectionnez l'élément dont on souhaite charger le contenu dans la palette.

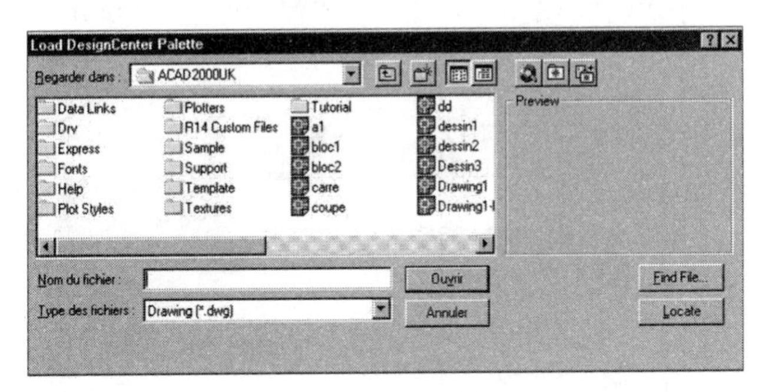

Fig. 11.10

11. Changement du mode d'affichage de la palette

AutoCAD DesignCenter fournit quatre options d'affichage du contenu de la palette (fig. 11.11):

- Grandes icônes (Larges icons)
- Petites icônes (Small icons)
- Liste (List)
- Détails (Details)

Pour sélectionner un mode d'affichage, il convient de :

- Cliquer sur le bouton Views (Vues) d'AutoCAD DesignCenter, puis choisir une option.

Ou

- Cliquez avec le bouton droit du périphérique de pointage sur le fond de la palette, pour afficher le menu contextuel. Sélectionner View (Vue), puis l'une des options proposées.

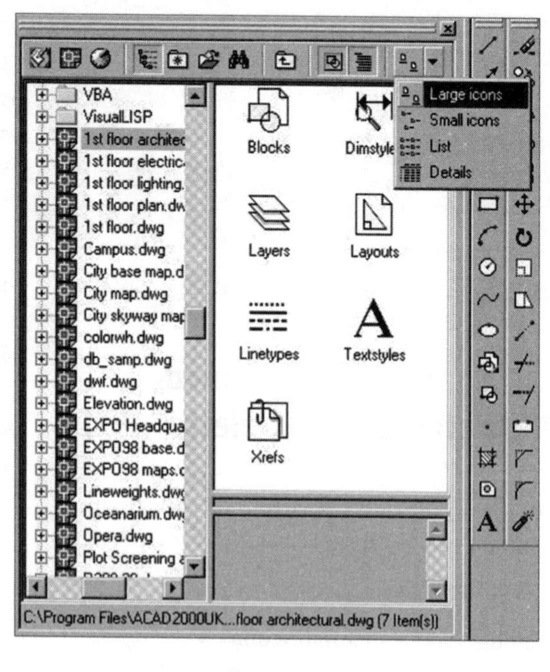

Fig. 11.11

12. Ouverture de dessins à l'aide d'AutoCAD DesignCenter

AutoCAD DesignCenter permet d'ouvrir un dessin en faisant glisser le fichier correspondant soit dans la zone de dessin (intégration au dessin en cours) soit dans les bordures autour de la zone de dessin (ouverture en tant que dessin séparé).

Pour ouvrir un dessin sous AutoCAD DesignCenter, il convient de:

- Dans la palette, cliquer à l'aide du bouton droit du périphérique de pointage sur l'icône correspondant au dessin, puis choisir Open in Window (Ouvrir dans la fenêtre).

Ou

- Faire glisser l'icône du fichier de dessin que l'on souhaite ouvrir hors de la palette pour la déposer dans la bordure de la zone de dessin (fig. 11.12).

Ou

- Faire glisser l'icône du fichier de dessin que l'on souhaite ouvrir hors de la palette pour la déposer dans la zone de dessin (fig. 11.12).

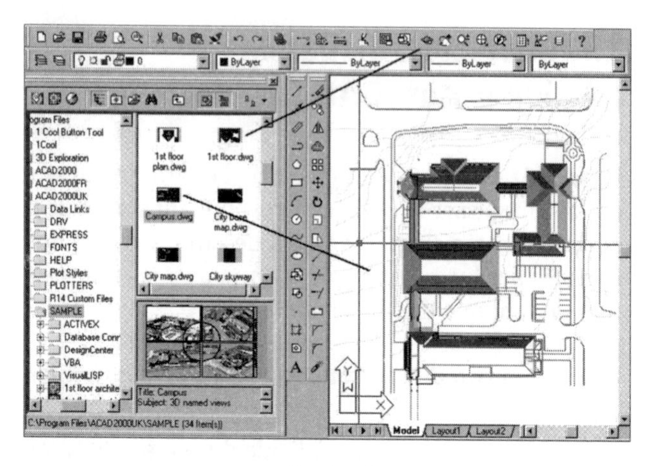

Fig. 11.12

13. Ajouter un contenu à un dessin

AutoCAD DesignCenter permet de faire glisser des éléments de la palette ou de la boîte de dialogue Find (Rechercher) directement dans un dessin ouvert. Il est également possible de copier des objets dans le Presse-papiers pour les coller dans un dessin. La méthode choisie dépend du type de contenu que l'on souhaite insérer. Il est ainsi possible de :

- Insérer des blocs à l'aide d'AutoCAD DesignCenter
- Attacher des images tramées à l'aide d'AutoCAD DesignCenter
- Attacher des références externes à l'aide d'AutoCAD DesignCenter

- Copier des blocs entre des dessins
- Copier des calques entre des dessins

L'insertion de blocs

AutoCAD DesignCenter offre deux méthodes pour insérer des blocs dans un dessin :

- Facteur d'échelle et angle de rotation par défaut : cette méthode utilise la fonction de mise à l'échelle automatique, qui compare les unités du dessin à celles du bloc et, si nécessaire, met à l'échelle l'occurrence de celui-ci selon le rapport entre ces deux unités. Lorsque l'on insère des objets, AutoCAD les met à l'échelle selon la valeur Drawing units for DesignCenter blocks (Unités d'insertion) définie dans la boîte de dialogue Drawing Units (Unités) du dessin en cours.
- Coordonnées, facteur d'échelle et angle de rotation déterminés : cette méthode donne accès à la boîte de dialogue Insert (Insérer), dans laquelle on peut définir des paramètres pour l'occurrence de bloc sélectionnée.

Pour insérer un bloc avec un facteur d'échelle et un angle de rotation par défaut (fig. 11.13):

1. Dans la palette ou la boîte de dialogue Find (Rechercher), sélectionner le bloc à insérer avec le bouton gauche du périphérique de pointage, puis le glisser dans le dessin ouvert.

2 Relâcher le bouton du périphérique de pointage à l'endroit où il convient de placer le bloc. Le bloc est inséré avec un facteur d'échelle et un angle de rotation par défaut. L'échelle du bloc dépend d'une part de l'unité définie lors de la création du bloc et d'autre part de l'unité d'insertion définie dans le dessin en cours.

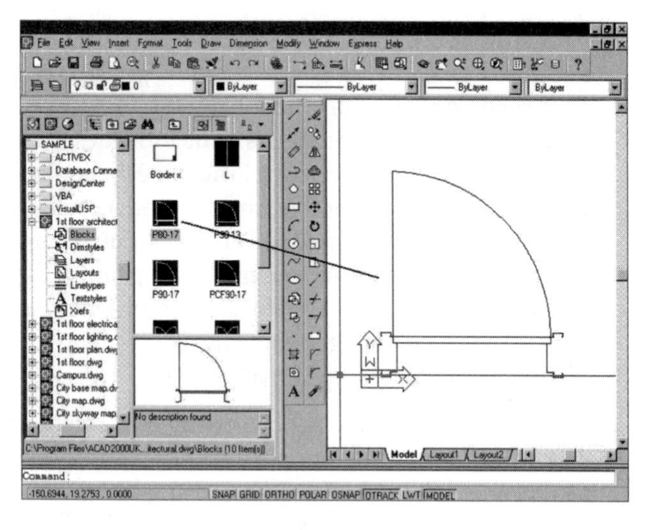

Fig. 11.13

Pour insérer un bloc avec des coordonnées, un facteur d'échelle et un angle de rotation déterminés, la procédure est la suivante :

1 Dans la palette ou la boîte de dialogue Find (Rechercher), faire glisser le bloc dans le dessin ouvert à l'aide du bouton droit du périphérique de pointage.

[2] Relâcher le bouton du périphérique de pointage et choisir Point d'insertion dans le menu contextuel.

[3] Dans la boîte de dialogue Insert (Insérer), entrer les valeurs du point d'insertion, de l'échelle et de l'angle de rotation ou sélectionner Specify On-screen (Spécifier à l'écran).

[4] Pour dissocier les objets qui forment le bloc, sélectionner Explode (Décomposer).

[5] Cliquer sur OK pour insérer le bloc avec les paramètres spécifiés. Il est également possible d'insérer un bloc en cliquant deux fois dessus ou en choisissant Point d'insertion dans le menu contextuel.

Attacher des références externes à l'aide d'AutoCAD DesignCenter

A l'instar d'une référence de bloc, une Xréf est affichée dans un dessin sous la forme d'un objet unique et peut être attachée en spécifiant des paramètres de coordonnées, d'échelle et d'angle de rotation.

Pour attacher ou superposer une Xréf à l'aide d'AutoCAD DesignCenter, la procédure est la suivante :

[1] Dans la palette ou la boîte de dialogue Find (Rechercher), faire glisser la Xréf dans le dessin ouvert à l'aide du bouton droit du périphérique de pointage.

2 Relâcher le bouton du périphérique de pointage, puis choisir Attach (Associer) Xréf dans le menu contextuel.

3 Dans la boîte de dialogue External Reference (Référence externe), sous Reference Type (Type de référence), sélectionner Attachment (Ancrage) ou Overlay (Superposition).

4 Entrer les valeurs du point d'insertion, de l'échelle et de l'angle de rotation ou sélectionner Specify On-screen (Spécifier à l'écran) pour utiliser le périphérique de pointage.

5 Cliquez sur OK.

Copier des blocs entre des dessins

Il est possible d'utiliser AutoCAD DesignCenter pour localiser un bloc puis copier celui-ci dans le Presse-papiers pour le coller ensuite dans un dessin.

Pour copier un bloc dans le Presse-papiers à l'aide d'AutoCAD DesignCenter, il suffit de sélectionner le bloc voulu, puis de cliquer à l'aide du bouton droit du périphérique de pointage, et enfin de choisir Copier.

Copier des calques entre des dessins

AutoCAD DesignCenter permet de copier des calques en les faisant glisser d'un dessin dans un autre. Si, par exemple, on dispose d'un dessin contenant tous les calques standard nécessaires à un projet, on peut créer un nouveau dessin et utiliser AutoCAD DesignCenter pour y faire glisser les calques prédéfinis, ce qui permet à la fois de gagner du temps et de garantir la cohérence entre les dessins.

Pour faire glisser des calques dans un dessin ouvert, la procédure est la suivante :

1. S'assurer que le dessin dans lequel on souhaite copier des calques est ouvert et actif.
2. Dans la palette ou dans la boîte de dialogue Find (Rechercher), sélectionner un ou plusieurs calques à copier.
3. Faire glisser le ou les calques sélectionnés dans le dessin ouvert et relâcher le bouton du périphérique de pointage.

Pour copier et coller des calques dans un dessin ouvert, la procédure est la suivante :

1. S'assurer que le dessin dans lequel on souhaite copier des calques est ouvert et actif.
2. Dans la palette ou dans la boîte de dialogue Find (Rechercher), sélectionner un ou plusieurs calques à copier.
3. Cliquer à l'aide du bouton droit du périphérique de pointage, puis choisir Copy (Copier).

4 Pour coller les calques, s'assurer que le dessin de destination est actif, puis cliquer à l'aide du bouton droit du périphérique de pointage et choisir Paste (Coller).

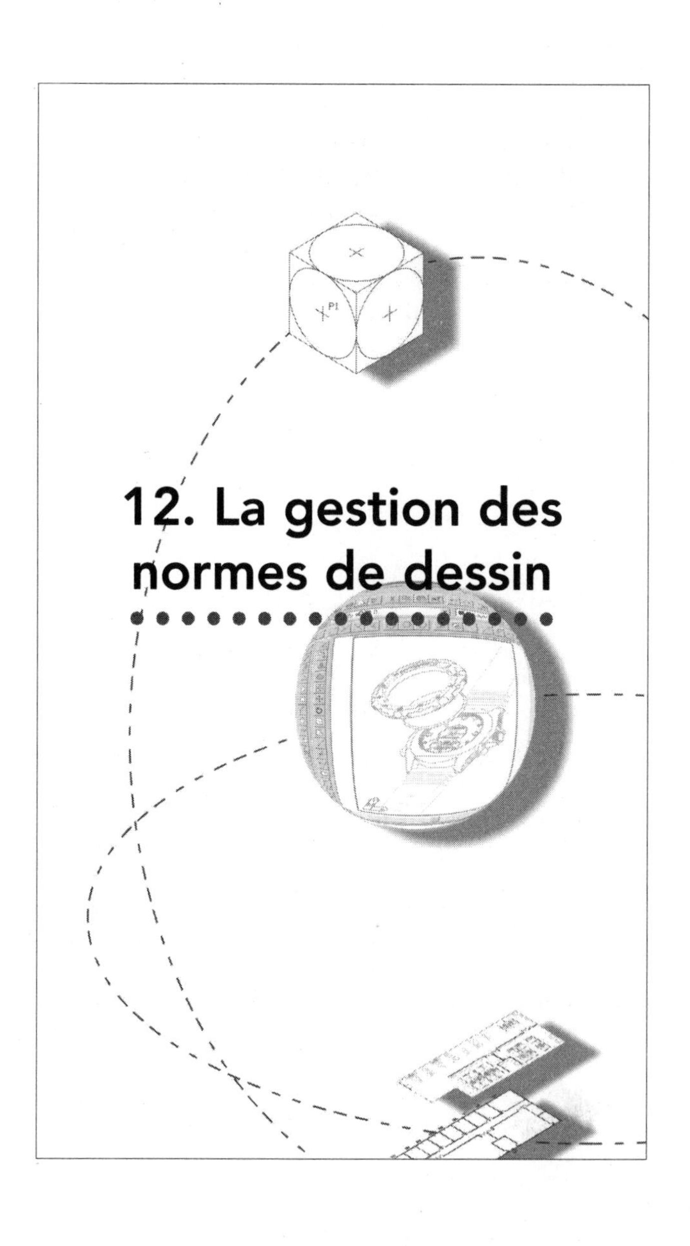

12. La gestion des normes de dessin

A voir dans ce chapitre

- La définition de normes
- La vérification de la conformité des dessins
- La Conversion des propriétés et des noms de calque

1. Le concept de normes

Les dessins sont plus aisés à interpréter si l'on définit des normes visant à garantir une cohérence. Il est possible de définir des normes pour les noms de calques, les styles de cote et d'autres éléments, vérifier si les dessins respectent bien ces normes et modifier toute propriété non conforme. Les étapes suivantes sont à prendre en compte :

- **Définition de normes**

  Pour établir des normes, il convient de créer un fichier définissant les propriétés et les objets nommés et l'enregistrer sous forme de fichier gabarit.

- **Vérification de la conformité des dessins**

  Il est possible de contrôler un fichier dessin afin de déterminer s'il respecte les normes, puis changer le fichier auquel il doit se conformer. Le Vérificateur de normes en différé permet de contrôler plusieurs fichiers simultanément.

- **Conversion des propriétés et des noms de calque**

  Le Convertisseur de calques permet de modifier les calques d'un dessin afin qu'ils soient conformes aux normes de calques définies.

La création de normes

Les normes définissent un jeu de propriétés communes à des objets nommés, notamment des calques et des styles de texte. Le responsable CAO ou toute autre personne peut créer, appliquer et contrôler des normes dans des dessins AutoCAD afin de garantir une cohérence entre les dessins. Les normes facilitant l'interprétation des dessins, elles sont d'une aide précieuse dans les environnements collaboratifs, dans le cadre desquels plusieurs personnes contribuent à la création d'un dessin.

Il est possible de créer des normes pour les objets nommés suivants :

- Calques
- Styles de texte
- Types de ligne
- Styles de cotes

Une fois les normes définies, il faut les enregistrer dans un fichier gabarit. Ce fichier de normes peut ensuite être associé à un ou plusieurs fichiers dessin. Quand un fichier de normes est associé à un dessin AutoCAD, il est conseillé de vérifier régulièrement si le dessin est conforme aux normes.

Un contrôle des normes peut soulever deux types de problèmes :

- Un objet portant un nom non conforme se trouve dans le dessin en cours de vérification. Un calque nommé MUR, par exemple, est présent dans le dessin mais ne figure pas dans les fichiers de normes associés.
- Un objet nommé d'un dessin correspond à un nom d'objet du fichier de normes, mais leurs propriétés sont différentes. Par exemple, le calque MUR est jaune dans le dessin, tandis que le fichier de normes définit la couleur rouge pour le calque MUR.

Lorsque l'on corrige des objets dotés de noms non conformes, les objets non conformes sont purgés du dessin. Tous les objets du dessin associés à un objet non conforme sont transférés vers un objet de remplacement conforme que l'on défini. On peut par exemple corriger un calque MUR non conforme et le remplacer par le calque conforme ARCH-MUR. Dans cet exemple, une fois que l'on a sélectionné l'option Fix (Corriger) dans la boîte de dialogue Check Standards (Vérifier les normes), tous les objets sont transférés du calque MUR au calque ARCH-MUR puis le calque MUR est purgé du dessin.

Le processus de contrôle utilise des plug-ins de normes, c'est-à-dire des applications qui définissent les règles concernant les propriétés qui sont vérifiées pour les différents objets nommés. Les calques, les styles de cote, les types de ligne et les styles de texte sont confrontés individuellement aux plug-ins correspondants. Dans le futur, Autodesk ou des développeurs tiers pourront éventuellement ajouter des plug-ins de normes pour vérifier d'autres propriétés de dessin.

2. La définition de normes

Pour établir des normes, il convient de créer un fichier définissant les propriétés des calques, styles de cote, types de ligne et styles de texte et l'enregistrer sous forme de fichier gabarit, avec l'extension .dws.

Pour créer un fichier de normes, la procédure est la suivante :

1 Dans le menu File (Fichier), choisir New (Nouveau).

2 Démarrer le nouveau dessin en mode brouillon (Start from Scratch).

3 Dans ce nouveau dessin, il convient de créer les calques, les styles de cote, les types de ligne et les styles de texte à inclure dans le fichier de normes.

4 Dans le menu File (Fichier), choisir l'option Save As (Enregistrer sous).

5 Dans le champ File name (Nom de fichier), entrer le nom du fichier de normes. Par exemple : SECURITE. Cette norme sera d'usage pour chaque plan de sécurité d'un immeuble.

6 Dans la liste Files of type (Types de fichier), sélectionnez AutoCAD 2002 Drawing Standard (Standard de dessin AutoCAD 2002) (*.dws).

7 Cliquer sur Save (Enregistrer).

Pour associer un fichier de normes au dessin courant, la procédure est la suivante :

1 Exécuter la commande d'association à l'aide de l'une des méthodes suivantes:

Choisir le menu déroulant TOOLS (Outils) puis l'option CAD STANDARDS (Normes CAO) et ensuite Configure (Configurer).

Choisir l'icône Configure standards (Configurer normes) de la barre d'outils CAD Standards (Normes CAO).

Taper la commande STANDARDS (NORMES).

2 Dans la boîte de dialogue Configure standards (Configurer les normes), sur l'onglet Standards (Normes), choisir le bouton + (Ajouter fichier de normes).

3 Dans la boîte de dialogue Sélect standards file (Sélectionner le fichier de normes), rechercher et sélectionner un fichier de normes. Cliquer sur Open (Ouvrir) (fig. 12.1).

4 (Facultatif) Répétez les étapes 2 et 3 pour associer des fichiers de normes supplémentaires au dessin courant.

5 Cliquez sur OK.

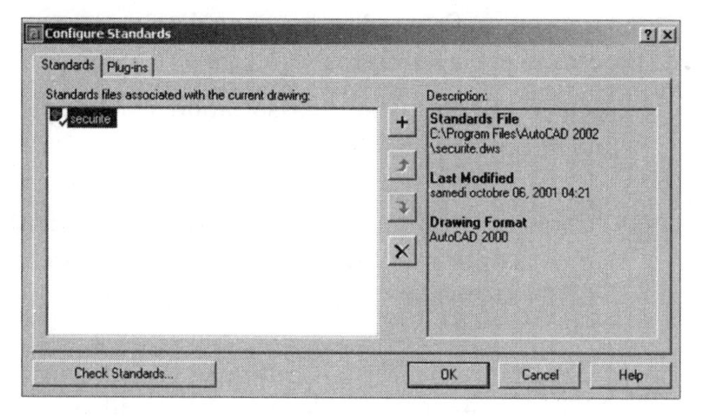

Fig. 12.1

Pour supprimer un fichier de normes du dessin courant

1 Exécuter la commande de suppression à l'aide de l'une des méthodes suivantes:

Choisir le menu déroulant TOOLS (Outils) puis l'option CAD STANDARDS (Normes CAO) et ensuite Configure (Configurer).

Choisir l'icône Configure standards (Configurer normes) de la barre d'outils CAD Standards (Normes CAO).

Taper la commande STANDARDS (NORMES).

2 Dans la boîte de dialogue Configure standards (Configurer les normes), sur l'onglet Standards (Normes), sélectionner un fichier de normes dans la zone Fichiers de normes associés au dessin courant.

3 Cliquer sur le bouton - (Supprimer fichier de normes).

4 (Facultatif) Répéter les étapes 2 et 3 pour supprimer des fichiers de normes supplémentaires.

5 Cliquer sur OK.

3. La vérification de la conformité des dessins

Quand un fichier de normes est associé à un dessin AutoCAD, il est conseillé de vérifier régulièrement si le dessin est conforme aux normes. Cette précaution est particulièrement importante si plusieurs personnes mettent à jour le fichier dessin. Par exemple, dans un projet avec plusieurs sous-traitants, l'un d'eux peut créer des calques qui ne sont pas conformes aux normes que vous avez définies. Dans ce cas, il faut être en mesure d'identifier les calques non conformes et de les corriger.

Pour contrôler la conformité du dessin courant, la procédure est la suivante :

1. Exécuter la commande de vérification à l'aide de l'une des méthodes suivantes:

Choisir le menu déroulant TOOLS (Outils) puis l'option CAD STANDARDS (Normes CAO) et ensuite Check (Vérifier).

Choisir l'icône Check standards (Vérifier normes) de la barre d'outils CAD Standards (Normes CAO).

Taper la commande CHECKSTANDARDS (VERIFNORMES).

2. Effectuer l'une des opérations suivantes (fig. 12.2):

- Pour utiliser l'élément sélectionné dans la liste Replace with (Remplacer par) afin de corriger la violation indiquée sous Problem (Problème), cliquer sur le bouton affichant une coche (Fix/Corriger). Si une correction est recommandée dans la liste Replace with (Remplacer par), elle est précédée d'une coche.
- Corriger manuellement la violation de norme dans AutoCAD, puis cliquer sur le bouton Next (Suivant) pour afficher la violation suivante.

- Choisir Mark this problem as ignored (Marquer le problème comme ignoré), puis cliquer sur le bouton Next (Suivant) pour afficher la violation suivante. Cette option permet de marquer la violation de norme pour qu'elle ne soit pas affichée la prochaine fois que l'on utilise la commande de vérification.
- Cliquer sur le bouton Next (Suivant) pour afficher la violation suivante.

3 Répéter l'étape 2 jusqu'à ce que toutes les violations de normes soient vérifiées.

4 Cliquer sur Close (Fermer).

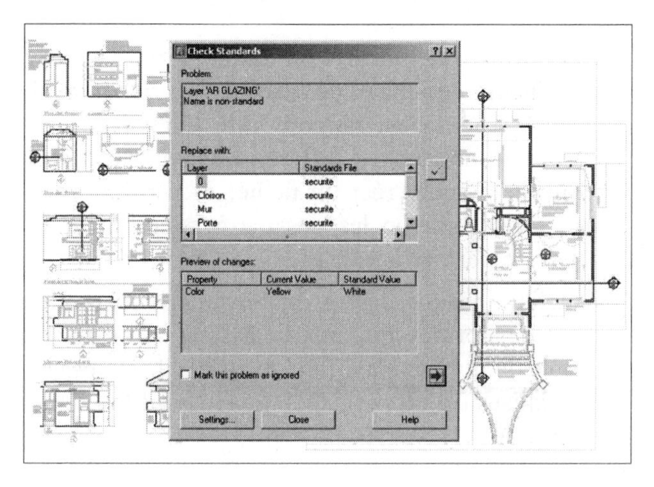

Fig. 12.2

Pour activer ou désactiver l'affichage des problèmes non pris en compte, la procédure est la suivante :

1. Dans la boîte de dialogue Check standards (Vérifier les normes), utilisée au point précédent, choisir Settings (Paramètres).

2. Dans la boîte de dialogue Check standards – Settings (Vérifier les normes – Paramètres), activer ou désactiver la case à cocher Show ignored problems (Afficher les problèmes ignorés).

3. Cliquez sur OK.

La vérification de plusieurs dessins

Le Vérificateur de normes en différé permet d'analyser plusieurs dessins et de résumer les violations de normes au sein d'un rapport XML. Pour lancer un contrôle de normes en différé, il convient dans un premier temps de créer un fichier de vérification de normes qui indique les dessins à contrôler et les fichiers de normes à utiliser.

Par défaut, chaque dessin est vérifié en fonction du fichier de normes qui lui est associé. Une fois le contrôle de normes en différé terminé, il est possible de visualiser un rapport XML fournissant les détails du contrôle.

Pour créer un fichier de vérification de normes pour le Vérificateur de normes en différé, la procédure est la suivante :

1. Lancer le Vérificateur de normes en différé (Batch Standards Checker) en tapant Shell sur la ligne de commande puis dwgcheckstandards.
2. Dans le Vérificateur de normes en différé, choisir le bouton New (Nouveau) de la barre d'outils.
3. Sur l'onglet Drawings (Dessins), cliquer sur le bouton + (Ajouter un dessin) (fig. 12.3).
4. Dans la boîte de dialogue d'ouverture des fichiers, sélectionner le dessin à contrôler, puis cliquez sur le bouton Open (Ouvrir).
5. (Facultatif) Répéter les étapes 3 et 4 pour associer des dessins supplémentaires au fichier de vérification de normes.
6. Dans l'onglet Standards, indiquer si chaque dessin utilise son propre fichier de standards ou si un seul fichier est utilisé pour tous les dessins.
7. Dans le second cas, cliquer sur le bouton + pour sélectionner le fichier standard.
8. Sélectionner le fichier et cliquer sur Open (Ouvrir).
9. Dans la barre d'outils du Vérificateur de normes en différé, cliquer sur le bouton Save as (Enregistrer sous).
10. Dans la boîte de dialogue qui apparaît, sous File name (Nom de fichier), attribuer un nom au

fichier (par exemple : verif1), puis cliquer sur Save (Enregistrer). Le fichier enregistré a l'extension .chx

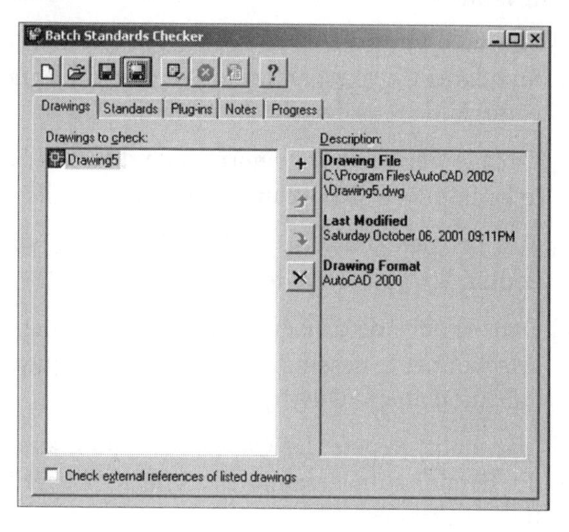

Fig. 12.3

Pour contrôler la conformité d'un ensemble de dessins

1. Lancer le Vérificateur de normes en différé.
2. Ouvrir ou créer un fichier de vérification de normes.
3. Dans le Vérificateur de normes en différé, cliquer sur le bouton Start Check (Démarrer la vérification) de la barre d'outils.

Une fois le contrôle de normes effectué, le rapport s'affiche dans une fenêtre de navigateur (fig. 12.4).

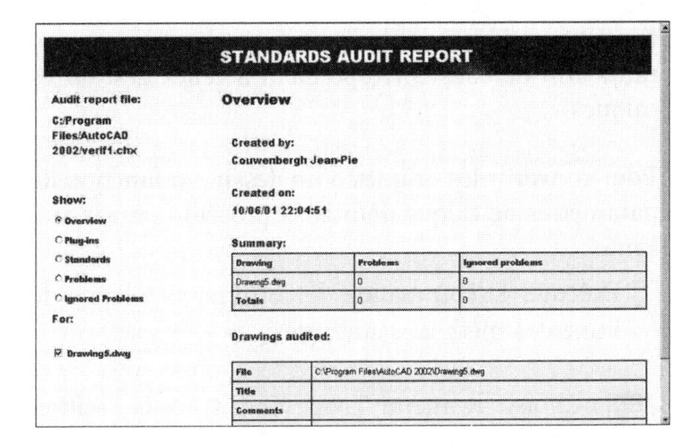

Fig. 12.4

4. Conversion des propriétés et des noms de calque

Le Convertisseur de calques (Layer Translator) permet de convertir les calques d'un dessin en fonction de normes que l'on a défini. Par exemple, si l'on reçoit un dessin d'une entreprise qui ne dispose pas des conventions relatives aux calques utilisées dans sa société, il est possible de convertir les noms et propriétés de calque du dessin conformément à ses propres normes. On peut établir des correspondances entre les calques du dessin sur lequel on travaille et ceux d'un autre dessin ou d'un fichier de normes, puis convertir les calques courants selon ces correspondances. Si les dessins contiennent des calques de même nom, le Convertisseur de calques peut modifier automatiquement les propriétés des calques courants afin qu'elles correspondent à celles des autres calques.

Pour convertir les calques d'un dessin en fonction de paramètres de calque définis, la procédure est la suivante :

1. Exécuter la commande de conversion à l'aide de l'une des méthodes suivantes:

Choisir le menu Tools (Outils), puis l'option Cad Standards (Normes CAO) et ensuite Layer Translator (Convertisseur de calques).

Choisir l'icône Layer Translate (Convertir calques) de la barre d'outils CAD Standards (Normes CAO).

Taper la commande LAYTRANS (CONVCALQUE).

2. Dans la boîte de dialogue Layer Translator (Convertisseur de calques), effectuer l'une des opérations suivantes :

   - Cliquer sur Load (Charger) pour charger la liste des calques d'un dessin (dwg), d'un gabarit de dessin (dwt) ou d'un fichier de normes de dessin (dws), pour servir de référence. Dans la boîte de dialogue Select Drawing File (Sélectionner un fichier dessin), sélectionner le fichier de référence puis cliquer sur Open (Ouvrir) (fig. 12.5).

- Cliquer sur New (Nouveau) pour définir un nouveau calque. Dans la boîte de dialogue New Layer (Nouveau calque), entrer le nom du calque, sélectionner ses propriétés, puis cliquer sur OK (fig. 12.6).

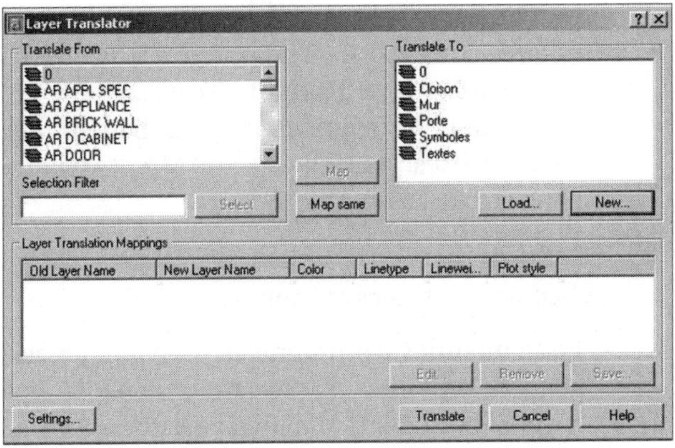

Fig. 12.5

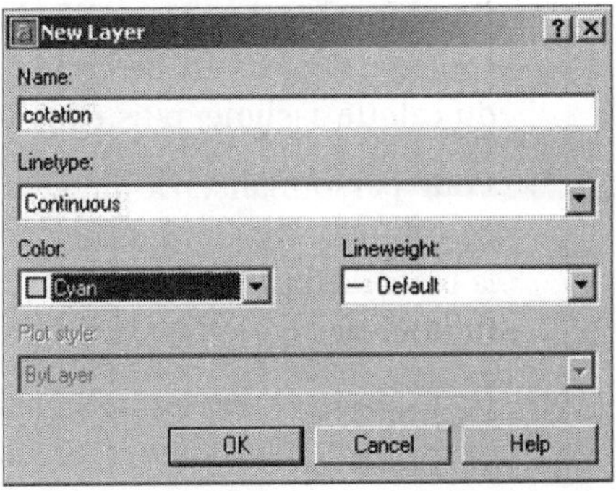

Fig. 12.6

3 Associer des calques du dessin courant avec les calques de référence utilisés pour la conversion. Pour cela utiliser l'une des méthodes suivantes:

- Pour établir des associations entre deux listes de calques de noms identiques, cliquer sur Map same (Assigner mêmes).
- Pour établir une association entre des calques individuels, sélectionnez un ou plusieurs calques dans la liste Translate from (Convertir de). Dans la liste Translate To (Convertir en), sélectionner le calque dont on souhaite utiliser les propriétés, puis cliquer sur Map (Assigner) pour établir l'association.

4 (Facultatif) Le Convertisseur de calques permet d'effectuer les tâches suivantes :

- Pour modifier les propriétés d'un calque assigné, sélectionner l'association dans la liste Layer Translation Mappings (Associations de conversion de calques), puis cliquer sur Edit (Modifier). Dans la boîte de dialogue Edit Layer (Modifier le calque), modifier le type de ligne, la couleur, l'épaisseur de ligne ou le style de tracé du calque assigné, puis cliquer sur OK.
- Pour personnaliser le processus de conversion de calques, choisir Settings (Paramètres). Dans la boîte de dialogue Settings (Paramètres), sélectionner des options, puis cliquez sur OK.
- Pour enregistrer les assignations de calques dans un fichier, cliquer sur Save (Enregistrer).

Dans la boîte de dialogue Save Layer Mappings (Enregistrer les assignations de calques), entrer le nom du fichier, puis cliquer sur OK.

5 (Sélectionner Translate (Convertir) pour effectuer les conversions de calques définies.

Affichage des calques de dessin sélectionnés

Le Convertisseur de calques permet de définir les calques à rendre visibles dans la zone de dessin. Il est ainsi possible d'afficher les objets de tous les calques du dessin ou uniquement les objets de calques sélectionnés. En visualisant les calques sélectionnés, il est facile de vérifier leur contenu.

Pour définir les calques à afficher dans la zone de dessin, la procédure est la suivante :

1 Afficher la boîte de dialogue Layer Translator (Convertisseur de calques), selon la procédure précédente.

2 Dans le Layer Translator (Convertisseur de calques), cliquer sur Settings (Paramètres).

3 Dans la boîte de dialogue Settings (Paramètres), effectuer l'une des opérations suivantes :

- Pour afficher les objets de calques sélectionnés du dessin, choisir Show layer contents when selected (Afficher le contenu des calques sélectionnés). Seuls les calques sélectionnés dans la boîte de dialogue Convertisseur de calques sont affichés dans la zone de dessin (fig. 12.7).

- Pour afficher les objets de tous les calques du dessin, désactiver la case à cocher Show layer contents when selected (Afficher le contenu des calques sélectionnés).

[4] Cliquez sur OK.

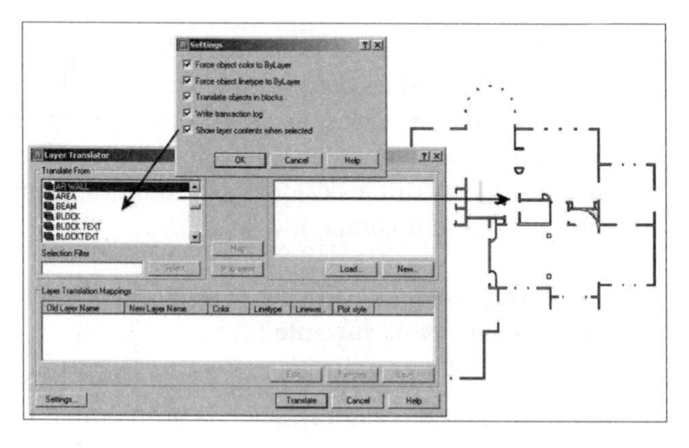

Fig. 12.7

Purge des calques non référencés

Le Convertisseur de calques permet de purger (supprimer en totalité) les calques non référencés d'un dessin. Par exemple, si le dessin inclut des calques inutiles, on peut les supprimer. La gestion des calques est en effet facilitée si le nombre de calques est réduit.

Pour purger tous les calques non référencés d'un dessin, la procédure est la suivante :

1. Afficher la boîte de dialogue Layer Translator (Convertisseur de calques), selon la procédure précédente.

2. Dans le Layer Translator (Convertisseur de calques), cliquer avec le bouton droit de la souris sur la liste Translate from (Convertir de), puis sélectionner Select All (Tout sélectionner) et ensuite Purge layers (Purger calques). Tous les calques non référencés sont supprimés du dessin courant (fig. 12.8).

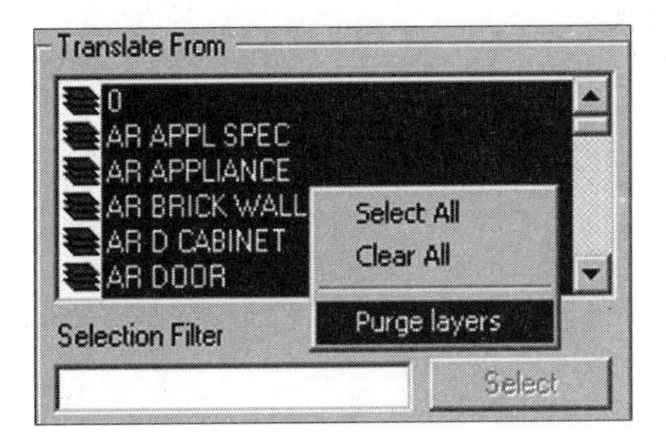

Fig. 12.8

13. La diffusion de dessins via Internet

A voir dans ce chapitre

- L'ajout d'hyperliens à un dessin
- L'utilisation de fichiers de dessin sur Internet
- La publication de dessins au format DWF
- La création de pages Web
- La conférence en ligne

1. AutoCAD et Internet

L'usage de l'Internet couplé à la CAO devient une réalité de plus en plus concrète dans le monde des bureaux d'études et de l'architecture.

Dans le cas d'AutoCAD il est très facile d'accéder aux dessins et aux fichiers associés via Internet. Il faut pour cela disposer d'un navigateur Internet tel que Microsoft® Internet Explorer 5.0 (ou une version ultérieure) et d'un accès à Internet ou à un réseau intranet. Les opérations suivantes sont ainsi disponibles :

- **Ajout d'hyperliens à un dessin**

  L'ajout d'hyperliens aux dessins permet d'accéder à des fichiers ou des sites Web spécifiques.

- **Utilisation des fichiers dessin sur Internet**

  Il est possible d'ouvrir et d'enregistrer des dessins sur Internet, d'associer des dessins de références externes stockés sur Internet, d'insérer des blocs en faisant glisser des dessins à partir d'un site Web et créer un jeu de transfert pour un fichier DWG incluant automatiquement tous les fichiers associés.

- **Publication de dessins au format DWF (Drawing Web Format)**

  Les fonctionnalités " Tracé électronique " et " Affichage électronique " permettent de générer des fichiers dessin électroniques au format DWF (Drawing Web Format). Comme leurs noms l'indiquent, ces fonctionnalités créent des tracés électroniques virtuels.

- **Création de pages Web à l'aide de l'assistant Publier sur le Web**

  L'assistant " Publier sur le Web " simplifie le processus de création et de formatage des fichiers DWF en vue de leur affichage dans des pages HTML.

- **Partage d'une session AutoCAD dans le cadre d'une conférence en ligne**

  La fonctionnalité " Conférence " permet à deux personnes ou plus de travailler ensemble dans une même session. Pendant que l'on modifie un dessin sur son ordinateur, d'autres personnes peuvent vous regarder travailler depuis leur machine.

2. Les hyperliens

L'ajout d'hyperliens aux entités d'un dessin AutoCAD permet d'accéder rapidement à des fichiers (AutoCAD, Word, Excel, ...) ou à des sites Web spécifiques.

Pour créer un hyperlien vers un autre fichier, la procédure est la suivante :

[1] Exécuter la commande de création d'hyperlien à l'aide de l'une des méthodes suivantes:

Choisir le menu déroulant Insert (Insertion) puis l'option Hyperlien.

Choisir l'icône Insert Hyperlink (Insérer un hyperlien) de la barre d'outils standard.

Taper la commande Hyperlink (Hyperlien).

[2] Dans la zone de dessin, sélectionner un ou plusieurs objets graphiques auxquels on souhaite associer l'hyperlien.

3 Effectuez l'une des opérations suivantes :

- Sous Type the file or Web page name (entrer le nom du fichier ou de la page Web), indiquer le chemin d'accès et le nom du fichier que l'on souhaite associer à l'hyperlien.
- Cliquer sur le bouton File (Fichier) pour accéder au fichier souhaité. Cliquer sur Open (Ouvrir) (fig. 13.1).

4 (Facultatif) Si l'on créé un hyperlien vers un dessin AutoCAD, on peut choisir Target (Cible) pour indiquer l'emplacement nommé du dessin auquel on souhaite accéder. Il faut ensuite procéder comme suit (fig. 13.2):

- Sélectionner un emplacement nommé auquel accéder : objet, présentation 1, vue 1...
- Cliquer sur OK.

5 (Facultatif) Entrer une description de l'hyperlien dans le champ Text to display (Texte à afficher).

6 Cliquer sur OK.

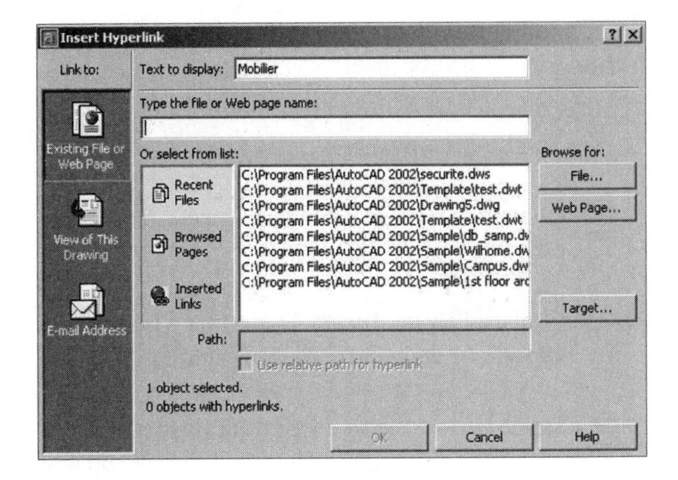

Fig. 13.1

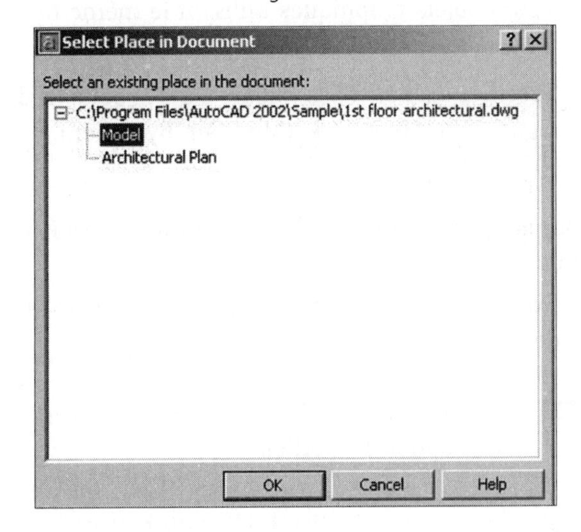

Fig. 13.2

Pour modifier un hyperlien, la procédure est la suivante :

1. Exécuter la commande Hyperlien à l'aide de l'une des méthodes suivantes:

Choisir le menu déroulant Insert (Insertion) puis l'option Hyperlien.

Choisir l'icône Insert Hyperlink (Insérer un hyperlien) de la barre d'outils standard.

Taper la commande Hyperlink (Hyperlien).

2. Dans la zone de dessin, sélectionner un ou plusieurs objets graphiques utilisant le même hyperlien.

3. Spécifier les nouvelles valeurs dans la boîte de dialogue Edit Hyperlink (Modifier hyperlien), puis cliquer sur le bouton OK.

Pour supprimer un hyperlien, la procédure est la suivante :

1. Exécuter la commande Hyperlien à l'aide de l'une des méthodes suivantes:

Choisir le menu déroulant Insert (Insertion) puis l'option Hyperlien.

Choisir l'icône Insert Hyperlink (Insérer un hyperlien) de la barre d'outils standard.

Taper la commande Hyperlink (Hyperlien).

[2] Dans la zone de dessin, sélectionner un ou plusieurs objets graphiques utilisant le même hyperlien.

[3] Choisir Remove Link (Supprimer le lien) et cliquer sur OK.

Pour ouvrir un fichier associé à un hyperlien, la procédure est la suivante :

[1] Exécuter la commande Hyperlien à l'aide de l'une des méthodes suivantes:

Choisir le menu déroulant Insert (Insertion) puis l'option Hyperlien.

Choisir l'icône Insert Hyperlink (Insérer un hyperlien) de la barre d'outils standard.

Taper la commande Hyperlink (Hyperlien).

[2] Dans la zone de dessin, sélectionner un objet graphique associé à un hyperlien.

[3] Cliquer avec le bouton droit dans la zone de dessin AutoCAD, puis choisir Hyperlien et ensuite Open (Ouvrir) (fig. 13.3).

L'option de menu contextuel Hyperlien Open (Ouvrir) est suivie de la description de l'hyperlien (le cas échéant) ou de l'URL complet du fichier référencé.

Remarque: Si l'on a désactivé l'affichage du curseur d'hyperlien dans la boîte de dialogue Options, le menu contextuel Hyperlien n'est pas disponible.

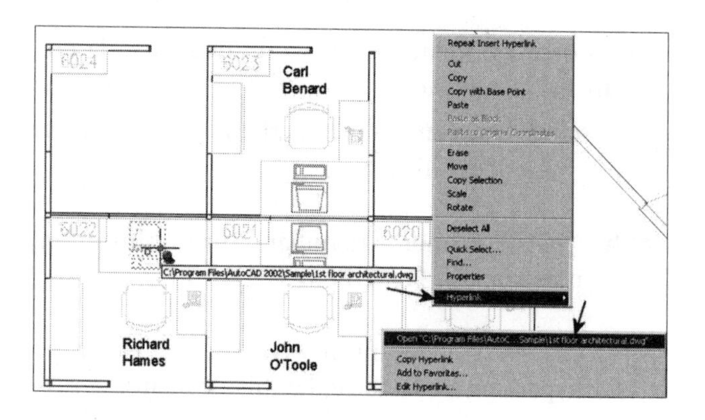

Fig. 13.3

Pour activer/désactiver l'affichage du curseur hyperlien, la procédure est la suivante :

1 Exécuter la commande Hyperlien à l'aide de l'une des méthodes suivantes:

Choisir le menu déroulant Insert (Insertion) puis l'option Hyperlien.

Choisir l'icône Insert Hyperlink (Insérer un hyperlien) de la barre d'outils standard.

Taper la commande Hyperlink (Hyperlien).

2 Dans le menu Tools (Outils), choisir Options.

3 Dans l'onglet User Preferences (Préférences utilisateur), sélectionner ou désélectionner Display hyperlink cursor and shortcut menu (Afficher le curseur et le menu contextuel d'hyperlien) (fig. 13.4).

4 Cliquer sur OK.

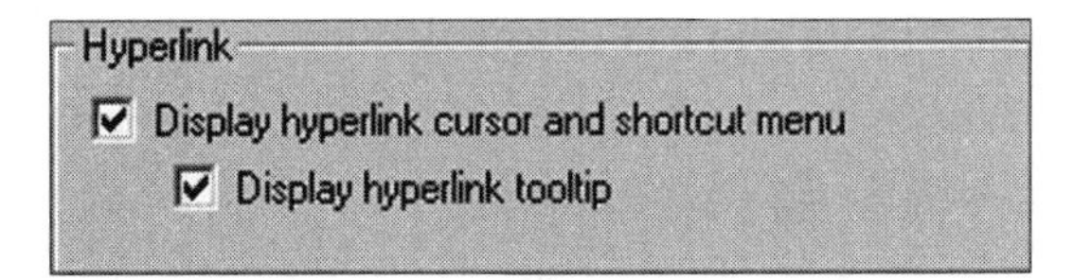

Fig. 13.4

3. Utilisation des fichiers dessin sur Internet

Il est possible d'ouvrir et d'enregistrer des dessins sur Internet, d'associer des dessins de références externes stockés sur Internet, d'insérer des blocs en faisant glisser des dessins à partir d'un site Web et de créer un jeu de transfert pour un fichier DWG incluant automatiquement tous les fichiers associés.

Pour ouvrir un fichier AutoCAD à partir d'Internet en entrant un URL :

1. Dans le menu Files (Fichier), choisir l'option Open (Ouvrir) ou cliquer sur l'icône correspondante.

2. Dans la boîte de dialogue Select File (Sélectionner un fichier), entrer l'URL permettant d'accéder au fichier dans le champ File name (Nom de fichier), puis cliquer sur Open (Ouvrir).

   Il convient d'indiquer le protocole de transfert (par exemple, *http://* ou *ftp://*) et l'extension (par exemple, *.dwg* ou *.dwt*) du fichier à ouvrir.

Pour ouvrir un fichier AutoCAD à partir d'Internet en parcourant un site FTP, il convient de :

1. Dans le menu File (Fichier), choisir l'option Open (Ouvrir).

2. Dans la boîte de dialogue Select File (Sélectionner un fichier), choisir Tools (Outils) puis Add/Modify FTP Locations (Ajouter/Modifier adresses FTP).

3. Dans la boîte de dialogue Add/Modify FTP Locations (Ajouter/Modifier des adresses FTP), sous Name of FTP site (Nom du site FTP), entrer le nom du site FTP (par exemple, ftp.autodesk.com) (fig. 13.5).

4. Dans Log on as (Se connecter en tant que), effectuer un choix :

- Anonymous (Anonyme). Permet de se connecter au site FTP comme utilisateur anonyme. Si le site FTP n'accepte pas les connexions anonymes, il convient de choisir User (Utilisateur) et spécifier un nom d'utilisateur correct.
- Utilisateur. permet de se connecter au site FTP avec le nom d'utilisateur spécifié.

5. Entrer un mot de passe si nécessaire.
6. Cliquer sur Add (Ajouter), puis sur OK.
7. Dans la boîte de dialogue Select File (Sélectionner un fichier), choisir FTP dans l'arborescence située à gauche (fig. 13.6).
8. Cliquer deux fois sur l'un des sites FTP et sélectionner un fichier.
9. Choisir Ouvrir.

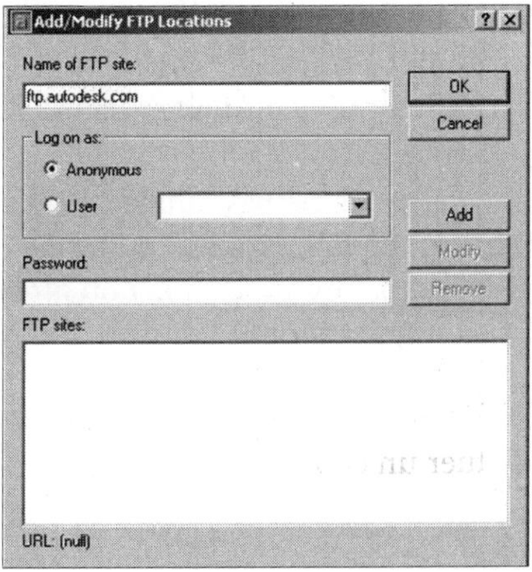

Fig. 13.5

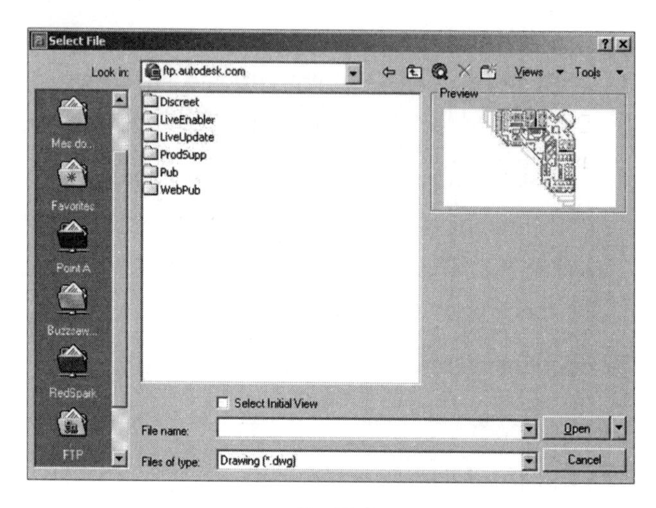

Fig. 13.6

Pour enregistrer un fichier AutoCAD sur Internet en entrant une URL, la procédure est la suivante :

1. Dans le menu File (Fichier), choisir l'option Save As (Enregistrer sous).
2. Entrez l'URL du fichier dans File name (Nom de fichier).

Il convient de ne pas oublier d'entrer le protocole de transfert de fichier ou le protocole de transfert d'hypertexte (par exemple, *ftp://* ou *http://*) ainsi que l'extension (par exemple, *.dwg* ou *.dwt*) du fichier à enregistrer. Il faut aussi disposer des droits d'accès pour enregistrer les fichiers à l'emplacement spécifié.

3. Sélectionner un format de fichier dans la liste Files of type (Types de fichier), puis cliquer sur Save (Enregistrer).

Pour enregistrer un fichier AutoCAD sur Internet en parcourant un site FTP, la procédure est la suivante :

1. Dans le menu File (Fichier), choisir l'option Save as (Enregistrer sous).
2. Dans la boîte de dialogue Save Drawing As (Enregistrer le dessin sous), sélectionner FTP dans l'arborescence à gauche.
3. Si l'on n'a pas encore ajouté le site FTP aux adresses FTP disponibles, il faut choisir Tools (Outils) puis Add/Modify FTP Locations (Ajouter/Modifier adresses FTP) et définir le site FTP comme indiqué plus haut dans le texte.
4. Cliquer deux fois sur l'un des sites FTP et sélectionner un fichier ou un format de fichier dans la liste Files of type (Types de fichier), puis cliquer sur Save (Enregistrer).

4. Transmission de fichiers sur Internet

Un des problèmes courants lors de l'envoi d'un dessin sur Internet est l'oubli de la part de l'expéditeur des fichiers associés (tels que les polices et les Xrefs). Dans certains cas, cet oubli peut empêcher le destinataire d'utiliser le dessin original. La fonction eTransmit permet de créer un jeu de transfert pour un dessin AutoCAD contenant automatiquement tous les fichiers qui lui sont associés. Il est possible ensuite d'envoyer le jeu de transfert sur Internet ou l'envoyer en tant que pièce jointe d'un message électronique. Un fichier de rapport, automatiquement généré, contient des instructions détaillant les fichiers inclus dans le jeu de transfert et indiquant les actions à prendre pour les rendre utilisables avec le dessin original. Il est possible également d'ajouter des remarques à ce rapport et de spécifier une protection par mot de passe pour le jeu de transfert. De même, on peut spécifier un dossier contenant les fichiers individuels du jeu de transfert ou créer un fichier Zip ou un exécutable auto-extractible comprenant tous les fichiers.

Pour créer un jeu de transfert dans un dossier que l'on spécifie la procédure est la suivante :

1. Exécuter la commande de transfert à l'aide de l'une des méthodes suivantes:

   Choisir le menu déroulant File (Fichier) puis l'option eTransmit.

   Choisir l'icône eTransmit de la barre d'outils standard.

   Taper la commande ETRANSMIT.

2. Dans la zone Notes (Remarques) spécifier tout commentaire supplémentaire à inclure avec le fichier de rapport (fig. 13.7).

3. Sélectionner Folder – Set of files (Dossier - jeu de fichiers) dans la liste Type.

4. Choisir Browse (Parcourir) pour spécifier un emplacement pour le jeu de transfert. Une boîte de dialogue standard de sélection de fichiers apparaît.

5. Accédez au dossier dans lequel on veut créer le jeu de transfert.

6. Choisir Open (Ouvrir).

7. Sélectionnez des options supplémentaires, par exemple pour placer le jeu de transfert sur une page Web ou pour l'envoyer comme un attachement de courrier électronique.

8. Cliquer sur OK pour créer le jeu de transfert dans le dossier spécifié.

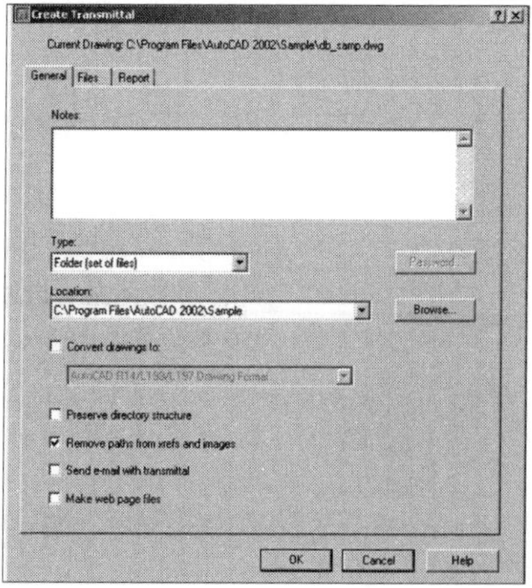

Fig. 13.7

Pour créer un jeu de transfert qui soit un exécutable auto-extractible ou un fichier Zip, la procédure est la suivante :

1. Exécuter la commande de transfert à l'aide de l'une des méthodes suivantes:

   Choisir le menu déroulant File (Fichier) puis l'option eTransmit.

   Choisir l'icône eTransmit de la barre d'outils standard.

   Taper la commande ETRANSMIT.

2. Spécifier tout commentaire supplémentaire à inclure avec le fichier de rapport dans la zone Notes (Remarques).
3. Sélectionner l'une des options suivantes dans la liste Type :
   - Exécutable auto-extractible (*.exe)
   - Zip (*.zip)
4. Choisir Browse (Parcourir) pour spécifier un emplacement pour le jeu de transfert. Une boîte de dialogue standard de sélection de fichiers apparaît.
5. Accéder au dossier dans lequel on veut créer le jeu de transfert.
6. Cliquer sur Save (Enregistrer).

7 Cliquer éventuellement sur Password (Mot de passe) pour spécifier un mot de passe pour le jeu de transfert et effectuer l'une des opérations suivantes :

- Entrer un mot de passe dans Password for compressed transmittal (Mot de passe pour transfert compressé).
- Dans Password confirmation (Confirmation du mot de passe), entrer à nouveau le mot de passe.
- Cliquer sur OK.

8 Sélectionner des options supplémentaires, par exemple pour placer le jeu de transfert sur une page Web ou pour l'envoyer comme un attachement de courrier électronique.

9 Cliquer sur OK pour créer le jeu de transfert.

5. Publication de dessins au format DWF (Drawing Web Format)

Les fonctionnalités ePlot (Tracé électronique) et eView (Affichage électronique) permettent de générer des fichiers dessin électroniques au format DWF (Drawing Web Format). Comme leurs noms l'indiquent, ces fonctionnalités créent des *tracés électroniques* virtuels.

Pour créer des fichiers DWF, il faut utiliser un fichier de configuration de traceur utilisant un modèle DWF spécifique. Ce modèle détermine si le fichier DWF doit être optimisé pour l'affichage ou pour le tracé.

Il est possible de visualiser les fichiers DWF dans les outils Volo View ou Volo View Express (Volo View Express est installé en même temps qu'AutoCAD). Ces applications permettent en outre de visualiser les fichiers DWF dans Microsoft Internet Explorer 5.01 ou une version ultérieure.

Les fichiers DWF sont créés dans un format vectoriel (sauf le contenu des images raster insérées) et sont généralement compressés. Ainsi, ils peuvent être ouverts et transmis plus rapidement que les fichiers dessin AutoCAD. Leur format vectoriel garantit le maintien de la précision.

Les fichiers DWF conviennent particulièrement à l'échange de fichiers dessin AutoCAD avec des personnes ne disposant pas d'AutoCAD. La simplicité d'utilisation des interfaces Volo View et Volo View Express permet aux personnes ignorant tout de la CAO d'afficher et de parcourir facilement un fichier DWF.

Pour tracer des fichiers DWF, il faut utiliser un fichier de configuration de traceur DWF PC3. On peut utiliser l'un de ceux installés (DWF ePlot [optimized for plotting] et DWF eView [optimized for viewing]) ou en créer un à l'aide de l'assistant Add Plotter (Ajouter un traceur). Celui-ci permet de créer des configurations de traceur DWF à partir des quatre modèles DWF proposés :

- DWF Classic (R14 look)
- DWF ePlot (version compatible *WHIP!* 3.1)

- DWF eView (optimized for viewing)
- DWF ePlot (optimized for plotting)

Les paramètres suivants peuvent être définis lors de la création ou de la modification d'un fichier de configuration DWF :

- Résolution ou précision de l'affichage du fichier DWF
- Options de compression destinées à réduire la taille du fichier
- Couleur d'arrière-plan (Volo View et Volo View Express utilisent leur propre configuration de couleur d'arrière-plan.)
- Intégration d'informations relatives au calque, à l'échelle et aux cotes dans le fichier DWF.
- Intégration dans le fichier DWF d'une limite de papier similaire à ce qui est affiché avec les dessins dans une présentation.
- Conversion de toutes les extensions d'hyperliens *.dwg* en extensions *.dwf.*

Plus la résolution du fichier DWF est élevée, plus la précision et la taille du fichier sont grandes.

Pour les fichiers DWF générés avec le modèle ePlot (optimized for plotting), il convient de définir une résolution identique ou supérieure à celle du traceur utilisé pour imprimer le dessin.

Pour la plupart des fichiers générés avec les modèles DWF eView (optimized for viewing), DWF Classic (R14 look) et DWF ePlot (version compatible *WHIP!* 3.1), une résolution moyenne est suffisante.

Pour imprimer un fichier DWF, la procédure est la suivante :

1. Dans le menu File (Fichier), choisir l'option Plot (Imprimer).

2. Dans la boîte de dialogue Plot (Tracer), sur l'onglet Plot Device (Périphérique de traçage), sélectionner un traceur DWF dans la liste Name (Nom). Par exemple : DWF ePlot.

3. Dans le champ File name (Nom de fichier), entrer le nom du fichier de tracé.

4. Dans Location (Emplacement), effectuer l'une des opérations suivantes :

   - Entrer l'emplacement d'un dossier local ou du réseau dans lequel on souhaite imprimer le fichier.

   - Entrer une URL Internet ou intranet correspondant à l'emplacement où l'on désire imprimer le fichier.

5. Cliquer sur OK.

Affichage des fichiers DWF dans un navigateur ou une visionneuse externe

La visualisation des fichiers DWF peut se faire dans Volo View ou Volo View Express (Volo View Express est installé en même temps qu'AutoCAD). Ces applications permettent en outre de visualiser les fichiers DWF dans Microsoft Internet Explorer 5.01 ou une version ultérieure.

6. Création de pages Web à l'aide de l'assistant Publier sur le Web

AutoCAD fournit un assistant permettant de créer rapidement et aisément une page Web formatée attrayante, même si l'on n'est pas un expert en codage HTML. Une fois une page Web créée, on peut la placer sur un site Internet ou intranet.

Pour utiliser l'assistant Publish to Web (Publier sur le Web), il suffit de choisir l'option Publish to Web (Publier sur le Web) dans le menu File (Fichier) ou de cliquer sur l'icône correspondante dans la barre d'outils principale.

L'assistant de publication offre une interface simplifiée pour la création de pages Web formatées incluant des images DWF, JPEG ou PNG de dessins AutoCAD :

- Le format DWF ne comprime pas le fichier dessin.
- Le format JPEG utilise une compression entraînant des pertes ; des données sont en effet délibérément écartées afin de réduire la taille du fichier comprimé.
- Le format PNG (Portable Network Graphics) utilise une compression sans perte ; des données d'origine ne sont pas supprimées pour réduire la taille du fichier.

Après avoir sélectionné le format des images, il convient de définir l'aspect de la page via les options suivantes :

- Template (Gabarits) : permet de choisir l'un des quatre gabarits de présentation proposés pour sa page Web.
- Theme (Thèmes) : permet d'appliquer un thème au gabarit choisi. Les thèmes permettent de modifier les couleurs et les polices de la page Web (fig. 13.8).
- i-drop : permet d'activer la fonction glisser-déposer sur sa page Web. Les visiteurs peuvent ainsi glisser-déposer des fichiers dessin dans une session AutoCAD. Les fichiers i-drop conviennent particulièrement bien à la publication de bibliothèques de blocs sur Internet.

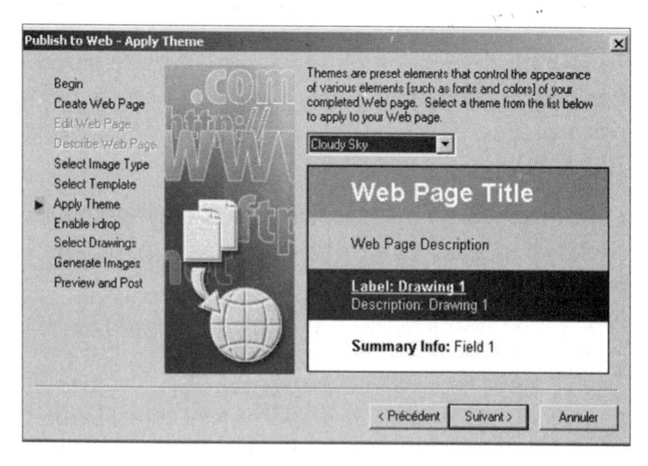

Fig. 13.8

Pour avoir de plus amples informations sur l'utilisation de la fonction de Glisser-déposer depuis Internet pour créer une poignée sur un site Web, il faut se reporter à la documentation sur le site Web d'Autodesk à l'adresse http://www.autodesk.com/idrop.

7. Partage d'une session AutoCAD dans le cadre d'une conférence en ligne

La fonctionnalité Conférence d'AutoCAD® permet à deux personnes ou plus de travailler ensemble dans une même session. Pendant que l'on modifie un dessin AutoCAD sur son ordinateur, d'autres personnes peuvent nous regarder travailler depuis leur machine. On peut effectuer des démonstrations, organiser des sessions de dépannage (et même permettre à d'autres personnes de modifier son dessin) quel que soit le site de travail de chaque utilisateur.

La fonctionnalité Conférence utilise la technologie NetMeeting® de Microsoft® pour mettre en œuvre le partage de sessions entre les utilisateurs d'AutoCAD. Non seulement NetMeeting permet de partager des applications avec d'autres utilisateurs, mais cette technologie offre également des possibilités de conversation ainsi qu'un tableau blanc partagé. NetMeeting propose également des capacités vocales et vidéo, sous réserve que vous soyez équipé du matériel nécessaire.

Une conférence en ligne réunit au moins deux participants. L'*hôte* est la personne à l'initiative de la conférence. L'*invité* (ou correspondant) est une personne qui participe à la conférence lancée par l'hôte. L'hôte et ses invités peuvent partager des applications. Par exemple, on peut ouvrir une conférence et partager son application AutoCAD avec une autre personne ou une autre personne peut partager son application AutoCAD (ou un navigateur, un tableur, etc.) avec vous. Les hôtes et les invités peuvent même partager simultanément des applications.

Huit personnes au maximum peuvent participer à une conférence en ligne. Une seule personne peut contrôler à un moment donné une application spécifique. Lorsque l'on travaille dans la session AutoCAD d'une autre personne, ce que l'on voit sur son écran correspond en fait à l'image de la session AutoCAD de cette personne.

Pour configurer une session de conférence en ligne, la procédure est la suivante :

1. Lancer Netmeeting en cliquant sur l'icône Meet Now (Conférence) de la barre d'outil principale.
2. L'écran d'accueil NetMeeting s'affiche à l'écran. Taper les renseignements demandés, puis cliquer sur Next (Suivant).
3. Taper le nom d'un serveur d'annuaire dans le champ Server Name (Nom du serveur). Ce type de serveur encore dénommé ILS (Internet Locator Server) permet à des utilisateurs de Netmeeting de se rencontrer. Par exemple, le serveur “ meetnow.autodesk.com ” . Cliquer sur Next (Suivant).

4 Spécifier la vitesse de connexion à Internet. Par exemple : xDSL. Cliquer sur Next (Suivant).

5 Régler les paramètres audio (micro et casque ou haut-parleurs). Cliquer sur Test pour faire la vérification. Cliquer sur Next (Suivant).

6 Régler la connexion et le volume d'enregistrement du micro. Cliquer sur Next (Suivant).

7 Accepter les valeurs par défaut qui suivent et cliquer sur Next (Suivant).

8 Netmeeting affiche la liste des correspondants de l'annuaire sélectionné. Choisir le correspondant souhaité et cliquer sur Appeler (fig. 13.9).

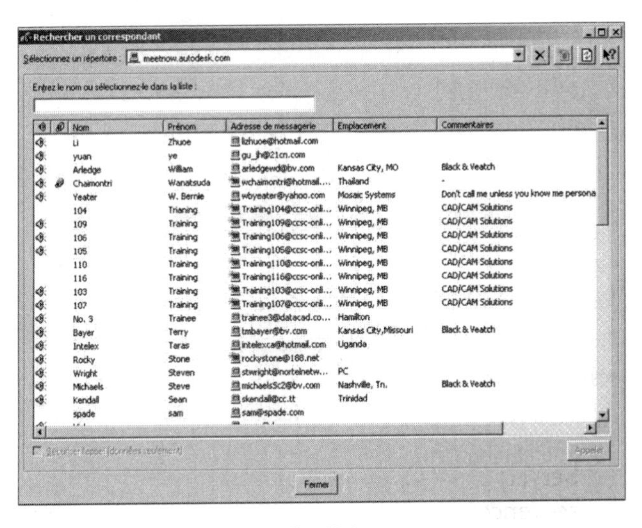

Fig. 13.9

8. Les ressources d'Internet

Support Autodesk (en FR)

- http://support.autodesk.com/fra/Homepage.asp

Groupes de discussion (en FR)

- news://news.manandmachine.fr/autocad.general
- news://news.manandmachine.fr/adt
- news://news.manandmachine.fr/mdt.general
- news://news.manandmachine.fr/inventor
- news://discussion.autodesk.com/autodesk.forum.utilisateurs.fr
- http://communities.msn.fr/utilisateursAutoCAD/

Sites Autodesk et Distribution (en FR)

- http://www.autodesk.fr
- http://www.autodesk.be
- http://www.autodesk.ca
- http://www.manandmachine.fr/mum/default.asp
- http://www.afitec.fr/
- http://www.aricad.fr
- http://www.aec.fr/

- http://www.sittel.ca/
- http://www.tase.be

Autolisp, Shareware, Trucs et Astuces (en FR)

- http://www.newz.net/acadplus/
- http://perso.wanadoo.fr/maxence.delannoy/
- http://perso.wanadoo.fr/didier.duhem/outils.htm
- http://www.didier-lourdelle.fr/
- http://dominique.vaquand.free.fr

Autolisp, Shareware, Trucs et Astuces (en UK)

- http://www.cadalog.com/
- http://www.cadsyst.com/
- http://www.caddepot.com/
- http://www.tbaug.com/lsp_files.htm
- http://www.hatchpatterns.com/
- http://www.activedwg.com/

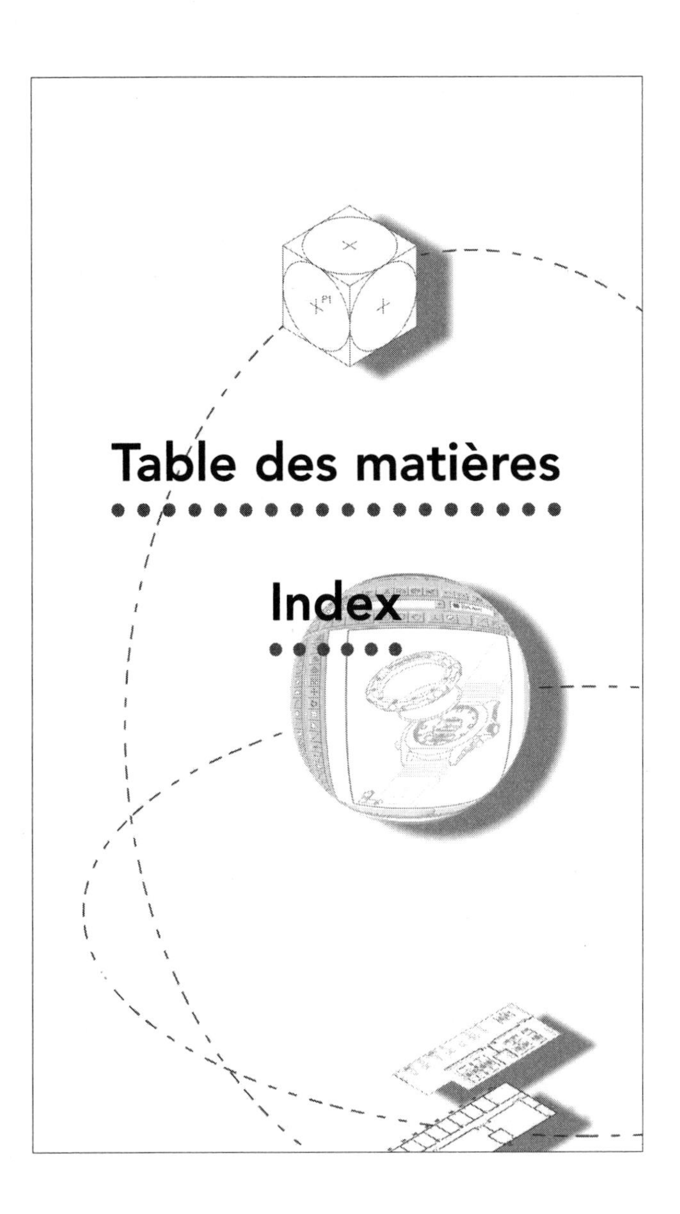

Table des matières

Index

Table des matières

Index

A

B

C

D

S

....

T

....

U

.....

V

.....

....

.....

Z

....

1203

Imprimé en Allemagne par Elsnerdruck

pour le compte des
Nouvelles Éditions Marabout
D. L. n° 18922 - février 2002
ISBN : 2-501-03759-4